한 국 어 능 력 시 험

TOPIK I

한 번에 통과하기

All-in-One Guide to the TOPIK I 一本通

SD에듀
㈜시대고시기획

한국어를 배우려는 외국인들께

한국어능력시험(TOPIK)은 Test Of Proficiency In Korean의 약자로 한국어를 모국어로 하지 않는 재외동포나 외국인에게 한국어 학습의 방향을 제시하고 한국어 보급을 확대하고자 만들어졌습니다. 나아가 그들의 한국어 사용 능력을 측정한 결과는 유학 및 취업 등의 중요한 평가 기준으로 자리매김하였습니다. 이는 지구촌 시대를 맞이하여 국가 간 교류가 활발해지면서 해외 취업 지원 사업 등이 활기를 띠고, 한국어를 배우려는 외국인의 수가 증가하고 있다는 증거이기도 합니다.

2021년 9월, 세계적으로 가장 권위 있는 사전인 옥스퍼드 영어사전이 한국에서 유래한 영어 표제어를 무려 26개나 등재하고 전 세계에 보도 자료까지 배포한 것에서 알 수 있듯 앞으로 한국어의 영향력은 더욱 커질 것입니다. 이에 본서는 한국어능력시험에 대비하는 수험생들이 보다 효과적으로 학습할 수 있도록 다음과 같이 구성하였습니다.

이 책은 이렇게 활용해 보세요.

❶ 실제 기출문제를 유형별로 정리하며 시험의 유형과 풀이 방법을 익힐 수 있습니다.

❷ 급수별 · 주제별 어휘와 필수 문법을 학습하며 한국어 실력을 향상시킬 수 있습니다.

❸ 출제 경향이 반영된 실전 모의고사를 풀면서 자신의 실력을 완벽하게 점검할 수 있습니다.

❹ 영어와 중국어로 번역된 자세한 해설을 활용해 쉽고 편하게 공부할 수 있습니다.

❺ 휴대용 단어장을 가지고 다니며 언제 어디서든 배운 내용을 복습할 수 있습니다.

___

끝으로 "무엇이든 넓게 경험하고 파고들어 스스로를 귀한 존재로 만들어라."라고 하신 세종대왕의 말씀을 전하며, 이 책으로 공부하는 모두에게 좋은 결과가 있기를 바랍니다.

편저자 씀

TOPIK은 누구에게, 왜 필요한가요?

한국어를 모국어로 하지 않는 재외동포 및 외국인으로서

❶ 한국어 학습자 및 국내 대학 유학 희망자

❷ 국내외 한국 기업체 및 공공 기관 취업 희망자

❸ 외국 학교에 재학 중이거나 졸업한 재외국민

| 학업 | ▶ | • 정부 초청 외국인 장학생 프로그램 진학 및 학사관리
• 외국인 및 재외동포의 국내 대학(원) 입학 및 졸업
• 국외 대학의 한국어 관련 학과 학점 및 졸업요건 |

| 취업 | ▶ | • 국내외 기업체 및 공공기관 취업
• 외국인의 한국어교원 자격 심사(국립국어원) 지원 서류 |

| 이민 | ▶ | • 영주권, 취업 등 체류비자 획득
• 사회통합프로그램 이수 인정(TOPIK 취득 등급에 따라 해당 단계에 배정) |

⬡ 2024년도 시험 일정

❶ 해외는 한국과 시험 일정이 다를 수 있으니, 반드시 현지 접수 기관으로 문의 바랍니다.

❷ 시험 일정이 변경될 수도 있으니, 반드시 시행처 홈페이지(topik.go.kr)를 확인하시기 바랍니다.

❸ 인터넷 환경이 구축된 시험실에서 PC를 이용하여 온라인으로 실시하는 IBT가 신설되었습니다. 시험 일정 이외의 더 자세한 내용은 가이드 9쪽 'IBT 안내'를 확인하시기 바랍니다.

회차	접수 기간	시험일	성적 발표일	시행 지역
PBT 제92회	23.12.05.(화)~12.11.(월)	24.01.21.(일)	24.02.22.(목)	한국
PBT 제93회	24.02.13.(화)~02.19.(월)	24.04.14.(일)	24.05.30.(목)	한국 · 해외
PBT 제94회	24.03.12.(화)~03.18.(월)	24.05.12.(일)	24.06.27.(목)	한국
PBT 제95회	24.05.21.(화)~05.27.(월)	24.07.14.(일)	24.08.22.(목)	한국 · 해외
PBT 제96회	24.08.06.(화)~08.12.(월)	24.10.13.(일)	24.11.28.(목)	한국 · 해외
PBT 제97회	24.09.03.(화)~09.09.(월)	24.11.10.(일)	24.12.19.(목)	한국
IBT 제2회	24.01.16.(화)~02.02.(금)	24.03.23.(토)	24.04.16.(화)	한국 · 해외
IBT 제3회	24.04.09.(화)~04.26.(금)	24.06.08.(토)	24.07.02.(화)	한국 · 해외
IBT 제4회	24.07.23.(화)~08.09.(금)	24.09.28.(토)	24.10.22.(화)	한국 · 해외
말하기 제4회	24.01.16.(화)~02.02.(금)	24.03.23.(토)	24.04.18.(목)	한국
말하기 제5회	24.04.09.(화)~04.26.(금)	24.06.08.(토)	24.07.04.(목)	한국
말하기 제6회	24.07.23.(화)~08.09.(금)	24.09.28.(토)	24.10.24.(목)	한국

TOPIK, 어떻게 진행되나요?

◯ 준비물

❶ 필수: 수험표, 신분증(규정된 신분증 이외의 의료보험증, 주민등록등본, 각종 자격증과 학생증은 인정하지 않음. 세부 사항은 시행처 홈페이지 확인)

❷ 선택: 수정테이프(그 외의 필기구는 시험 당일 배부되는 컴퓨터용 검은색 사인펜만 사용 가능), 아날로그 손목시계 (휴대폰, 스마트 워치 등 모든 전자기기는 사용 불가)

◯ 일정

※ 일정은 시행 국가 및 시험 당일 고사장 사정에 따라 아래 내용과 다를 수 있습니다.

TOPIK Ⅰ - 오전 09:20까지 반드시 입실 완료

시간	영역	시험실 진행 상황
09:20~09:50(30분)	–	답안지 작성 안내, 본인 확인, 휴대폰 및 전자기기 제출
09:50~10:00(10분)	–	문제지 배부, 듣기 시험 방송
10:00~10:40(40분)	듣기	–
10:40~11:40(60분)	읽기	–

TOPIK Ⅱ - 오후 12:20까지 반드시 입실 완료

시간	영역		시험실 진행 상황
12:20~12:50(30분)	–		답안지 작성 안내, 1차 본인 확인, 휴대폰 및 전자기기 제출
12:50~13:00(10분)	–		문제지 배부, 듣기 시험 방송
13:00~14:00(60분)	1교시	듣기	(듣기 시험 정상 종료 시) 듣기 답안지 회수
14:00~14:50(50분)		쓰기	–
14:50~15:10(20분)	쉬는 시간		시험실 건물 밖으로는 나갈 수 없음
15:10~15:20(10분)	–		답안지 작성 안내, 2차 본인 확인
15:20~16:30(70분)	2교시	읽기	–

◯ 주의 사항

❶ 입실 시간이 지나면 시험실 건물 안으로 절대 들어갈 수 없습니다.

❷ 시험 중, 책상 위에는 신분증 외에 어떠한 물품도 놓을 수 없습니다. 반입 금지 물품(휴대폰, 이어폰, 전자사전, 스마트 워치, MP3 등 모든 전자기기)을 소지한 경우 반드시 감독관에게 제출해야 합니다.

❸ 듣기 평가 시 문제를 들으며 마킹을 해야 하고, 듣기 평가 종료 후 별도의 마킹 시간은 없습니다. 특히 TOPIK Ⅱ 1교시 듣기 평가 시에는 듣기만, 쓰기 평가 시에는 쓰기만 풀어야 합니다. 이를 어길 경우 부정행위로 처리됩니다.

⬡ OMR 답안지 작성 요령

❶ 답안지를 더럽히거나 낙서, 불필요한 표기 등을 하지 마세요. 불이익을 받을 수 있습니다. 특히 답안지 상 · 하단의 타이밍 마크(▮▮▮▮)는 절대로 훼손하면 안 됩니다.

❷ 문제지에만 답을 쓰고 답안지에 옮기지 않으면 점수로 인정되지 않습니다.

❸ 답안지는 반드시 시험 감독관이 지급하는 컴퓨터용 검은색 사인펜으로 작성해야 합니다.

❹ 객관식 답안은 사인펜의 양쪽 중 펜이 굵은 쪽으로 표기해야 합니다. 문항마다 반드시 하나의 답만 골라 그 숫자에 "❶"로 마킹해야 하며, 한 문항에 2개 이상의 답을 표기하거나 예비 마킹만 한 경우는 0점으로 처리합니다. 올바른 마킹 방법을 아래 그림으로 확인하세요.

❺ 답안을 수정하고 싶으면 수정테이프로 수정할 답안을 완전히 덮어서 보이지 않도록 해야 합니다. 또는 손을 들어 새로운 답안지로 교체할 수도 있습니다.

❻ 시험이 끝나면 답안지를 작성할 수 없습니다. 만약 시험 감독관의 답안지 제출 지시에 따르지 않으면 부정행위로 처리됩니다.

❼ 잘못된 필기구 사용과 불완전한 마킹으로 인한 답안 작성 오류는 모두 응시자 본인에게 책임이 있습니다.

올바른 마킹 방법

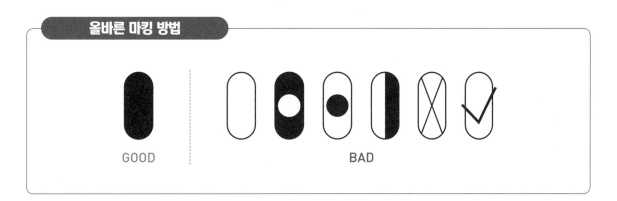

GOOD   BAD

답안지 응시자 정보 작성 방법

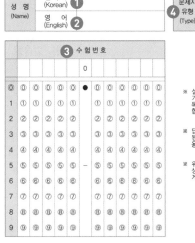

❶ 수험표상(上)의 이름을 한글로 쓰세요.

❷ 수험표상(上)의 이름을 영어로 쓰세요.

❸ 수험번호를 아라비아 숫자로 쓴 후 마킹하세요.

❹ 문제지 유형을 확인한 후 마킹하세요.

※ 실제 OMR 답안지에는 '결시확인란'과 '감독관 확인'이 있습니다. 이것은 시험 감독관이 표기하는 곳이니 그대로 비워 두세요.

※ 수험번호, 성명 등의 표기를 잘못하여 불이익을 받지 않도록 꼭 미리 연습해 보세요.

TOPIK, 어떻게 구성되나요?

⬡ 시험 구성

구분	영역 및 시간	유형	문항 수	배점	총점
TOPIK I	듣기 40분	선다형	30문항	100점	200점
	읽기 60분	선다형	40문항	100점	
TOPIK II	듣기 60분	선다형	50문항	100점	300점
	쓰기 50분	서답형	4문항	100점	
	읽기 70분	선다형	50문항	100점	

⬡ 듣기

문항 번호		배점	지문	유형
01~04번	01번	4점	짧은 대화	맞는 대답 고르기
	02번	4점		
	03번	3점		
	04번	3점		
05~06번	05번	4점	짧은 대화	이어지는 말 고르기
	06번	3점		
07~10번	07번	3점	짧은 대화	담화 장소 고르기
	08번	3점		
	09번	3점		
	10번	4점		
11~14번	11번	3점	짧은 대화	화제 고르기
	12번	3점		
	13번	4점		
	14번	3점		
15~16번	15번	4점	짧은 대화	일치하는 그림 고르기
	16번	4점		
17~21번	17번	3점	짧은 대화	일치하는 내용 고르기
	18번	3점		
	19번	3점		
	20번	3점		
	21번	3점		
22~24번	22번	3점	짧은 대화	중심 생각 고르기
	23번	3점		
	24번	3점		
25~26번	25번	3점	매체 담화	화자의 의도/목적 고르기
	26번	4점		일치하는 내용 고르기
27~28번	27번	3점	대화	화제 고르기
	28번	4점		일치하는 내용 고르기
29~30번	29번	3점	대화	의도/목적/이유 고르기
	30번	4점		일치하는 내용 고르기

◯ 읽기

문항 번호		배점	지문	유형
31~33번	31번	2점	짧은 서술문	화제 고르기
	32번	2점		
	33번	2점		
34~39번	34번	2점	짧은 서술문	빈칸에 알맞은 말 고르기
	35번	2점		
	36번	2점		
	37번	3점		
	38번	3점		
	39번	2점		
40~42번	40번	3점	실용문	일치하지 않는 내용 고르기
	41번	3점		
	42번	3점		
43~45번	43번	3점	짧은 서술문	일치하는 내용 고르기
	44번	2점		
	45번	3점		
46~48번	46번	3점	짧은 서술문	중심 내용 고르기
	47번	3점		
	48번	2점		
49~50번	49번	2점	수필	빈칸에 알맞은 말 고르기
	50번	2점		일치하는 내용 고르기
51~52번	51번	3점	설명문	화제 고르기
	52번	2점		중심 생각 고르기
53~54번	53번	2점	수필	빈칸에 알맞은 말 고르기
	54번	3점		일치하는 내용 고르기
55~56번	55번	2점	설명문	빈칸에 알맞은 말 고르기
	56번	3점		일치하는 내용 고르기
57~58번	57번	3점	짧은 글	알맞은 순서로 배열한 것 고르기
	58번	2점		
59~60번	59번	2점	수필	문장이 들어갈 위치 고르기
	60번	3점		일치하는 내용 고르기
61~62번	61번	2점	수필	빈칸에 알맞은 말 고르기
	62번	2점		일치하는 내용 고르기
63~64번	63번	2점	매체 담화	필자의 의도/목적 고르기
	64번	3점		일치하는 내용 고르기
65~66번	65번	2점	설명문	빈칸에 알맞은 말 고르기
	66번	3점		일치하는 내용 고르기
67~68번	67번	3점	설명문	빈칸에 알맞은 말 고르기
	68번	3점		일치하는 내용 고르기
69~70번	69번	3점	수필	빈칸에 알맞은 말 고르기
	70번	3점		일치하는 내용 고르기

※ 평가틀은 시행처와 출제자의 의도에 따라 조금씩 달라질 수 있습니다.

TOPIK, 어떻게 평가하나요?

등급 결정			평가 기준
TOPIK I (200점 만점)	1급	80점 이상	• '자기 소개하기, 물건 사기, 음식 주문하기' 등 생존에 필요한 기초적인 언어 기능을 수행할 수 있으며 '자기 자신, 가족, 취미, 날씨' 등 매우 사적이고 친숙한 화제에 관련된 내용을 이해하고 표현할 수 있다. • 약 800개의 기초 어휘와 기본 문법에 대한 이해를 바탕으로 간단한 문장을 생성할 수 있다. • 간단한 생활문과 실용문을 이해하고, 구성할 수 있다.
	2급	140점 이상	• '전화하기, 부탁하기' 등의 일상생활에 필요한 기능과 '우체국, 은행' 등의 공공시설 이용에 필요한 기능을 수행할 수 있다. • 약 1,500 ~ 2,000개의 어휘를 이용하여 사적이고 친숙한 화제에 관해 문단 단위로 이해하고 사용할 수 있다. • 공식적 상황과 비공식적 상황에서의 언어를 구분해 사용할 수 있다.
TOPIK II (300점 만점)	3급	120점 이상	• 일상생활을 영위하는 데 별 어려움을 느끼지 않으며, 다양한 공공시설의 이용과 사회적 관계 유지에 필요한 기초적 언어 기능을 수행할 수 있다. • 친숙하고 구체적인 소재는 물론, 자신에게 익숙한 사회적 소재를 문단 단위로 표현하거나 이해할 수 있다. • 문어와 구어의 기본적인 특성을 구분해서 이해하고 사용할 수 있다.
	4급	150점 이상	• 공공시설 이용과 사회적 관계 유지에 필요한 언어 기능을 수행할 수 있으며, 일반적인 업무 수행에 필요한 기능을 어느 정도 수행할 수 있다. • '뉴스, 신문 기사' 중 비교적 평이한 내용을 이해할 수 있다. 일반적인 사회적·추상적 소재를 비교적 정확하고 유창하게 이해하고, 사용할 수 있다. • 자주 사용되는 관용적 표현과 대표적인 한국 문화에 대한 이해를 바탕으로 사회적·문화적인 내용을 이해하고 사용할 수 있다.
	5급	190점 이상	• 전문 분야에서의 연구나 업무 수행에 필요한 언어 기능을 어느 정도 수행할 수 있다. • '정치, 경제, 사회, 문화' 전반에 걸쳐 친숙하지 않은 소재에 관해서도 이해하고 사용할 수 있다. • 공식적·비공식적 맥락과 구어적·문어적 맥락에 따라 언어를 적절히 구분해 사용할 수 있다.
	6급	230점 이상	• 전문 분야에서의 연구나 업무 수행에 필요한 언어 기능을 비교적 정확하고 유창하게 수행할 수 있다. • '정치, 경제, 사회, 문화' 전반에 걸쳐 친숙하지 않은 주제에 관해서도 이해하고 사용할 수 있다. • 원어민 화자의 수준에는 이르지 못하나 기능 수행이나 의미 표현에는 어려움을 겪지 않는다.

IBT 안내 INFORMATION

시험 구성

❶ IBT는 시험 중간에 쉬는 시간이 없습니다.

❷ 시험 시작 30분 전까지 수험표에 적힌 시험실에 도착해서 지정된 컴퓨터에 로그인을 해야 합니다.

구분	영역 및 시간	유형	문항 수	배점	총점
TOPIK I	듣기 40분	선다형	30문항	200점	400점
	읽기 45분	선다형	30문항	200점	
TOPIK II	듣기 45분	선다형	40문항	200점	600점
	읽기 55분	선다형	40문항	200점	
	쓰기 50분	서답형	3문항	200점	

시험 등급

구분	TOPIK I		TOPIK II			
등급	1급	2급	3급	4급	5급	6급
점수	132~207점	208~400점	204~261점	262~330점	331~411점	412~600점

문항 구성

❶ 선택형(radio button): 4개의 선택지 중 1개의 답을 선택

❷ 단어 삽입형(word insertion): 지문의 빈칸에 끼워 넣을 알맞은 단어를 선택

❸ 문장 삽입형(sentence insertion): 지문에 제시문이 들어갈 알맞은 위치를 선택

❹ 끌어 놓기형(drag and drop): 제시된 문장을 마우스로 이동하여 순서대로 배열

❺ 문장 완성형(short answer): 빈칸에 알맞은 답을 입력하여 문장을 완성

❻ 서술형(essay writing): 주어진 주제와 분량에 맞게 서술형 답안을 입력

주의 사항

❶ 듣기: 화면에 '대기 시간'과 '풀이 시간'이 나옵니다. 풀이 시간이 종료되면 다음 문제로 화면이 자동 변경됩니다. 화면이 바뀌면 지나간 문제는 다시 풀 수 없으며, 반드시 풀이 시간 내에 답을 선택해야 합니다.

❷ 읽기: 이전 문제, 다음 문제로 이동하면서 문제를 다시 풀 수 있습니다. 시험이 끝나기 10분 전, 5분 전 알림이 제공됩니다. 시험 시간이 다 되면 표시해 두었던 모든 답이 자동으로 제출됩니다.

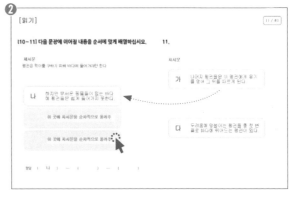

이 책의 구성과 특징 STRUCTURES

본책

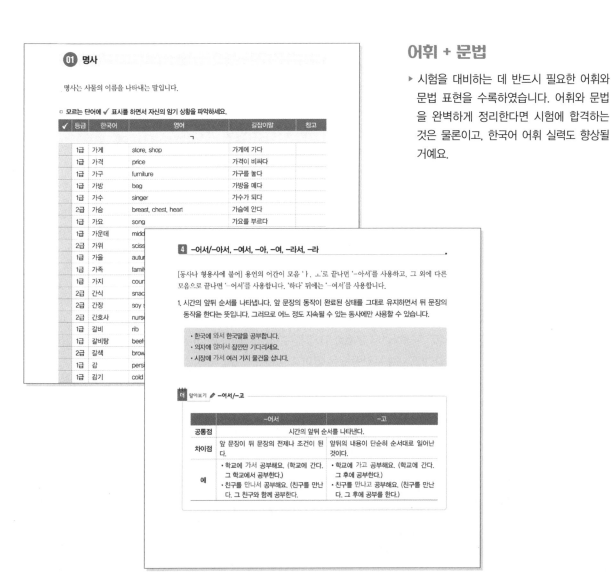

기출 유형 분석

▶ 실제 기출문제를 유형별로 꼼꼼히 분석하여 정리하였습니다. 최고의 학습 자료인 기출 문제로 시험의 유형과 풀이 방법을 확실하게 파악해 보세요.

어휘 + 문법

▶ 시험을 대비하는 데 반드시 필요한 어휘와 문법 표현을 수록하였습니다. 어휘와 문법을 완벽하게 정리한다면 시험에 합격하는 것은 물론이고, 한국어 어휘 실력도 향상될 거예요.

실전 모의고사

▸ 출제 경향을 반영한 모의고사 3회분을 수록하였습니다. 공부한 내용을 점검하면서 부족한 부분을 파악해 보세요.

QR코드를 통한 편리한 학습

▸ '듣기 영역 MP3'를 스마트폰으로 편히 들을 수 있습니다. 또 '모바일 OMR 자동채점' 서비스를 이용하면 쉽고 빠르게 점수와 정답을 확인할 수도 있어요.

책 속의 책

01	02	03	04	05	06	07	08	09	10
①	③	①	②	①	②	③	④	④	③
11	12	13	14	15	16	17	18	19	20
②	①	④	①	③	①	①	③	②	②
21	22	23	24	25	26	27	28	29	30
①	①	①	③	④	④	②	④	①	③

정답 근거

01 맞는 대답 고르기

정답 ①

남자: 물이에요?
여자: _____

❶ 네, 물이에요.
② 네, 물이 아니에요.
③ 아니요, 물이 좋아요.
④ 아니요, 물이 맛있어요.

해설
물인지 물이 아닌지를 물었기 때문에 '네, 물이에요.' 또는 '아니요, 물이 아니에요.'라고 대답해야 합니다.

단어
물, 좋다, 맛있다

说明
男人问了是不是水，所以女人的应该回答 "네, 물이에요(是的, 是水)" 或 "아니요, 물이 아니에요(不是, 不是水)"。

单词
水, 好, 好吃/可口/味道好

Explanation
The man asked if it was water or not, so the woman should answer, '네, 물이에요(Yes, it's water),' or, '아니요, 물이 아니에요(No, it's not water).'

Words
water, good, delicious

정답 및 해설

▸ 문제를 풀고 나서 왜 틀렸는지 확인해 보세요. '한국어 + 중국어 + 영어'의 3개 언어로 된 친절한 해설로 혼자서도 쉽게 공부할 수 있을 거예요.

별책 부록

빈출 어휘 단어장

▸ 휴대하기 편한 소책자 형태로 모의고사에 나온 어휘를 정리하였습니다. 모르는 어휘는 꼭 암기하고, 어휘 테스트를 통해 학습한 어휘를 확실하게 자신의 것으로 만들어 보세요.

이 책의 목차 CONTENTS

본책

PART 01 핵심 이론

PART 02 실전 모의고사

책 속의 책

PART 03 정답 및 해설

별책 부록

빈출 어휘 단어장

PART

01

핵심 이론

한 번에 TIP

출제 유형, 한눈에 보기!

듣기	맞는 대답 고르기
	이어지는 말 고르기
	담화 장소 고르기
	화제 고르기
	일치하는 그림 고르기
	일치하는 내용 고르기
	중심 생각 고르기
	(화자의) 의도/목적/이유 고르기
읽기	화제 고르기
	빈칸에 알맞은 말 고르기
	일치하지 않는 내용 고르기
	일치하는 내용 고르기
	중심 내용 고르기
	빈칸에 알맞은 말 고르기
	알맞은 순서로 배열한 것 고르기
	문장이 들어갈 위치 고르기
	필자의 의도/목적 고르기

01 듣기

듣기는 귀를 통해 들려오는 말소리를 인식하고 그 의미를 파악하는 과정입니다. 그런데 사람의 귀는 녹음기와 달라서 들리는 모든 것을 듣는 것이 아니라 필요한 내용을 선택하여 듣습니다. 즉 우리는 듣기를 할 때 모든 정보에 똑같은 정도의 주의를 기울이는 것이 아니라, 목적에 따라 특정 정보에 주의를 더 기울입니다. 그러므로 듣기 영역에서도 얼마나 많은 내용을 들었는지가 아니라, 필요한 정보를 얼마나 잘 구별해서 들었는지를 중요하게 생각합니다.

한국어능력시험 I 듣기 영역에서는 일상생활에서 자주 쓰이는 대화문이나 간단한 실용문을 들려준 후, 의미를 정확히 이해하고 적절히 사용할 수 있는지를 평가합니다.

01 자주 나오는 내용

- **주제**
  - 개인 신상: 이름, 전화번호, 가족, 국적, 고향, **성격**, **외모**
  - 주거와 환경: 장소, 숙소, 방, **가구 · 침구**, 주거비, 생활 편의 시설, **지역**
  - 일상생활: 가정생활, 학교생활
  - 쇼핑: 쇼핑 시설, 식품, **의복**, **가정용품**, 가격
  - 식음료: 음식, 음료, **배달**, 외식
  - 공공 서비스: 우편, 은행, 병원, 약국, **경찰서**
  - 여가와 오락: 휴일, 취미 · 관심, 영화 · 공연, 전시회 · 박물관
  - 대인관계: 친구 · 동료 관계, 초대, 방문, 편지, **모임**
  - 건강: 신체, **위생**, 질병, **치료**
  - 기후: 날씨, 계절
  - 여행: **관광지**, **일정**, **짐**, **숙소**
  - 교통: 위치, 거리, 길, 교통수단

- **기능**
  - 정보 요청하기와 정보 전달하기: 설명하기, **확인하기**, **비교하기**, **대조하기**, 질문하고 답하기
  - 설득하기와 권고하기: 제안하기, 요청하기, 허락하기/허락구하기, 명령하기, 금지하기
  - 태도 표현하기: 동의하기, **추측하기**, 바람 · 희망 · 기대 표현하기, **가능/불가능 표현하기**, **능력 표현하기**, **의무 표현하기**, 사과 표현하기, 거절 표현하기
  - 감정 표현하기: **놀람 표현하기**, **선호 표현하기**, 희로애락 표현하기
  - 사교적 활동하기: 인사하기, 소개하기, 감사하기, 축하하기, 환영하기, 호칭하기

■ 목적

대화의 목적	종류
사회적 상호 작용	• 개인적 대화: 일상생활 • 사회적 대화: 소개, 주문, 관공서 이용, 시설 이용, 문의·상담·요청, 토의, 회의
정보 전달과 이해	• 안내: 공항·지하철·역·버스 안내, 미아·분실물 찾기 안내 방송, 회원 모집 안내, 시설 이용 안내, 식품·제품 세일 안내, 관광·여행 안내, 박물관 안내, 아파트·기숙사 수리 이용 안내 • 광고: 제품 광고, 구인 광고, 기업 광고, 공익 광고

듣기 문제를 풀 때는 방송이 나오기 전에 먼저 선택지(①~④)를 빠르게 읽어보면서, 문제가 묻는 것이 무엇인지 확인하는 것이 좋습니다. 대화의 상황이나 중심 어휘 등을 파악하고 간단히 메모해 둔 후 방송이 나오면 필요한 정보를 찾으며 듣는 것이 좋습니다.

> **더 알아보기** ✎ **세트 구성 문제**
>
> 아래 문제들은 '세트 구성'입니다. 즉 하나의 대화나 실용문을 듣고, 두 문제를 풀어야 하기 때문에 각 문제에서 물어보는 것이 무엇인지를 먼저 확인한 후 필요한 정보를 찾으며 들어야 합니다.
>
> [25~26] 유형 7 말하는 목적 고르기 + 유형 5 들은 내용과 같은 것 고르기
> [27~28] 유형 3 화제 고르기 + 유형 5 들은 내용과 같은 것 고르기
> [29~30] 유형 8 행동의 이유 고르기 + 유형 5 들은 내용과 같은 것 고르기

02 유형 익히기

1. 이어지는 말 고르기

이 유형은 문장 단위의 질문에 적절한 반응을 찾거나, 대화 내용의 일부를 듣고 이어질 반응으로 알맞은 것을 추측해서 대화를 완성하는 문제입니다. 대화 상황에서 듣기의 목적은 이해에서 끝나는 것이 아니라, 듣고 알맞게 반응하는 것이므로 의사소통 능력을 평가하는 데 아주 효과적인 문제입니다.

PART **01** 핵심 이론

급4를 결정짓는
한끝 POINT **〈〈〈** **평서문과 의문문의 억양 구분**

- 평서문: 문장의 끝부분을 하강조의 억양으로 내려서 말합니다.
- 의문문: 문장의 끝부분을 상승조의 억양으로 높여서 말합니다.

예 안녕하세요? 안녕히 계세요.   예 사과가 있어요? 네, 있어요.
     (／)   (＼)   (／)   (＼)

1-1. 긍정 · 부정으로 대답하기

의문사가 없는 질문을 듣고 긍정 또는 부정으로 대답하는 문제입니다. 질문과 대답의 일정한 형식을 알아 두면 문제를 쉽게 풀 수 있습니다. 예를 들어 질문 끝에 나오는 동사나 형용사를 사용하여 대답하면 답이 되는 경우가 많습니다.

! **대표예제** 제83회 TOPIK I 듣기 1번 ●────

🎧 QR코드를 들으며 문제를 풀어 보세요.

※ 다음을 듣고 **물음에 맞는** 대답을 고르십시오.
     └ 유형 확인!

                                                                       ▨ 정답 근거

대 본 남자: 학생**이에요?**
           여자: _____

① 네. 학생이에요.   ② 네. 학생이 없어요.
③ 아니요. 학생이 와요.   ④ 아니요. 학생이 많아요.

풀 이 학생이라면 '네. 학생이에요.', 학생이 아니라면 '아니요. 학생이 아니에요.'라고 대답하면 됩니다.

                                                              정 답 ①

1-2. 구체적으로 대답하기

의문사('누가, 언제, 어디, 무엇, 왜, 어떻게' 등)가 있는 질문에 대하여 알맞게 대답하는 문제입니다. 자주 나오는 의문사와 알맞은 대답을 함께 알아 두면 문제를 쉽게 풀 수 있습니다.

급수를 결정짓는
한끝 POINT ◀◀ **의문사로 이루어진 질문과 대답**

- 거기: 장소를 물어볼 때 – 가: 거기가 어디예요? / 나: 영화관이에요.
- 무엇: 행동을 물어볼 때 – 가: 지금 무엇을 해요? / 나: 숙제를 해요.
- 누구: 사람을 물어볼 때 – 가: 누구를 기다리고 있어요? / 나: 엄마를 기다려요.
- 언제: 시간, 날짜, 요일 등을 물어볼 때 – 가: 언제 수업이 끝나요? / 나: 오후에 끝나요.
- 몇 시: 시간을 물어볼 때 – 가: 몇 시에 만날까요? / 나: 일곱 시에 만나요.
- 왜: 이유를 물어볼 때 – 가: 왜 집에 가요? / 나: 친구가 놀러 왔어요.
- 어디: 장소를 물어볼 때 – 가: 어디에서 밥을 먹었어요? / 나: 식당에서 먹었어요.
- 무슨: 모르는 것에 대하여 물어볼 때 – 가: 무슨 일을 해요? / 나: 저는 미용사예요.
- 어떻게: 방법에 대하여 물어볼 때 – 가: 도서관에 어떻게 가요? / 나: 버스로 가요.
- 어때요: 느낌을 물어볼 때 – 가: 이 구두 어때요? / 나: 아주 예뻐요.

💡 **대표예제** 제83회 TOPIK I 듣기 4번

🎧 QR코드를 들으며 문제를 풀어 보세요.

※ 다음을 듣고 **물음에 맞는 대답**을 고르십시오.
└ 유형 확인!

▨ 정답 근거

대본 여자: 공항에 **어떻게** 갔어요?
남자: ＿＿＿＿＿＿＿＿＿＿＿＿＿＿＿＿＿＿＿＿＿

① 어제 갔어요.　　　　　② 자주 갔어요.
③ 친구가 갔어요.　　　　④ 지하철로 갔어요.

풀이 '어떻게'는 방법을 물어볼 때 쓰는 말입니다. 공항에 간 방법, 즉 교통수단을 알려 주면 됩니다.

정답 ④

1-3. 대화 상황과 어울리는 표현 고르기

일상생활에서 자주 쓰이는 대화를 듣고 상황과 어울리는 표현을 고르는 문제입니다. 자주 나오는 대화 상황에서의 질문과 대답을 알아 두면 문제를 쉽게 풀 수 있습니다.

급4를 결정짓는 한끝 POINT ◀◀◀ 자주 나오는 대화 상황

- 감사 인사를 할 때 – 가: 고마워요. / 나: 아니에요. 별 말씀을요.
- 반가울 때 – 가: 반가워요. / 나: 반갑습니다.
- 사과할 때 – 가: 미안해요. / 나: 아니에요. 괜찮습니다.
- 사람이 찾아왔을 때 – 가: ○○ 씨 있나요? / 나: 네, 들어오세요.
- 식사를 할 때 – 가: 맛있게 드세요. / 나: 네, 잘 먹겠습니다. 맛있게 드세요.
- 안부 인사를 건넬 때 – 가: 잘 지냈어요? / 나: 네, 잘 지냈어요.
- 양해를 구할 때 – 가: 실례합니다. / 나: 괜찮습니다. 무슨 일이시죠?
- 여행갈 때 – 가: 다녀오겠습니다. / 나: 잘 다녀오세요.
- 오랜만에 만났을 때 – 가: 오랜만이에요. / 나: 네, 오랜만입니다.
- 자기 전 인사를 할 때 – 가: 안녕히 주무세요. / 나: 네, 잘 자요.
- 전화할 때 – 가: ○○ 씨 있나요? / 나: 네, 전데요.
- 처음 만날 때 – 가: 처음 뵙겠습니다. / 나: 네, 만나서 반갑습니다.
- 축하할 때 – 가: 축하합니다. / 나: 감사합니다.
- 칭찬할 때 – 가: 잘했습니다. / 나: 감사합니다.
- 헤어질 때 – 가: 안녕히 가세요. / 나: 안녕히 계세요.

❗ 대표예제 제83회 TOPIK I 듣기 5번

🎧 QR코드를 들으며 문제를 풀어 보세요.

※ 다음을 듣고 **이어지는** 말을 고르십시오.
ㄴ 유형 확인!

　　　　　　　　　　　　　　　　　　　　　　　　　 정답 근거

대본　남자: **미안**해요.
　　　　여자: _____

　① 축하해요.　　② 아니에요.　　③ 고마워요.　　④ 반가워요.

풀이　'미안'은 사과할 때 쓰는 말입니다. '아니에요.', '괜찮습니다.'라고 대답하면 됩니다.

정답 ②

2. 대화하는 장소 고르기

대화를 듣고 대화를 하는 장소를 파악하는 문제입니다. 단어 하나하나를 다 들으려고 노력하기보다는 전체적인 내용을 이해하는 것이 중요합니다. 대화 상황이나 장소를 알 수 있는 핵심어(가장 중심이 되는 단어)를 알아 두면 문제를 쉽게 풀 수 있습니다.

급4를 결정짓는 한끝 POINT ◀◀ 장소와 관련된 단어

- 공원: 산책, 나무, 공기, 걷다
- 공항: 비행기표, 출발, 도착, 항공권, 여권
- 극장: 영화, 영화표, 상영, 배우, 예매
- 꽃집: 나무, 풀, 꽃(장미, 국화……), 예쁘다
- 병원: 의사, 치료, 열, 감기, 기침, 아프다
- 식당: 비빔밥, 불고기, 먹다, 시키다

- 약국: 약, 아프다, 식사 전/후
- 우체국: 편지, 소포, 주소, 부치다
- 은행: 돈, 저금, 통장, 바꾸다, 찾다
- 택시/버스: 어디, 타다, 가다
- 학교: 교실, 숙제, 선생님
- 회사: 사장님, 회의실, 출근, 지각, 늦다

! 대표예제 제83회 TOPIK I 듣기 9번 ●

🎧 QR코드를 들으며 문제를 풀어 보세요.

※ 여기는 <u>어디입니까?</u> 알맞은 것을 고르십시오.
└ 유형 확인!

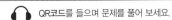 정답 근거

대본 남자: 이 구두를 신어 보고 싶어요.
여자: 네, 이쪽으로 오세요.

① 백화점   ② 여행사
③ 우체국   ④ 박물관

풀이 '구두'를 '신어 보고' 살 수 있는 곳은 '백화점'입니다.

> • –어 보다
> 1. 앞의 말이 나타내는 행동을 시험 삼아 함을 나타냅니다.
>   예 손님, 그 바지가 마음에 드시면 한번 입어 보세요.
> 2. 앞의 말이 나타내는 행동을 이전에 경험했음을 나타냅니다.
>   예 나는 한강 작가를 좋아해 그의 책은 다 읽어 봤다.

정답 ①

3. 화제 고르기

대화를 듣고 대화 내용의 중심 소재(이야기의 바탕이 되는 재료)나 내용을 파악하는 문제입니다. 모든 대화문을 다 들으려고 노력하기보다는 두 사람의 대화에서 핵심어를 듣고 공통점을 찾는 것이 중요합니다. 이해 능력을 평가하는 유형으로 한두 개의 단어만 듣고 답을 유추하기보다 전체적인 내용을 이해하고 이야기하는 대상이 무엇인지를 찾아야 합니다.

급수를 결정짓는
한끝 POINT ◀◀◀ **자주 나오는 화제**

가족, 값, 고향, 계절, 계획, 공부, 공원, 과일, 교실, 교통, 극장, 기분, 꽃집, 꿈, 나라, 나이, 날씨, 날짜, 도서관, 도시, 맛, 모임, 물건, 방학, 백화점, 부모님, 사진, 색, 서점, 선물, 소개, 쇼핑, 수업, 시간, 시장, 식당, 식사, 약국, 약속, 역, 옷, 요일, 우체국, 운동, 운동장, 위치, 은행, 음식, 이름, 일, 장소, 주말, 주소, 지하철역, 직업, 집, 춤, 취미, 친구, 학교, 휴일

! **대표예제** 제83회 TOPIK I 듣기 14번 •

🎧 QR코드를 들으며 문제를 풀어 보세요.

※ 다음은 **무엇에 대해** 말하고 있습니까? 알맞은 것을 고르십시오.
   └ 유형 확인!

     정답 근거

대본 여자: 그 가방 좋네요. **비싼** 거예요?
        남자: 아니요. 비싸지 않아요. **이만 원**이에요.

① 값   ② 맛
③ 위치   ④ 계절

풀이 '비싸다', '○○ 원'은 '값'과 관련 있는 말입니다.

정답 ①

4. 대화 내용에 맞는 그림 고르기

대화의 내용에 포함된 어휘나 문법 등을 종합적으로 이해하여 대화의 내용을 적절하게 표현한 그림을 고르는 문제입니다. 선택지를 읽어야 하는 부담이 없으므로 읽기 능력에 영향을 받지 않고, 그림이 있기 때문에 쉽다고 느낄 수도 있습니다. 하지만 단어 한두 개만을 듣고 답을 찾다 보면 함정에 빠지기 쉽습니다.

먼저 대화하는 두 사람의 관계를 정확하게 파악해야 합니다. 평소 알고 지내는 사람들인지, 처음 만난 사람들인지 등을 파악하며 대화를 들으면 훨씬 쉬워질 것입니다. 그리고 나서 자주 등장하는 단어나 표현을 가지고 내용을 추측해 보는 것이 좋습니다.

ⓒ 급수를 결정짓는 **한끝 POINT ◄◄◄** 대화 상황과 대화 참여자들의 관계

- 사전을 빌리는 상황
- 배를 타러 가는 상황
- 처음 만나서 인사하는 상황
- 기차 여행을 하며 즐거워하는 상황
- 지하철에서 노인에게 자리를 양보하는 상황
- 무거운 물건(식탁)을 들어 달라고 부탁하는 상황
- 텔레비전에 나온 연예인을 보면서 좋아하는 상황
- 버스 정거장에서 함께 탈 버스 번호를 확인하는 상황
- 연못에 돈을 던져 넣는 사람을 보고 이유를 묻는 상황
- 맛집으로 유명한 식당을 찾아 왔지만 사람이 많아서 그냥 가는 상황
- 꽃을 사는 손님과 응대하는 주인
- 치마를 수선하려는 손님과 세탁소 주인
- 영화표를 사려고 하는 손님과 대답하는 직원
- 버스에서 목적지를 묻는 사람과 대답하는 사람
- 생일 축하 인사를 하는 사람과 고마워하는 사람
- 아파서 병원에 온 환자와 어디가 아픈지 묻는 의사
- 수업 중에 질문하는 학생과 대답을 해 주는 선생님
- 소포 포장 방법을 묻는 손님과 알려 주는 우체국 직원
- 사진을 찍어 달라고 부탁하는 사람과 부탁을 들어주는 사람
- 가게에 들어온 손님을 환영하는 점원과 시계를 보여 달라는 손님
- 사전을 찾고 있는 손님과 사전이 놓인 장소를 알려 주는 서점 직원
- 전시실에서 사진을 찍는 관람객과 촬영이 금지되어 있음을 알려 주는 직원
- 가게(편의점)에서 물건(우산)을 찾는 손님과 그 물건이 어디 있는지 알려 주는 가게 주인

대표예제 제83회 TOPIK I 듣기 15번 ●

 QR코드를 들으며 문제를 풀어 보세요.

PART 01 핵심 이론

※ 다음 대화를 듣고 **가장 알맞은 그림을** 고르십시오.
└ 유형 확인!

▨ 정답 근거

대본 남자: 저, 우산은 **어디에** 있어요?
여자: **저기** 창문 밑에 있습니다.

①

②

③

④

풀이 그림의 배경은 모두 편의점입니다. 남자는 손님이고, 여자는 편의점 주인입니다. 남자가 우산이 '어디' 있는지 묻자, 여자가 '저기' 있다고 대답하였습니다. 즉, 우산을 찾는 남자와 우산 위치를 알려 주는 여자를 찾으면 됩니다.

> • 존대 표현: 한국어에는 듣는 사람이나 이야기의 주체가 되는 사람에게 존경하는 마음을 표현하는 '높임말'이 있습니다. 말하는 사람이 자신을 낮추어 '저'라고 표현하기도 합니다.
> 예 • 선생은 어디 있느냐? → 선생님께서는 어디 계세요?
> • 나는 그 사람에게 선물을 주었다. → 저는 그 분께 선물을 드렸습니다.

정답 ①

5. 들은 내용과 같은 것 고르기

대화를 듣고 선택지에서 대화의 내용과 같은 것을 고르는 문제입니다. 대화에 나온 내용이 남자의 행동인지 여자의 행동인지 구분할 수 있어야 하므로 선택지와 관련된 특정 정보를 선택하여 들어야 합니다. 대화에 사용된 어휘나 문법 등을 종합하여 세부적으로 내용을 이해하는 것이 중요합니다.

대표예제 제83회 TOPIK I 듣기 18번 •

🎧 QR코드를 들으며 문제를 풀어 보세요.

※ 다음을 듣고 **대화 내용과 같은 것**을 고르십시오.
ㄴ 유형 확인!

■ 정답 근거

대본 남자: 와, 김치찌개 맛있네요.
여자: 그래요? 우리 어머니한테 배웠는데 괜찮아요?
남자: 네, 맛있어요. 저는 요리를 잘 못하는데…….
여자: 저도 아직 잘 못해서 어머니한테 가끔 배워요.

① 남자는 요리를 아주 잘합니다.
② 남자는 지금 김치찌개를 만듭니다.
③ 여자는 어머니에게서 요리를 배웁니다.
④ 여자는 어머니와 요리를 하고 있습니다.

풀이 여자는 어머니한테 요리를 가끔 배웁니다.
① 남자는 요리를 잘 못합니다.
② 남자는 지금 김치찌개를 먹습니다.
④ 여자는 김치찌개를 만들었습니다. 남자는 그 김치찌개를 맛있게 먹고 있습니다.

정답 ③

6. 중심 생각 고르기

대화를 듣고 대화하는 사람 중 한 명의 중심 생각을 파악하는 문제입니다. '여자'의 중심 생각을 고르는 문제에서는 여자의 말에서 정답이 나오고, '남자'의 중심 생각을 고르는 문제에서는 남자의 말에서 정답이 나올 때가 많습니다. 그러므로 문제에서 물어보는 것이 '남자'의 중심 생각인지, '여자'의 중심 생각인지를 먼저 확인한 후 내용을 들어야 합니다.

> **대표예제** 제83회 TOPIK I 듣기 23번 •─────
>
> 🎧 QR코드를 들으며 문제를 풀어 보세요.
>
>
>
> ※ 다음을 듣고 여자의 중심 생각을 고르십시오.
> └ 유형 확인!
>
> █ 정답 근거
>
> **대본** 여자: 시계가 고장 났는데 고칠 수 있을까요?
> 남자: 한번 볼게요. 꽤 오래된 시계네요.
> 여자: 이거 제가 정말 좋아하는 시계예요. 계속 쓰고 싶어요.
> 남자: 네, 그럼 고쳐 보고 연락드리겠습니다.
>
> ① 새 시계를 구경해 보고 싶습니다.
> ② 시계를 오늘 바로 고쳐야 합니다.
> ③ 시계를 고쳐서 오래 쓰고 싶습니다.
> ④ 좋은 시계로 바꾸어 주면 좋겠습니다.
>
> **풀이** 여자는 고장 난 시계를 고쳐서 계속 쓰고 싶다고 했습니다.
>
> > • -을까요?
> > 1. 아직 일어나지 않았거나 모르는 일에 대해서 말하는 사람이 추측하며 질문할 때 씁니다.
> >   예 내일도 비가 올까요?
> > 2. 듣는 사람에게 의견을 묻거나 제안할 때 씁니다.
> >   예 일요일에 같이 공원에 갈까요?
>
> **정답** ③

7. 말하는 목적 고르기

대화나 안내문 등의 실용문을 듣고 이야기를 하고 있는 목적을 찾는 문제입니다. 자주 나오는 대화의 목적을 알아 두면 답을 쉽게 찾을 수 있습니다.

ⓒ **한끝 POINT** ◀◀ **자주 나오는 대화의 목적**

감사, 계획, 부탁, 사과, 설명, 소개, 신청, 안내, 약속, 인사, 주문, 질문, 초대, 취소

💡 **대표예제** 제83회 TOPIK I 듣기 25번 ●

🎧 QR코드를 들으며 문제를 풀어 보세요.

※ 여자가 **왜 이 이야기를 하고 있는지** 고르십시오.
└ 유형 확인!

▨ 정답 근거

대본 여자: 잠시 안내 말씀드립니다. **우리 회사에서는 '사랑의 아침밥' 행사를 엽니다.** 식사를 못하고 출근하시는 분들을 위해 내일부터 한 달 동안 아침 식사를 무료로 드립니다. 건강에 좋고 맛있는 식사가 준비됩니다. 1층 식당에 오셔서 아침을 드시고 즐거운 하루를 시작하시기 바랍니다. 감사합니다.

① 식당 위치를 설명하려고
② 행사 신청 기간을 안내하려고
③ 회사에서 하는 행사를 알리려고
④ 회사 직원에게 감사 인사를 하려고

풀이 회사 안내 방송입니다. 여자는 직원들에게 회사에서 열리는 행사에 대해 알려 주고 있습니다.

> • –ㅂ니다: 격식을 갖춘 공식적인 자리에서 주로 쓰는 말입니다. 상대방을 아주 높이는 표현으로 정중하고 단호한 느낌을 줍니다.
> 예 • 안내 말씀드리겠습니다.
> • 저는 박민영입니다.
> • 처음 뵙겠습니다.
> • 한국에서 왔습니다.

정답 ③

8. 행동의 이유 고르기

　　대화를 들고 남자나 여자가 어떤 행동을 한 이유를 찾는 문제입니다. '여자'가 한 행동의 이유를 묻는 문제에서는 여자의 말에서, '남자'가 한 행동의 이유를 묻는 문제에서는 남자의 말에서 정답이 나올 때가 많습니다. 그러므로 문제에서 물어보는 것이 '남자'의 행동인지, '여자'의 행동인지를 먼저 확인하고 대화를 들어야 합니다. 또는 상대방이 질문을 하면 대답하는 사람의 말에서 정답을 찾을 수도 있습니다. '어떻게 -어요?'와 같은 질문 다음에 나오는 말들을 집중해서 들으면 문제를 쉽게 풀 수 있습니다.

대표예제 제83회 TOPIK I 듣기 29번

🎧 QR코드를 들으며 문제를 풀어 보세요.

※ 남자가 **이 책을 쓴 이유를** 고르십시오.
　　└ 유형 확인!

▨ 정답 근거

대본　여자: 김민수 경찰관님, 이번에 책을 쓰셨지요? 어떤 책입니까?

　　　　남자: 제가 경찰이 된 지 8년이 됐는데요. 그동안 경험한 일을 쓴 겁니다.

　　　　여자: 네, 특별히 이 책을 쓰신 이유가 있으세요?

　　　　남자: 사람들의 생각처럼 경찰관은 힘든 일을 많이 합니다. 하지만 <mark>기쁘고 행복한 일도 많아요. 이런 일들을 알려 주려고</mark> 작년부터 글을 쓰기 시작했습니다.

　　　　여자: 아, 행복한 일들요. 어떤 일들이지요?

　　　　남자: 몇 달 전에 제가 어떤 아이의 가방을 찾아 줬어요. 그런데 그 아이가 일을 잘했다고 저에게 상을 주는 거예요. 아이가 직접 만든 상과 편지를 받았는데, 칭찬을 받은 거 같아서 행복했어요.

　　　　① 글을 쓰는 재미를 알리고 싶어서
　　　　② 힘들고 어려운 아이들에게 도움이 되고 싶어서
　　　　③ 경찰이 되는 여러 가지 방법을 알려 주고 싶어서
　　　　④ 경찰이 되어서 경험한 행복한 일을 소개하고 싶어서

풀이　남자는 경찰이 되어 경험한 일을 책으로 썼습니다. 힘든 일도 많지만, 기쁘고 행복한 일도 많다는 것을 알려 주려고 글을 썼다고 했습니다.

정답 ④

02 읽기

우리는 즐거움을 얻기 위해 소설이나 시를 읽습니다. 정보를 얻기 위해 신문도 봅니다. 학문적인 지식을 얻기 위해 전문 서적을 읽기도 합니다. 또 식당에서 음식을 고르기 위해 메뉴판을 읽거나, 여행을 하기 위해 안내 책자를 읽기도 합니다. 이처럼 우리가 글을 읽는 목적은 다양합니다. 글은 읽는 목적에 따라 읽는 방식도 달라집니다. 처음부터 끝까지 다 읽어야 하는 경우, 처음과 끝만 간단히 읽어도 되는 경우, 완벽히 이해하기 위해 여러 번 읽어야 하는 경우 등 매우 다양합니다.

한국어능력시험 I 읽기 영역에서는 일상생활과 공공장소에서 자주 볼 수 있는 짧은 문장이나 글을 읽고 의미를 정확히 이해하고 적절히 사용할 수 있는지를 평가합니다.

01 자주 나오는 내용

■ 주제
- 개인 신상: 이름, 전화번호, 가족, 국적, 고향, **성격**, **외모**
- 주거와 환경: 장소, 숙소, 방, **가구 · 침구**, **주거비**, 생활 편의 시설, **지역**
- 일상생활: 가정생활, 학교생활
- 쇼핑: 쇼핑 시설, 식품, **의복**, **가정용품**, 가격
- 식음료: 음식, 음료, **배달**, 외식
- 공공 서비스: 우편, 은행, 병원, 약국, **경찰서**
- 여가와 오락: 휴일, 취미 · 관심, 영화 · 공연, 전시회 · 박물관
- 대인관계: 친구 · 동료 관계, 초대, 방문, 편지, **모임**
- 건강: 신체, **위생**, 질병, **치료**
- 기후: 날씨, 계절
- 여행: **관광지**, **일정**, **짐**, **숙소**
- 교통: **위치**, **거리**, 길, 교통수단

■ 기능
- 정보 요청하기와 정보 전달하기: 설명하기, **확인하기**, **비교하기**, **대조하기**, 질문하고 답하기
- 설득하기와 권고하기: 제안하기, 요청하기, 허락하기/허락구하기, 명령하기, 금지하기
- 태도 표현하기: 동의하기, **추측하기**, 바람 · 희망 · 기대 표현하기, **가능/불가능 표현하기**, **능력 표현하기**, **의무 표현하기**, 사과 표현하기, 거절 표현하기
- 감정 표현하기: **놀람 표현하기**, **선호 표현하기**, 희로애락 표현하기

- 사교적 활동하기: 인사하기, 소개하기, 감사하기, 축하하기, 환영하기, 호칭하기

■ 목적

대화의 목적	종류
정보 전달	• 공공증서: 신분증, 영수증, 등록증 등 • 일기예보 기사 • 광고 전단지 등 • 안내문: 약도, 안내 표지, 게시판 등 • 소개글 • 설명문: 요리법, 투약 설명서 등 • 짧은 서술문 등
감정 표현	• 수필: 일상생활, 좋아하는 음식, 미래 계획 등 개인적인 생활과 느낌을 쓴 짧은 글
사교와 친교	• 메시지: 축하, 감사, 사과 등 • 매체 담화: 채팅, 인터넷 댓글, 인터넷 게시판 글 등 • 실용문: 메모, 일기, 편지, 이메일, 초청장 등

읽기 문제를 풀 때는 먼저 문제에서 묻는 것이 무엇인지를 확인한 후 필요한 정보를 찾으며 읽도록 합니다. 즉, 질문과 선택지를 먼저 빠르게 읽어 보고 어떤 내용을 중심으로 주어진 글을 읽어야 할지 판단한 후 글을 읽는 것이 좋습니다.

> **더 알아보기** ✏ **세트 구성 문제**
>
> 아래 문제들은 '세트 구성'입니다. 즉 하나의 글을 읽고, 두 문제를 풀어야 하기 때문에 각 문제에서 물어보는 것이 무엇인지를 먼저 확인한 후 필요한 정보를 찾으며 글을 읽어야 합니다.
>
> [49~50] 유형 5 알맞은 말 고르기 + 유형 3-2 주어진 내용과 같은 것 고르기
>
> [51~52] 유형 5 알맞은 말 고르기 + 유형 1 소재 고르기
>
> [53~54] 유형 5 알맞은 말 고르기 + 유형 3-2 주어진 내용과 같은 것 고르기
>
> [55~56] 유형 5 알맞은 말 고르기 + 유형 3-2 주어진 내용과 같은 것 고르기
>
> [59~60] 유형 7 문장이 들어갈 곳 고르기 + 유형 3-2 주어진 내용과 같은 것 고르기
>
> [61~62] 유형 5 알맞은 말 고르기 + 유형 3-2 주어진 내용과 같은 것 고르기
>
> [63~64] 유형 8 글 쓴 이유 고르기 + 유형 3-2 주어진 내용과 같은 것 고르기
>
> [65~66] 유형 5 알맞은 말 고르기 + 유형 3-2 주어진 내용과 같은 것 고르기
>
> [67~68] 유형 5 알맞은 말 고르기 + 유형 3-2 주어진 내용과 같은 것 고르기
>
> [69~70] 유형 5 알맞은 말 고르기 + 유형 3-2 변형 알 수 있는 것 고르기

02 유형 익히기

1. 소재 고르기

　전체 내용을 읽고 중심 소재를 찾는 문제입니다. 두 개의 문장을 읽고 이야기하는 대상이 무엇인지를 고르면 됩니다.

　이 문제를 잘 풀기 위해서는 주어진 문장에서 가장 중심이 되는 단어나 표현을 보고 그것들을 모두 포함하는 말을 선택지에서 찾을 수 있어야 합니다. 상의어·하의어 관계나 주제와 관련된 표현들을 알아 두면 좋습니다.

급4를 결정짓는
한끝 POINT ◀◀◀ **상의어와 하의어**

- 상의어: 어떤 말보다 일반적이고 포괄적인 뜻이 있는 말
- 하의어: 어떤 말보다 구체적이고 자세한 뜻이 있는 말

예	상의어	하의어
	가족	부모님, 동생, 언니, 오빠, 형, 누나, 할머니, 할아버지 등
	계절	봄, 여름, 가을, 겨울
	과일	사과, 딸기, 복숭아, 참외, 귤 등
	나라	중국, 일본, 베트남, 미국, 독일, 프랑스, 러시아 등
	나이	열아홉 살, 스무 살 등
	식사	아침, 점심, 저녁
	음식	비빔밥, 불고기, 갈비, 떡볶이 등
	주말	토요일, 일요일

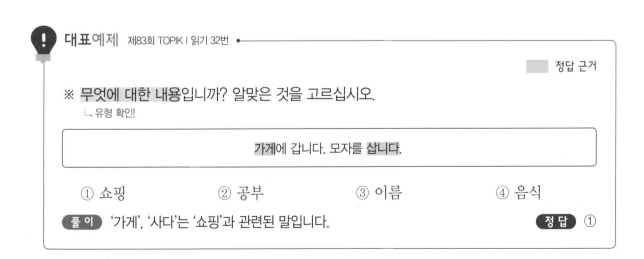

대표예제 제83회 TOPIK I 읽기 32번

정답 근거

※ **무엇**에 대한 **내용**입니까? 알맞은 것을 고르십시오.
└ 유형 확인!

> **가게**에 갑니다. 모자를 **삽니다**.

① 쇼핑　　　　② 공부　　　　③ 이름　　　　④ 음식

풀 이 '가게', '사다'는 '쇼핑'과 관련된 말입니다.　　　　**정답** ①

2. 빈칸에 알맞은 말 고르기

문장의 앞뒤 관계를 이해하고 빈칸을 채워 문장을 완성하는 문제입니다. 두 문장의 관계를 살펴보고 핵심어(가장 중심이 되는 단어)를 파악한 후, 그것과 관련 있는 말을 선택지에서 찾아 빈칸에 넣어 보면 됩니다. 빈칸에 들어가는 말은 동사나 형용사가 가장 많으며, 그 밖에 명사, 부사, 조사도 있습니다.

이 문제를 잘 풀기 위해서는 자주 나오는 조사와 부사를 정리해 두는 것이 좋습니다. 그리고 문장과 문장을 이어주는 접속사의 의미를 알아 두면 문제를 더 쉽게 풀 수 있습니다.

급수를 결정짓는
한끝 POINT ◀◀ **자주 나오는 조사와 부사**

- 조사: 이/가, 을/를, 은/는, 와/과, 하고, 에, 도, 만, 의, 에서, 에게, 까지
- 부사: 아주, 아직, 가끔, 먼저, 자주, 아마, 제일, 아까, 어서, 다시, 서로, 처음, 별로, 보통, 항상

! 대표예제 제83회 TOPIK I 읽기 35번 ●

▨ 정답 근거

※ ( )에 들어갈 말로 가장 알맞은 것을 고르십시오.
└ 유형 확인!

| 한국 가수를 좋아합니다. 매일 한국 ( )를 **듣습니다**. |

① 편지   ② 노래   ③ 전화   ④ 시계

풀 이 '듣다'와 가장 잘 어울리는 말은 '노래'입니다. '편지'는 '쓰다/읽다/부치다/보내다', '전화'는 '받다/걸다/끊다', '시계'는 '차다/풀다' 등과 어울립니다.

정답 ②

3. 세부 내용 확인하기

이 유형은 실용문이나 짧은 글을 읽고 세부 내용을 확인하여 선택지와 비교하는 문제입니다. 글의 의미를 이해하고, 선택지 하나하나를 주어진 글과 비교해 보아야 합니다.

3-1. 주어진 내용과 같지 않은 것 고르기

일상생활에서 볼 수 있는 간단한 실용문을 읽고 선택지에서 주어진 내용과 같지 않은 것을 고르는 문제입니다. 대부분 실용문은 자신에게 필요한 정보를 중심으로 읽게 됩니다. 주어진 내용에서 필요한 정보를 빠르게 찾는 능력은 읽기 능력 중에서 아주 중요한 요소입니다. 그러므로 이 유형에서는 광고지, 기차표, 안내문, 설명서, 계약서, 메모, 문자, 편지, 명함, 일기예보 등 실용적인 읽기 자료를 주고 시간, 장소, 순서 등 특정 정보에 대하여 물어봅니다.

이 문제를 잘 풀기 위해서는 실용문의 종류에 따른 구성 요소를 알아 두면 내용을 이해하기가 쉬우므로 시험에 자주 나오는 실용문의 종류와 내용을 알아 두도록 합니다.

급수를 결정짓는
한끝 POINT ◀◀◀ **실용문의 종류와 내용**

- 가게 영업시간 안내판: 위치, 여는 시간, 닫는 시간, 쉬는 날 등
- 가전제품 전시회 포스터: 기간, 요금, 장소, 연락처 등
- 고시원(하숙집) 광고 전단지: 위치, 방 구조, 방 상태, 식사 제공 유무, 연락처 등
- 관광 안내 전화: 전화번호, 이용 시간, 안내 사항, 안내 언어 종류 등
- 기숙사 이용 안내문: 식사 시간, 세탁실 이용 시간, 주의 사항 등
- 기차표: 출발지, 목적지, 날짜, 출발 시간, 도착 시간, 가격 등
- 모임 안내문: 시간, 장소, 모이는 곳, 회비, 유의 사항 등
- 문자 메시지: 받는 사람, 문자를 보내는 이유, 보내는 사람 등
- 생활 계획표: 숙제, 약속, 집안일, 여가 활동 등
- 식당 메뉴판: 음식 이름, 계절 메뉴, 가격 등
- 약 봉지: 복용 횟수, 복용 시간, 주의 사항 등
- 연극·연주회 포스터: 공연 장소, 공연 일시(날짜, 요일, 시간), 예매처, 연락처, 요금, 할인 정보 등
- 영수증: 상호, 주소, 전화, 구매 일시, 구매 물건 이름, 가격, 받은 돈, 거스름돈 등
- 영화표: 영화 제목, 상영 일시, 요금, 좌석 번호 등
- 이메일: 보내는 사람, 메일을 보내는 이유, 받는 사람
- 층별 안내도: 화장실, 회의실, 사무실, 경비실 등의 위치
- 학생증: 이름, 생년월일, 학년, 반, 번호, 학교 이름 등
- 학원 광고 전단지: 수업 시간, 학원비 등
- 할인권: 사용처, 할인 품목, 가격, 할인 정보, 사용 기간 등

대표예제 제83회 TOPIK I 읽기 42번 ●━━━━━━━━━

※ 다음을 읽고 **맞지 않는** 것을 고르십시오.
└ 유형 확인!

① 수미 씨는 공항에 왔습니다.

② 수미 씨는 제주도에 있습니다.

③ 지금 제주도는 날씨가 좋습니다.

④ 민희 씨는 수미 씨와 같이 있습니다.

풀이 수미 씨는 지금 제주도에 있습니다. 수미 씨의 SNS를 보고 민희 씨가 자기도 제주도에 가고 싶다고 했습니다. 민희 씨와 수미 씨는 지금 같이 있지 않습니다.

정답 ④

3-2. 주어진 내용과 같은 것 고르기

두세 개의 문장으로 된 짧은 글을 읽고 선택지에서 주어진 내용과 의미가 같은 것을 고르는 문제입니다. 주어진 글이 선택지에 그대로 나오지 않고 비슷한 의미의 다른 말로 바뀌어 나오기도 합니다.

이 문제를 잘 풀기 위해서는 어휘와 문법 그리고 속담이나 관용표현까지 공부하는 것이 좋습니다. 또 선택지 중 세 개가 주어진 글의 내용과 다르기 때문에 선택지부터 읽는 것보다는 글을 읽고 난 후 같은 내용이 나온 하나의 선택지를 찾는 것이 더 쉽습니다. 또 글을 읽을 때 시간, 장소, 사건, 방법, 이유 등 중요한 정보에 밑줄을 치며 읽으면 관련된 내용을 찾을 때 도움이 됩니다.

 대표예제 제83회 TOPIK I 읽기 44번 •

███ 정답 근거

※ 다음을 읽고 내용이 같은 것을 고르십시오.
└ 유형 확인!

> 어제 친구가 한국에 왔습니다. **오늘 우리 집에 놀러 올 겁니다.** 저는 집을 깨끗하게 청소했습니다.

① 저는 친구 집에 갈 겁니다.
② 저는 오늘 친구를 만납니다.
③ 친구가 오늘 한국에 왔습니다.
④ 친구하고 집을 청소할 겁니다.

풀이 저는 오늘 집에서 친구를 만날 겁니다.
① 친구가 우리 집에 놀러 올 겁니다.
③ 친구는 어제 한국에 왔습니다.
④ 친구가 온다고 해서 집을 깨끗하게 청소했습니다.

정답 ②

4. 중심 생각 고르기

짧은 글을 읽고 중심 내용을 파악하는 문제입니다. 여러 문장의 내용을 포함하는 것을 선택지에서 찾아야 합니다.

이 문제를 잘 풀기 위해서는 먼저 글을 읽으며 가장 중요하다고 생각하는 내용을 파악한 후 선택지에서 그것과 관련되는 말을 찾는 것이 좋습니다. 중요한 내용은 주로 앞부분이나 뒷부분에 나오는데, 가끔 글 중간에 나오거나 전체 문장을 요약해야 하는 경우도 있으므로 처음부터 차근차근 살펴보는 것이 좋습니다.

대표예제 제83회 TOPIK I 읽기 46번

정답 근거

※ 다음을 읽고 **중심 내용을** 고르십시오.
└ 유형 확인!

> 제 동생은 빵을 잘 만듭니다. 동생이 만든 빵은 아주 맛있습니다. 저도 빵 만드는 방법을 배우고 싶습니다.

① 저는 빵집에서 일하고 싶습니다.
② 저는 맛있는 빵을 사고 싶습니다.
③ 저는 동생에게 빵을 주고 싶습니다.
④ 저는 맛있는 빵을 만들고 싶습니다.

풀이 저는 동생이 만든 것처럼 빵을 맛있게 만드는 방법을 배우고 싶습니다.

정답 ④

5. 알맞은 말 고르기

'유형 2'와 같이 빈칸을 채워 문장을 완성하는 문제입니다. 하지만 주어진 글이 '유형 2'보다 길기 때문에 어렵다고 느낄 수 있습니다. 또 '유형 2'와 같이 앞뒤 문장만 보고 풀 수 있는 문제도 있지만, 글을 전체적으로 읽고 이해한 후 흐름에 알맞은 말을 골라야 하는 문제도 있습니다. 빈칸에 들어가는 것은 단어(접속사, 동사, 형용사 등), 어구, 문법 표현(동사, 형용사의 어미 활용) 등입니다.

이 문제를 잘 풀기 위해서는 자주 나오는 접속사와 문법 표현을 정리하고, 문장과 문장을 이어주는 접속사의 의미를 알아 두어야 합니다. 특히 문법 표현은 이 책의 핵심이론에 있는 연결 어미, 종결 어미, 복합 표현, 조사를 예문과 함께 꾸준히 공부하여야 합니다.

급4를 결정짓는
한끝 POINT ◀◀ **접속사의 의미와 기능**

그래서	앞의 내용이 뒤의 내용의 원인이나 이유일 때 사용합니다. • 운동을 많이 합니다. 그래서 건강합니다. • 머리가 아픕니다. 그래서 병원에 갑니다.
그러나	앞의 내용과 뒤의 내용이 반대되거나 어긋날 때 사용합니다. • 그녀는 많이 먹어요. 그러나 살이 안 쪄요. • 이 옷은 예쁘다. 그러나 가격이 비싸다.
그러면	앞의 내용이 뒤의 내용의 조건일 때 사용합니다. • 네가 청소해. 그러면 나는 설거지를 할게. • 이쪽으로 가세요. 그러면 병원이 나올 거예요.
그렇지만	앞의 내용을 인정하면서 앞의 내용과 뒤의 내용이 대립될 때 사용합니다. • 한국어가 어려워요. 그렇지만 재미있어요. • 추워서 나가기 싫어요. 그렇지만 나가야 해요.
그리고	같거나 비슷한 내용을 나열할 때 사용합니다. • 그는 얼굴이 잘 생겼고 키가 큽니다. 그리고 성격도 좋습니다. • 나는 한국어를 잘한다. 그리고 영어도 잘한다.
하지만	내용이 서로 반대인 두 개의 문장을 이어 줄 때 사용합니다. • 지수는 국어를 잘한다. 하지만 수학은 잘 못한다. • 이 가방은 참 예쁘다. 하지만 너무 비싸서 살 수가 없다.

대표예제 제83회 TOPIK I 읽기 49번

정답 근거

※ ㉠에 들어갈 말로 가장 알맞은 것을 고르십시오.
└ 유형 확인!

저는 유치원 선생님입니다. 저는 아이들을 좋아해서 유치원 선생님이 되었습니다. 우리 유치원에는 아이들이 많아서 일이 조금 힘듭니다. 또 집에 늦게 가는 날도 많습니다. (㉠) 아이들이 정말 귀엽고 예뻐서 저는 제 일을 좋아합니다.

① 그러면　　　　　　　② 하지만
③ 그래서　　　　　　　④ 그리고

풀이 ㉠ 앞은 내 일의 안 좋은 점, ㉠ 뒤는 내 일의 좋은 점입니다. 서로 반대되는 내용이므로 ㉠에는 '하지만'이 가장 잘 어울립니다.

정답 ②

대표예제 제83회 TOPIK I 읽기 55번

정답 근거

※ ㉠에 들어갈 말로 가장 알맞은 것을 고르십시오.
└ 유형 확인!

얼마 전 만화 박물관이 문을 열었습니다. 이 박물관에는 1960년부터 지금까지 나온 여러 가지 만화책이 많이 있습니다. 유명한 만화 영화도 즐길 수 있어서 특히 아이들이 좋아합니다. 그리고 이 만화 박물관에는 (㉠) 만화책을 오랜만에 다시 읽으러 오는 어른들도 많습니다.

① 요즘에 나온　　　　　② 어릴 때 읽은
③ 아이들이 만든　　　　④ 박물관에서 빌려 온

풀이 ㉠ 뒤에 '오랜만에'라는 말이 있으므로 ㉠에는 '어릴 때 읽은'이 가장 잘 어울립니다.

정답 ②

6. 순서 파악하여 나열하기

주어진 글의 흐름을 파악하는 문제입니다. 순서가 뒤섞인 네 개의 문장을 읽고 앞뒤 관계를 파악하여 논리적으로 다시 나열해야 합니다. 첫 번째 문장은 선택지에서 (가)~(라) 중 두 개로 정해줍니다.

이 문제를 잘 풀기 위해서는 먼저 선택지를 보고 무엇이 첫 번째 문장인지를 파악하여야 합니다. 그 후 접속사나 지시어를 이용하여 흐름에 맞게 다음 문장을 찾으면 됩니다. 또한 글의 특성에 따라 글을 진행하는 방법을 알아 두면 문제를 쉽게 풀 수 있습니다. 예를 들어 설명문은 소개하려는 항목을 나열하는 방법이 많고, 논설문은 주장과 근거, 원인과 결과로 묶어서 진행하는 방법이 많습니다.

급4를 결정짓는 한끝 POINT 《《 **자주 나오는 접속사와 지시 표현**

그 결과, 그래서, 그러나, 그러다가, 그러면, 그러므로, 그런데, 그렇다고, 그렇다면, 그렇지만, 그리고, −기 때문이다, 다만, 또, 만일, 뿐만 아니라, −아/어/야 하지만, 앞으로는, 여기에는, 왜냐하면, 이것은, 이러한, 이런, 이런 이유로, 이런 점에서, 이렇게 해서, 이렇게, 이에 따라, 이와 동시에, 이와 반대로, 이처럼, 처음, 특히, 하지만

대표예제 제83회 TOPIK I 읽기 58번

■ 정답 근거

※ 다음을 순서에 맞게 배열한 것을 고르십시오.
└ 유형 확인!

(가) 남극에는 펭귄 우체국이 있습니다.
(나) 또 우체국에서는 여러 가지 펭귄 기념품도 팝니다.
(다) 여기에서는 관광객들이 쓴 편지를 전 세계로 보내줍니다.
(라) 펭귄 우체국에서 이렇게 번 돈은 남극의 펭귄을 위해서 사용합니다.

① (가)-(다)-(나)-(라)   ② (가)-(라)-(나)-(다)
③ (라)-(나)-(가)-(다)   ④ (라)-(다)-(나)-(가)

풀 이 선택지가 (가) 또는 (라)로 시작합니다. (라)에 '이렇게'가 있으므로 (라)는 첫 번째 문장이 될 수 없습니다.
- (가) → (다): (다)의 '여기'는 '펭귄 우체국'입니다.
- (나): '또'는 '그 밖에 더'라는 뜻으로 앞뒤 말을 대등하게 이어줍니다. 펭귄 우체국에서 편지도 보내주고, 기념품도 팝니다.
- (라): '이렇게'는 (다)와 (나)의 내용을 의미합니다. 펭귄 우체국은 편지를 보내주고 기념품을 팔아서 번 돈을 펭귄을 위해서 사용합니다.

정 답 ①

7. 문장이 들어갈 곳 고르기

'유형 6'과 같이 주어진 글의 흐름을 파악하는 문제입니다. 빈칸이 있는 글을 읽고 전체적인 흐름을 이해한 후 주어진 문장이 어디에 들어가면 자연스러운지 찾으면 됩니다.

이 문제를 잘 풀기 위해서는 먼저 들어갈 문장의 내용을 정확히 이해해야 합니다. 그 후 같은 말이나 반대되는 말이 있는 문장의 앞뒤에 주어진 문장을 넣어 보고 시간 순서, 논리적 순서, 포함 관계 등을 생각해 보면 답을 쉽게 찾을 수 있습니다.

대표예제 제83회 TOPIK I 읽기 59번

정답 근거

※ **다음 문장이 들어갈 곳으로 가장 알맞은 것을 고르십시오.**
└ 유형 확인!

저는 요즘 **자전거를 타고 학교에 갑니다.** (㉠) 전에는 지하철을 타고 다녔습니다. (㉡) 그때는 학교까지 삼십 분이 걸렸지만 지금은 **한 시간쯤 걸립니다.** (㉢) 아침에 일찍 일어나는 것은 싫지만 운동을 할 수 있어서 좋습니다. (㉣)

그래서 지하철을 탈 때보다 **집에서 일찍 나와야 합니다.**

① ㉠　　② ㉡　　③ ㉢　　④ ㉣

풀 이 '그래서' 앞에는 뒤 내용의 원인이나 이유가 옵니다. 집에서 일찍 나오는 이유는 자전거를 타면 학교까지 한 시간이나 걸리기 때문입니다.

정 답 ③

8. 글 쓴 이유 고르기

글쓴이가 그 글을 쓴 이유를 파악하는 문제입니다. 주어지는 글은 인터넷 게시판이나 이메일 등과 같은 실용적인 읽기 자료입니다.

이 문제를 잘 풀기 위해서는 주어진 글의 중심 내용이 무엇인지 알아야 합니다. 글을 전부 읽은 후 내용을 요약하거나 '-ㄹ 수 있을까요?', '-고 싶습니다.' 앞에 쓰인 말을 읽어보면 됩니다.

대표예제 제83회 TOPIK I 읽기 63번

정답 근거

※ 왜 이 글을 썼는지 맞는 것을 고르십시오.
└ 유형 확인!!

받는 사람	daehan@hankuk.com; minkuk@hankuk; sarang@hankuk.com ……
보낸 사람	mskim@hankuk.com
제 목	직원 여러분, 안녕하십니까?

직원 여러분께
안녕하십니까? 우리 회사의 영어 수업이 다음과 같이 열립니다. 많은 분들의 관심을 바랍니다.

• 수업 기간: 8월 1일~8월 31일(화, 목 19시~21시)
• 수 업 료: 무료
• 신청 방법: 7월 22일(금)까지 이메일(mskim@hankuk.com)로 신청

보내기

① 수업 시간을 바꾸려고
② 수업 신청을 받으려고
③ 수업 방법을 설명하려고
④ 수업 장소를 안내하려고

풀이 회사에서 직원들에게 보낸 이메일입니다. 회사 영어 수업의 '수업 기간', '수업료', '신청 방법'을 알려 주고 있습니다. '관심을 바란다', '이메일로 신청'에서 이메일을 쓴 이유를 알 수 있습니다.

정답 ②

03 어휘와 문법

한국어에는 '동음이의어'가 많습니다. 소리는 같지만 뜻이 서로 다른 어휘를 동음이의어라고 합니다. 길잡이말과 참고를 보고 이러한 어휘를 구분하며 공부하세요.

01 명사

명사는 사물의 이름을 나타내는 말입니다.

☐ 모르는 단어에 ✔ 표시를 하면서 자신의 암기 상황을 파악하세요.

✔	등급	한국어	영어	길잡이말	참고
			ㄱ		
	1급	가게	store, shop	가게에 가다	
	1급	가격	price	가격이 비싸다	
	1급	가구	furniture	가구를 놓다	
	1급	가방	bag	가방을 메다	
	1급	가수	singer	가수가 되다	
	2급	가슴	breast, chest, heart	가슴에 안다	
	1급	가요	song	가요를 부르다	
	1급	가운데	middle	가운데 자리	
	2급	가위	scissors	가위로 자르다	
	1급	가을	autumn, fall	쌀쌀한 가을	
	1급	가족	family	우리 가족	
	1급	가지	counting unit (for kind of)	여러 가지	의존명사
	2급	간식	snack	간식을 먹다	
	2급	간장	soy sauce	간장을 넣다	
	2급	간호사	nurse	의사와 간호사	
	1급	갈비	rib	갈비를 먹다	
	1급	갈비탕	beef-rib soup	갈비탕을 먹다	
	2급	갈색	brown color	갈색 물감	
	1급	감	persimmon	감을 먹다	
	1급	감기	cold	감기에 걸리다	

	3급	감동	impression	감동을 받다	
	2급	감자	potato	감자튀김	
	1급	값	price	값을 깎다	
	2급	강	river	강을 건너다	
	2급	강아지	puppy	강아지를 키우다	
	1급	개	counting unit (for general items)	사과 한 개	의존명사
	1급	개	dog	개를 키우다	
	2급	개월	counting unit (for month)	삼 개월	의존명사
	3급	개인	individual	개인의 자유	
	2급	거	thing, one	먹을 거	의존명사
	2급	거리	street	거리로 나가다	
	2급	거리	distance	거리가 가깝다	
	1급	거실	dining room	거실에 모이다	
	2급	거울	mirror	거울을 보다	
	2급	거짓말	lie	거짓말을 하다	
	1급	건너편	the opposite side	건너편으로 가다	
	1급	건물	building	건물을 짓다	
	2급	검은색	black color	검은색 물감	
	1급	것	a thing, the one	먹을 것	의존명사
	1급	게임	game	컴퓨터 게임	
	1급	겨울	winter	추운 겨울	
	2급	결과	result	검사 결과	
	2급	결혼	wedding	결혼 기념	
	2급	경기	match	운동 경기	
	3급	경기장	a stadium	실내 경기장	
	3급	경복궁	Gyeongbokgung	경복궁에 가다	
	2급	경찰	police	경찰 조사	
	3급	경찰관	police officer	교통 경찰관	
	2급	경찰서	police station	경찰서에 신고하다	
	2급	경치	scenary	경치가 좋다	
	2급	경험	experience	경험을 쌓다	
	2급	계단	stair	계단을 오르다	
	2급	계란	egg	계란을 먹다	

	1급	계절	season	계절이 바뀌다	
	1급	계획	plan	계획을 세우다	
	1급	고기	meat	고기를 먹다	
	2급	고등학교	high school	고등학교에 입학하다	
	2급	고등학생	high school student	고등학생이 되다	
	2급	고모	one's father's sister	고모와 고모부	
	2급	고모부	husband of one's father's sister	고모와 고모부	
	2급	고속버스	express bus	고속버스를 타다	
	1급	고양이	cat	고양이를 기르다	
	2급	고장	breakdown	고장이 나다	
	3급	고추	pepper	고추를 따다	
	2급	고추장	hot pepper sauce	고추장을 넣다	
	1급	고향	hometown	고향에 가다	
	3급	골목	side street, alley	골목(길)을 걷다	
	3급	골프	golf	골프 선수	
	1급	곳	place	어느 곳	
	2급	공	ball	공을 던지다	
	3급	공간	space	공간이 넓다	
	3급	공기	air	공기가 맑다	
	2급	공무원	public service personnel	공무원으로 일하다	
	3급	공연	performance	공연을 보다	
	1급	공원	park	공원에서 놀다	
	3급	공중전화	pay phone	공중전화 박스	
	2급	공짜	free charge	공짜로 주다	
	1급	공책	notebook	공책에 쓰다	
	1급	공항	airport	공항 터미널	
	2급	공휴일	holiday	공휴일로 정하다	
	2급	과거	past	과거를 잊다	
	1급	과일	fruit	과일을 깎다	
	2급	과자	cookie	과자를 먹다	
	3급	과학	science	과학 기술	
	2급	관계	relationship	관계를 맺다	
	2급	관심	interest, concern	관심을 가지다	

	2급	광고	advertisement	신문 광고	
	2급	교과서	textbook	교과서에서 배우다	
	2급	교수	professor	대학 교수	
	1급	교실	classroom	교실에서 수업하다	
	1급	교통	transportation	교통이 편리하다	
	2급	교통사고	car accident	교통사고가 나다	
	2급	교회	church	교회에 다니다	
	1급	구두	dress shoes	구두를 신다	
	2급	구름	cloud	구름이 끼다	
	1급	구월	September	9월	
	2급	국	soup	국을 끓이다	
	2급	국내	interior, country	국내와 국외	
	3급	국립	national	국립 도서관	
	2급	국수	noodle	국수를 먹다	
	3급	국어	national language	국어를 가르치다	
	1급	국적	nationality	대한민국 국적	
	2급	국제	international	국제 관계	
	2급	군인	soldier	직업 군인	
	1급	권	book	책 한 권	의존명사
	1급	귀	ear	귀로 듣다	
	2급	규칙	rule	규칙을 어기다	
	1급	귤	tangerine	귤을 먹다	
	2급	그날	that day	그날 밤	
	2급	그동안	the meantime	그동안 잘 지내다	
	2급	그때	that time, then	그때를 기억하다	
	1급	그릇	bowl	그릇에 담다	
	1급	그림	picture, drawing	그림을 그리다	
	1급	그저께	the day before yesterday	그저께 밤	부사
	1급	극장	movie theater	극장에서 상영하다	
	1급	근처	neighborhood	집 근처	
	1급	글	(a piece of) writing	글을 쓰다	
	3급	금연	prohibition of smoking	금연 결심	
	1급	금요일	Friday	이번 주 금요일	

1급	기간	period	기간이 지나다	
2급	기름	oil	기름에 튀기다	
2급	기분	feeling	기분이 좋다	
3급	기사	driver	버스 기사	
3급	기사	article	신문 기사	
1급	기숙사	dormitory	기숙사에서 살다	
2급	기온	temperature	기온이 높다	
2급	기자	reporter	신문 기자	
1급	기차	train	기차를 타다	
2급	기침	cough	기침이 나다	
2급	기타	guitar	기타를 치다	
1급	길	road, way	길이 막히다	
1급	김밥	gimbap	김밥을 싸다	
1급	김치	kimchi	김치를 담그다	
1급	김치찌개	kimchi jjigae; stew with kimchi	김치찌개를 끓이다	
2급	까만색	black color	까만색 물감	
2급	껌	chewing gum	껌을 씹다	
1급	꽃	flower	꽃이 피다	
2급	꽃집	flower shop	꽃집을 열다	
2급	꿈	dream	꿈을 꾸다	
2급	끝	end, close	시작과 끝	

ㄴ

1급	나라	country	이웃 나라	
1급	나무	tree	나무를 심다	
2급	나이	age	나이가 많다	
1급	나중	later	나중에 깨닫다	
2급	나흘	four days	나흘이 걸리다	
2급	낚시	fishing	낚시를 가다	
1급	날	day, a time when	마지막 날	의존명사
1급	날씨	weather	날씨가 좋다	
1급	날짜	date, days	날짜를 정하다	
2급	남녀	man and woman	젊은 남녀	
1급	남대문	Namdaemun Gate	남대문 구경	

	1급	남동생	younger brother	남동생을 돌보다	
	1급	남산	Namsan Mountain	남산에 오르다	
	1급	남자	man, male	남자 친구	
	2급	남쪽	the south	남쪽 지방	
	1급	남편	husband	남편과 아내	
	2급	남학생	boy student	남학생과 여학생	
	1급	낮	daytime	낮과 밤	
	2급	내과	internal medicine	내과 의사	
	1급	내년	next year	내년 여름	부사
	1급	내용	content	수업 내용	
	1급	내일	tomorrow	내일 아침	부사
	2급	냄비	pan, saucepan, pot	냄비에 끓이다	
	2급	냄새	smell, odor	냄새를 맡다	
	1급	냉면	Naengmyeon	냉면을 먹다	
	2급	냉장고	refrigerator	냉장고에 넣다	
	2급	넥타이	tie	넥타이를 매다	
	1급	년	year	일 년	의존명사
	2급	노란색	yellow color	노란색 물감	
	1급	노래	song	노래를 부르다	
	1급	노래방	singing room	노래방에 가다	
	2급	노트	note	노트에 쓰다	
	2급	녹색	green color	녹색 물감	
	2급	녹차	green tea	녹차를 마시다	
	1급	농구	basketball	농구 경기	
	1급	누나	elder sister from male perspective	사촌 누나	
	1급	눈	eye	눈이 작다	
	1급	눈	snow	눈이 내리다	
	2급	눈물	tear	눈물이 흐르다	
	3급	눈사람	snowman	눈사람을 만들다	
	1급	뉴스	news	뉴스를 보다	
	2급	느낌	feeling	느낌이 좋다	
	2급	능력	ability	능력이 있다	

		ㄷ		
1급	다리	leg	다리가 길다	
2급	다리	bridge	다리를 건너다	
1급	다음	next	다음 날	
2급	다이어트	diet	다이어트로 살을 빼다	
1급	단어	word, vocabulary	단어를 외우다	
3급	단점	shortcoming, defect	장점과 단점	
1급	달	month	다음 달	의존명사
3급	달러	dollar	1달러	
2급	달력	calender	달력을 걸다	
2급	닭	hen, cock, rooster	닭이 울다	
2급	닭고기	chicken, fowl	닭고기 요리	
1급	담배	cigarette	담배를 피우다	
2급	답장	reply letter	답장을 보내다	
3급	당근	carrot	당근 주스	
2급	대	counting unit (for car)	자동차 한 대	의존명사
2급	대부분	most, for the most part	대부분의 시간	
1급	대사관	embassy	미국 대사관	
1급	대학교	university	대학교 입학	
1급	대학생	college student	대학생이 되다	
2급	대학원	graduate school	대학원을 다니다	
3급	대한민국	Republic of Korea	대한민국에 살다	
1급	대화	conversation	대화를 나누다	
2급	대회	contest	대회가 열리다	
2급	댁	[honorific] home	선생님 댁	
2급	덕분	indebtedness	부모님 덕분	
2급	데이트	date	데이트 신청	
2급	도로	road	도로를 건너다	
1급	도서관	library	도서관에서 공부하다	
2급	도시	city	도시에서 살다	
2급	도움	help	도움을 받다	
1급	도착	arrive, reach	도착 시간	
2급	독서	reading	독서를 즐기다	

	1급	독일	Germany	독일에 살다	
	1급	돈	money	돈을 벌다	
	2급	동네	neighborhood	동네 사람들	
	1급	동대문	Dongdaemun Gate	동대문 구경	
	2급	동물	animal	동물을 키우다	
	1급	동생	younger brother or sister	동생이 태어나다	
	3급	동아리	group	동아리에 가입하다	
	1급	동안	period, interval	며칠 동안	
	3급	동양	the Orient	동양과 서양	
	2급	동전	coin	동전 지갑	
	2급	동쪽	the east	동쪽 방향	
	2급	돼지	pig	돼지를 기르다	
	2급	돼지고기	pork	돼지고기를 먹다	
	1급	된장찌개	doenjangjjigae; soybean paste jjigae	된장찌개를 끓이다	
	2급	두부	bean curd	두부 한 모	
	1급	뒤	behind	뒤에 있다	
	1급	드라마	drama(TV series)	드라마를 보다	
	3급	듣기	listening	듣기 평가	
	2급	등	back	등을 긁다	
	1급	등산	hiking	등산을 가다	
	2급	디자인	design	디자인이 예쁘다	
	1급	딸	daughter	딸이 태어나다	
	1급	딸기	strawberry	딸기 잼	
	2급	땀	sweat	땀이 나다	
	1급	때	time	어릴 때	
	2급	떡	tteok; rice cake	떡을 찌다	
	2급	떡국	tteokguk; rice cake soup	떡국 한 그릇	
	1급	떡볶이	tteokbokki; seasoned rice cake	떡볶이 일 인분	
	2급	뜻	meaning, sense	단어의 뜻	
ㄹ					
	2급	라디오	radio	라디오를 켜다	
	1급	라면	ramen	라면을 끓이다	

1급	마리	counting unit (for animal)	토끼 한 마리	의존명사
1급	마음	heart	마음이 착하다	
2급	마지막	last	마지막 시간	
2급	만두	dumpling, steamed bun	만두를 빚다	
2급	만화	comic	만화를 그리다	
3급	말하기	speaking	말하기 평가	
1급	맛	taste, flavor	맛이 달다	
3급	맞은편	opposite side	맞은편에 앉다	
1급	매일	everyday	매일 만나다	부사
2급	매주	every week	매주 월요일	부사
2급	맥주	beer	맥주를 마시다	
1급	머리	head	머리가 크다	
2급	머리(카락)	hair	머리(카락)을 자르다	
1급	메뉴	menu	메뉴를 고르다	
2급	메모	memo	메모를 남기다	
2급	메시지	message	문자 메시지	
2급	며칠	several days	며칠 동안	
1급	명	counting unit (for people)	한 명	의존명사
2급	명절	national holiday	명절 연휴	
1급	모레	the day after tomorrow	내일 모레	부사
2급	모양	shape	별 모양	
2급	모임	meeting, gathering	모임에 나가다	
1급	모자	hat, cap	모자를 쓰다	
1급	목	neck, throat	목이 길다	
2급	목걸이	necklace	목걸이를 걸다	
2급	목소리	voice	낮은 목소리	
1급	목요일	Thursday	이번 주 목요일	
2급	목적	purpose	목적을 이루다	
1급	몸	body	몸이 건강하다	
3급	몸살	illness from fatigue	몸살이 나다	
2급	무	white radish	무를 먹다	
2급	무궁화	althea, rose of Sharon	무궁화가 피다	

2급	무료	no charge	무료입장	
2급	무릎	knee	무릎을 꿇다	
3급	무역	trade, commerce	무역 회사	
3급	무용	dancing	현대 무용	
1급	문	door	문을 열다	
3급	문장	sentence	단어와 문장	
2급	문제	question, issue, problem	문제를 풀다	
1급	문화	culture	한국 문화	
1급	물	water	물을 마시다	
1급	물건	object, thing	남의 물건	
2급	물론	of course, undoubtedly	물론 그렇다	부사
1급	미국	the United States of America	미국에 살다	
2급	미래	future	미래를 계획하다	
3급	미술	art	미술을 전공하다	
2급	미술관	art museum	미술관에 가다	
1급	미용실	hair salon	미용실을 차리다	
2급	미터	meter	100m	의존명사
3급	민속놀이	folk play, traditional game	전통 민속놀이	
2급	밀가루	wheat flour	밀가루 음식	
1급	밑	below	책상 밑	

ㅂ

1급	바나나	banana	바나나를 먹다	
1급	바다	sea, ocean	바다를 건너다	
2급	바닷가	beach, coast, sea shore	바닷가에서 놀다	
1급	바람	wind	바람이 불다	
2급	바이올린	violin	바이올린을 켜다	
1급	바지	trousers, pants	바지를 입다	
1급	박물관	museum	박물관을 구경하다	
2급	박수	applause	박수를 치다	
1급	밖	outside	안과 밖	
1급	반	half	절반	
1급	반	group	우리 반	
2급	반바지	knee trousers	반바지를 입다	

2급	반지	ring	반지를 끼다	
2급	반찬	side dish	반찬을 만들다	
1급	발	foot	발로 차다	
2급	발가락	toe	손가락, 발가락	
3급	발표	announcement, publication	결과 발표	
1급	밤	night	낮과 밤	
1급	밥	steamed rice	밥을 짓다	
1급	방	room	방을 청소하다	
2급	방법	method	사용 방법	
2급	방송	broadcast	방송에 출연하다	
2급	방송국	broadcasting station	라디오 방송국	
1급	방학	school holidays	겨울 방학	
1급	배	stomach	배가 고프다	
1급	배	ship, boat	배를 타다	
1급	배	pear	배를 먹다	
2급	배달	delivery	신문 배달	
1급	배우	actor	뮤지컬 배우	
2급	배탈	stomach disorder	배탈이 나다	
1급	백화점	department store	백화점 판매	
1급	버스	bus	버스를 타다	
1급	번	counting unit (after number)	첫째 번	의존명사
1급	번호	number	여권 번호	
1급	베이징	Beijing	베이징에 살다	
1급	베트남	Vietnam	베트남에 살다	
2급	벽	wall	벽에 걸다	
2급	변호사	lawyer	변호사로 일하다	
2급	별	star	별이 빛나다	
1급	병	illness	병에 걸리다	
1급	병	bottle	병에 담다	
1급	병원	hospital	병원에 가다	
1급	보통	normally, commonness	보통 사람	부사
3급	복숭아	peach	복숭아를 먹다	
2급	볶음밥	fried rice	볶음밥을 만들다	

	1급	볼펜	ball-point pen	빨간색 볼펜	
	1급	봄	spring	따뜻한 봄	
	3급	봉지	plastic bag	봉지에 넣다	
	2급	봉투	envelope	편지 봉투	
	3급	부동산	realty, real property	부동산 거래	
	1급	부모(님)	parents	부모님께 효도하다	
	2급	부부	husband and wife	부부가 되다	
	1급	부산	Busan	부산에 살다	
	1급	부엌	kitchen	부엌에서 요리하다	
	2급	부인	wife	남편과 아내	
	1급	부탁	request, favor	부탁을 드리다	
	2급	북쪽	the north	북쪽 방향	
	1급	분	counting unit (for person)	선생님 한 분	의존명사
	1급	분	minute(s)	60분	의존명사
	2급	분위기	atmosphere	불편한 분위기	
	1급	불	fire	불에 태우다	
	1급	불고기	bulgogi; barbequed beef	불고기를 먹다	
	2급	블라우스	blouse, shirtwaist	블라우스를 입다	
	1급	비	rain	비가 오다	
	2급	비누	soap	비누로 씻다	
	2급	비디오	video	비디오를 빌리다	
	2급	비밀	secret	비밀을 지키다	
	1급	비빔밥	bibimbap; rice topped with vegetables etc.	비빔밥을 먹다	
	1급	비행기	airplane	비행기를 타다	
	2급	빌딩	building	빌딩을 짓다	
	2급	빨간색	red color	빨간색 물감	
	2급	빨래	laundry	이불 빨래	
	1급	빵	bread	빵을 먹다	
	2급	빵집	bakery	빵집에서 일하다	
ㅅ					
	2급	사거리	crossroads	사거리를 건너다	
	2급	사계절	four seasons	사계절이 뚜렷하다	

2급	사고	accident	사고가 나다	
1급	사과	apple	사과를 먹다	
1급	사람	person	사람과 동물	
1급	사무실	office	사무실에 출근하다	
2급	사업	business	문화 사업	
1급	사월	April	4월	
1급	사이	interval	사이에 끼다	
1급	사이다	soda pop	사이다를 마시다	
2급	사이즈	size	신발 사이즈	
2급	사장	CEO	회사 사장	
1급	사전	dictionary	사전을 찾다	
1급	사진	photograph	졸업 사진	
3급	사촌	cousin	사촌 언니	
2급	사탕	candy	사탕을 먹다	
2급	사흘	three days	사흘 동안	
1급	산	mountain	산에 오르다	
1급	산책	stroll	공원 산책	
1급	살	counting unit (for age)	세 살	의존명사
2급	살	weight	살이 찌다	
2급	삼거리	crossing with three corners	삼거리 모퉁이	
1급	삼계탕	samgyetang; ginseng chicken soup	삼계탕을 먹다	
1급	삼월	March	3월	
2급	삼촌	uncle	삼촌과 고모	
2급	상자	box	상자에 넣다	
2급	상처	injury, wound	상처를 치료하다	
2급	상품	product, goods	상품을 팔다	
2급	새	bird	새가 날다	
2급	새벽	dawn	새벽 시간	
2급	색(깔)	color	색(깔)이 진하다	
2급	샌드위치	sandwich	샌드위치를 먹다	
1급	생각	thought	기억, 의견	
2급	생선	fish	생선 구이	
1급	생신	[honorfic] birthday	할아버지의 생신	

	1급	생일	birthday	생일 파티	
	1급	생활	life	직장 생활	
	3급	샴푸	shampoo	샴푸로 머리를 감다	
	2급	서류	document	서류 접수	
	2급	서비스	service	서비스 정신	
	2급	서양	western	동양과 서양	
	1급	서울	Seoul	서울에 살다	
	–	서울역	Seoul station	서울역에서 기차를 타다	
	1급	서점	bookstore	대형 서점	
	1급	서쪽	the west	서쪽 방향	
	2급	선물	present	선물을 받다	
	2급	선배	senior, superior	선배와 후배	
	1급	선생님	teacher	국어 선생님	
	2급	선수	player, athlete	운동 선수	
	2급	선풍기	fan	선풍기를 켜다	
	2급	설거지	dish-washing	설거지를 하다	
	2급	설날	Seollal; new year's day	명절	
	2급	설렁탕	seolleongtang; ox bone soup	설렁탕을 먹다	
	2급	설탕	sugar	설탕을 넣다	
	2급	섬	island	섬에서 살다	
	2급	성	surname, family name	성과 이름	
	2급	성격	personality	긍정적인 성격	
	2급	성함	[honorific] name	아버지 성함	
	2급	세	counting unit (for age)	삼십 세	의존명사
	2급	세계	world	세계 여행	
	2급	세탁기	washing machine	세탁기를 돌리다	
	2급	세탁소	dry cleaner's	세탁소에 옷을 맡기다	
	2급	센터	center	서비스 센터	
	2급	센티미터	centimeter	1cm	의존명사
	2급	소	cow, bull	소를 기르다	
	1급	소개하다	introduce	직업을 소개하다	
	2급	소고기	beef	소고기를 먹다	
	1급	소금	salt	소금이 짜다	

2급	소리	sound	소리가 나다	
2급	소설	novel	소설을 읽다	
3급	소설가	novellist	소설가의 작품	
2급	소식	news	소식을 듣다	
2급	소파	sofa	소파에 앉다	
2급	소포	parcel	소포를 부치다	
2급	소풍	picnic	소풍을 가다	
2급	소화제	digestive	소화제를 먹다	
2급	속	heart, inside	주머니 속	
1급	손	hand	손과 발	
2급	손가락	finger	손가락이 길다	
1급	손님	customer, guest	손님을 받다	
2급	손수건	handkerchief	손수건으로 닦다	
3급	송이	bunch, blossom	꽃 한 송이	
2급	수건	towel	수건으로 닦다	
3급	수도	capital	나라의 수도	
3급	수도	water supply	수도에서 물이 새다	
1급	수박	watermelon	수박을 먹다	
2급	수술	surgery	수술을 받다	
1급	수업	class	수업을 받다	
1급	수영	swimming	수영 선수	
2급	수영복	swim suit	수영복을 입다	
1급	수영장	swimming pool	수영장에 다니다	
1급	수요일	Wednesday	이번 주 수요일	
2급	수저	spoon and chopsticks	수저를 놓다	
1급	수첩	notebook, reminder book	수첩에 기록하다	
3급	수학	mathmatics	수학 문제	
1급	숙제	homework	숙제 검사	
2급	순서	order	순서를 매기다	
2급	숟가락	spoon	숟가락을 들다	
1급	술	liquor, alcohol	술에 취하다	
1급	슈퍼마켓	supermarket	대형 슈퍼마켓	
2급	스웨터	sweater	스웨터를 입다	

	2급	스케이트	skate	스케이트를 신다	
	1급	스키	skiing	스키를 타다	
	2급	스키장	ski resort	스키장에서 놀다	
	3급	스타킹	stocking	스타킹을 신다	
	2급	스트레스	stress	스트레스를 풀다	
	2급	스파게티	spaghetti	스파게티를 먹다	
	2급	스포츠	sports	스포츠 경기	
	2급	습관	habit	습관을 기르다	
	2급	시	city	서울시	
	1급	시	o'clock	몇 시	의존명사
	1급	시간	time	시간이 걸리다	
	1급	시간	hour	한 시간	의존명사
	2급	시간표	time table	시간표를 짜다	
	2급	시계	watch, clock	시계 소리	
	2급	시골	rural districts	시골 마을	
	2급	시내	downtown	서울 시내	
	2급	시민	citizen	시민 의식	
	3급	시설	facility	운동 시설	
	3급	시외	outside the city limits	시외로 나가다	
	1급	시월	October	10월	
	1급	시작	start	시작 단계	
	1급	시장	market	시장에서 물건을 사다	
	1급	시청	cityhall	시청에서 일하다	
	1급	시험	test	시험을 보다	
	1급	식당	restaurant	식당 음식	
	1급	식사	meal	식사를 대접하다	
	2급	식탁	table	식탁을 차리다	
	1급	신문	newspaper	신문을 구독하다	
	1급	신발	shoes	신발을 신다	
	2급	신청	application	신청을 받다	
	2급	신호등	blinker, signal light	신호등을 기다리다	
	2급	실수	mistake	실수를 저지르다	
	1급	십이월	December	12월	

1급	십일월	November	11월	
2급	쌀	rice	쌀을 먹다	
3급	쓰기	writing	쓰기 평가	
2급	쓰레기	garbage	쓰레기를 줍다	
1급	씨	Mr., Miss., Mrs., Ms.	홍길동 씨	의존명사

ㅇ

2급	아가씨	Miss	스무 살의 아가씨	
1급	아기	baby	아기가 울다	
1급	아내	wife	아내와 남편	
2급	아들	son	딸과 아들	
1급	아래	under, below	불빛 아래	
1급	아르바이트	part–time job	아르바이트를 구하다	
2급	아무것	anything	아무것이나 괜찮다	
1급	아버지	father	아버지와 어머니	
2급	아빠	dad	아빠와 엄마	
3급	아시아	Asia	아시아 국가	
1급	아이	child	어린 아이	
1급	아이스크림	icecream	아이스크림을 먹다	
1급	아저씨	uncle, man	아저씨와 아줌마	
1급	아주머니	aunt	동네 아주머니	
2급	아줌마	auntie	아줌마와 아저씨	
1급	아침	morning	아침 햇살	
–	아침(밥)	breakfast	아침밥을 먹다	
1급	아파트	apartment	아파트에 살다	
3급	아프리카	Africa	아프리카 국가	
2급	악기	musical instrument	악기를 연주하다	
1급	안	inside	상자 안	
1급	안경	glasses	안경을 쓰다	
1급	앞	front	학교 앞	
3급	액세서리	accessories	액세서리를 걸치다	
1급	야구	baseball	야구 경기	
1급	약	medicine	감기 약	
1급	약국	pharmacy	약국에 가다	

	2급	약사	pharmacist	약사가 되다	
	1급	약속	appointment	약속을 지키다	
	3급	양	ship	양을 몰다	
	3급	양	amount	알맞은 양	
	2급	양말	socks	양말을 신다	
	2급	양복	suit	양복을 입다	
	2급	양식	western food	양식을 먹다	
	3급	양파	onion	양파 냄새	
	2급	어깨	shoulder	어깨가 넓다	
	2급	어른	adult	어른이 되다	
	2급	어린이	child	어린이 도서관	
	1급	어머니	mother	어머니와 아버지	
	1급	어제	yesterday	어제와 오늘	부사
	2급	어젯밤	last night	어젯밤 꿈	
	1급	언니	elder sister from a female perspective	언니와 동생	
	1급	얼굴	face	얼굴에 땀이 흐르다	
	1급	얼마	how much	얼마예요?	
	2급	얼음	ice	얼음이 녹다	
	2급	엄마	mom	엄마를 닮다	
	1급	에어컨	air conditioner	에어컨을 켜다	
	2급	엘리베이터	elevator	엘리베이터를 타다	
	1급	여권	passport	여권을 만들다	
	2급	여기저기	here and there	여기저기 돌아다니다	
	1급	여동생	younger sister	여동생과 남동생	
	1급	여름	summer	더운 여름	
	1급	여자	woman, female	여자와 남자	
	2급	여학생	girl student	여학생과 남학생	
	1급	여행	trip, travel	기차 여행	
	1급	여행사	travel agency	여행사 상품	
	1급	역	station	역에서 기차를 타다	
	2급	역사	history	한국의 역사	
	2급	연락처	contact number	연락처를 남기다	
	2급	연세	[honorific] age	연세가 많다	

2급	연예인	entertainer	유명 연예인	
1급	연필	pencil	연필을 깎다	
2급	연휴	holidays in a row	추석 연휴	
2급	열	fever	열이 나다	
1급	열쇠	key	열쇠 구멍	
2급	열차	train	열차를 타다	
2급	엽서	postcard	엽서를 배달하다	
1급	영국	the United Kingdom	영국에 살다	
3급	영상	above zero(degree)	영상의 기온	
1급	영어	English (language)	영어 수업	
2급	영하	below zero(degree)	영하의 기온	
1급	영화	movie	영화 감상	
1급	영화관	movie theater	영화관에 가다	
1급	영화배우	movie actor	영화배우가 되다	
1급	옆	beside, side	옆 사람	
3급	예보	forecast	날씨 예보	
2급	예약	reservation	호텔 예약	
2급	옛날	old days	먼 옛날	
1급	오늘	today	오늘의 메뉴	
2급	오랫동안	for a long time	오랫동안 사귀다	부사
1급	오렌지	orange	오렌지 주스	
1급	오른쪽	right side	오른쪽과 왼쪽	
3급	오리	duck	오리를 키우다	
1급	오빠	one's elder brother	친한 오빠	
1급	오월	May	5월	
2급	오이	cucumber	오이를 썰다	
1급	오전	morning, a.m.	오전과 오후	
3급	오징어	squid	오징어 요리	
1급	오후	afternoon, p.m.	오후 수업	
2급	올림픽	Olympics	올림픽 경기	
1급	올해	this year	올해를 시작하다	
1급	옷	clothes	옷을 입다	
2급	옷장	wardrobe, closet	옷장을 정리하다	

	2급	와이셔츠	shirt	와이셔츠를 입다	
	1급	외국	foreign country	외국 생활	
	1급	외국어	foreign language	외국어로 말하다	
	1급	외국인	foreigner	외국인 노동자	
	3급	외삼촌	uncle on the mother's side	외삼촌과 외숙모	
	3급	외숙모	wife of a maternal uncle	외숙모와 외삼촌	
	3급	외할머니	mother of one's mother	외할머니와 외할아버지	
	3급	외할아버지	father of one's mother	외할아버지와 외할머니	
	1급	왼쪽	left side	왼쪽에 놓다	
	2급	요금	fare, charge	전화 요금	
	1급	요리	cooking	요리 비결	
	2급	요리사	cook, chef	요리사가 되다	
	1급	요일	day of the week	무슨 요일	
	1급	요즘	these days, nowadays	요즘 시대	
	1급	우산	umbrella	우산을 쓰다	
	1급	우유	milk	우유를 마시다	
	1급	우체국	post office	우체국 택배	
	1급	우표	stamp	우표를 붙이다	
	2급	운동복	sports clothes	운동복을 입다	
	3급	운동선수	athlete, sportsman	운동선수가 되다	
	1급	운동장	playground	운동장을 뛰다	
	1급	운동화	sneakers	운동화를 신다	
	–	원	KRW	천 원	의존명사
	2급	원피스	dress	원피스를 입다	
	2급	월급	salary	월급을 받다	
	3급	월드컵	World Cup	월드컵이 열리다	
	3급	월세	monthly rent	월세를 내다	
	1급	월요일	Monday	이번 주 월요일	
	3급	웬일	what matter	웬일로 일찍 오다	
	1급	위	above, on	위와 아래	
	2급	위치	location	위치를 옮기다	
	3급	유럽	Europe	유럽 국가	
	2급	유리	glass	유리가 깨지다	

	1급	유월	June	6월	
	2급	유학	study abroad	유학을 가다	
	2급	유학생	student studying abroad	유학생 신분	
	2급	유행	trend	유행을 따르다	
	1급	은행	bank	은행에 입금하다	
	1급	음료수	beverage	음료수를 마시다	
	1급	음식	food	음식을 먹다	
	1급	음악	music	음악을 듣다	
	2급	음악가	musician	음악가가 연주하다	
	2급	의미	meaning	단어의 의미	
	1급	의사	doctor	치과 의사	
	1급	의자	chair	의자에 앉다	
	2급	이	tooth	이를 닦다	
	1급	이름	name	이름을 짓다	
	3급	이메일	e-mail	이메일을 보내다	
	2급	이모	aunt	이모와 이모부	
	–	이모부	uncle	이모부와 이모	
	1급	이번	this time	이번 주	
	2급	이사	move	이사를 가다	
	2급	이용	use	이용 방법	
	1급	이월	February	2월	
	1급	이유	reason	이유를 묻다	
	2급	이제	now	이제부터	부사
	2급	이틀	two days	이틀이 지나다	
	3급	인구	population	인구가 많아지다	
	2급	인기	popularity	인기가 많다	
	2급	인삼	ginseng	인삼을 먹다	
	3급	인상	impression	인상이 좋다	
	1급	인천	Incheon	인천에 살다	
	1급	인터넷	internet	인터넷 쇼핑	
	2급	인형	doll	곰 인형	
	1급	일	day	삼 일	의존명사
	2급	일기	diary	일기를 쓰다	

	-	일기예보	weather forecast	일기 예보 방송	
	1급	일본	Japan	일본에 살다	
	3급	일본어	Japanese (language)	일본어로 말하다	
	3급	일상생활	daily life	일상생활에서 사용하다	
	2급	일식	Japanese food	일식을 먹다	
	1급	일요일	Sunday	이번 주 일요일	
	1급	일월	January	1월	
	1급	일주일	one week	일주일이 걸리다	
	3급	읽기	reading	읽기 평가	
	1급	입	mouth	입을 열다	
	2급	입구	entrance	지하철 입구	
	2급	입학	enterance into a school	대학 입학	
			ㅈ		
	1급	자동차	car	자동차를 운전하다	
	3급	자료	materials, data	자료를 찾다	
	2급	자리	seat, place	자리에 앉다	
	2급	자신	oneself	자신을 돌보다	
	2급	자연	nature	자연으로 돌아가다	
	2급	자유	freedom	자유를 누리다	
	2급	자장면	jajangmyeon; black-bean-sauce noodles	자장면을 먹다	
	1급	자전거	bicycle	자전거를 타다	
	1급	작년	last year	작년 겨울	
	1급	잔	cup	커피 잔	
	-	잔	counting unit (for glasses or cups)	커피 한 잔	의존명사
	2급	잔치	festival	생일잔치	
	1급	잘못	error	잘못을 했다	부사
	1급	잠	sleep	잠이 오다	
	1급	잠깐	while, moment	잠깐 기다리다	부사
	1급	잠시	for a while	잠시 기다리다	부사
	2급	잡지	magazine	잡지를 보다	
	2급	장	counting unit (for paper)	종이 한 장	의존명사
	2급	장갑	gloves	장갑을 끼다	

	2급	장마	rainy spell in summer	여름 장마	
	3급	장마철	rainy season	장마철이 다가오다	
	2급	장미	rose	장미가 피다	
	1급	장소	place	약속 장소	
	3급	장점	strength	장점과 단점	
	2급	재료	material	재료를 준비하다	
	3급	재킷	jacket	재킷을 입다	
	1급	저녁	evening	저녁이 되다	
	–	저녁(밥)	dinner	저녁밥을 먹다	
	1급	전	before	며칠 전	관형사
	1급	전공	major	전공 공부	
	3급	전자사전	electronic dictionary	전자사전을 찾다	
	1급	전화	telephone	전화를 걸다	
	2급	전화기	telephone	전화기 벨소리	
	1급	전화번호	telephone number	집 전화번호	
	3급	절	temple	절과 교회	
	2급	점수	score	점수가 높다	
	1급	점심	afternoon	점심에 만나다	
	–	점심(밥)	lunch	점심(밥)을 먹다	
	2급	점심시간	lunchtime	점심시간이 되다	
	3급	점원	sales clerk	가게 점원	
	3급	점퍼	jacket	점퍼를 입다	
	2급	젓가락	chopsticks	젓가락과 숟가락	
	2급	정거장	depot, station	버스 정거장	
	2급	정도	degree	어느 정도	
	1급	정류장	station, stop	버스 정류장	
	2급	정문	main gate	학교 정문	
	3급	정보	information	여행 정보	
	2급	제목	title	소설 제목	
	1급	제일	first, most	건강이 제일이다	부사
	1급	제주도	Jeju island	제주도에 살다	
	1급	조금	(a) little	조금 전	부사
	2급	조카	cousin	조카가 생기다	

	－	종로	Jongno	종로에 가다	
	2급	종류	kind, sort	종류가 다양하다	
	1급	종업원	employee	식당 종업원	
	2급	종이	paper	종이에 쓰다	
	3급	종일	all day	종일 일하다	부사
	1급	주	week	이번 주	의존명사
	1급	주말	weekend	주말을 보내다	
	2급	주머니	pocket	실내화 주머니	
	2급	주변	around	주변 환경	
	1급	주부	housewife	가정주부	
	2급	주사	shot	주사를 맞다	
	1급	주소	address	우리 집 주소	
	1급	주스	juice	주스를 마시다	
	2급	주위	circumference, being around	코 주위	
	1급	주인	owner	가게 주인	
	2급	주차장	parking lot	주차장에 세우다	
	2급	주황색	orange color	주황색 물감	
	3급	죽	porridge	죽을 쑤다	
	1급	준비	preparation	출근 준비	
	2급	줄	line	줄을 매다	
	1급	중	middle, during	회의 중	의존명사
	1급	중국	China	중국에 살다	
	3급	중국어	Chinese (language)	중국어로 말하다	
	2급	중국집	Chinese restaurant	중국집에 주문하다	
	3급	중식	Chinese food	중식을 먹다	
	2급	중심	core, center	서울의 중심	
	2급	중학교	middle school	중학교에 들어가다	
	2급	중학생	middle school student	중학생이 되다	
	1급	지갑	wallet	동전 지갑	
	1급	지금	now	지금부터	부사
	1급	지난달	last month	지난달 초	
	2급	지난번	last time	지난번 경기	
	1급	지난주	last week	지난주에 만나다	

2급	지도	map	지도를 보다	
2급	지방	locality	남쪽 지방	
1급	지우개	eraser	지우개로 지우다	
2급	지하	underground	지하 주차장	
2급	지하도	underground passage	지하도를 건너다	
1급	지하철	subway	지하철을 타다	
1급	지하철역	subway station	지하철역에 도착하다	
1급	직업	job, occupation	직업을 구하다	
1급	직원	staff	직원을 모집하다	
2급	직장	one's place of work	직장에 다니다	
3급	질	quality	질이 좋다	
2급	짐	burden	짐을 싸다	
1급	집	house	집을 짓다	
1급	짜리	thing worth	100원 짜리	의존명사
3급	쪽	page	쪽 번호	
1급	쪽	direction	집 쪽	의존명사
2급	찌개	pot stew	찌개를 끓이다	
		ㅊ		
2급	차	tea	차를 마시다	
2급	차	car	차를 타다	
1급	창문	window	창문을 열다	
2급	채소	vegetable	채소를 먹다	
1급	책	book	책을 읽다	
1급	책상	desk	책상을 정리하다	
2급	책장	bookshelf	책장에 책을 꽂다	
1급	처음	beginning	처음과 끝	
2급	청바지	jeans	청바지를 입다	
1급	청소	cleaning	화장실 청소	
3급	청소기	cleaner	청소기를 돌리다	
2급	초등학교	elementary school	초등학교에 입학하다	
2급	초등학생	elementary school student	초등학생이 되다	
2급	초록색	green color	초록색 물감	
1급	초콜릿	chocolate	초콜릿 케이크	

	2급	최고	the best	최고 점수	
	2급	추석	Chuseok; Korean Thanksgiving	명절	
	3급	추억	remembrance	추억으로 남다	
	1급	축구	soccer	축구 경기	
	3급	축제	festival	불꽃 축제	
	2급	출구	exit	출구로 나가다	
	2급	출장	business trip	출장을 가다	
	1급	춤	dance	춤을 추다	
	1급	취미	hobby	취미 생활	
	1급	층	floor	꼭대기 층	
	2급	치과	dentistry	치과 의사	
	2급	치료	treatment, cure	상처 치료	
	1급	치마	skirt	치마를 입다	
	2급	치약	toothpaste	치약을 짜다	
	1급	친구	friend	친구를 만나다	
	2급	친척	relative	친척이 모이다	
	1급	칠월	july	7월	
	1급	칠판	blackboard	칠판에 쓰다	
	1급	침대	bed	침대에 눕다	
	2급	칫솔	toothbrush	치약과 칫솔	
ㅋ					
	1급	카드	card	카드를 쓰다	
	2급	카레	curry	카레를 먹다	
	1급	카메라	camera	카메라로 찍다	
	2급	칼	knife	칼로 썰다	
	1급	캐나다	Canada	캐나다에 살다	
	1급	커피	coffee	커피를 마시다	
	1급	커피숍	coffee shop	커피숍에서 만나다	
	1급	컴퓨터	computer	컴퓨터 게임	
	1급	컵	cup	머그 컵	
	1급	케이크	cake	생일 케이크	
	1급	코	nose	눈, 코, 입	
	3급	코트	coat	코트를 입다	

3급	코피	bloody nose	코피를 흘리다	
1급	콜라	coke	콜라를 마시다	
2급	콧물	runny nose	콧물이 나오다	
2급	콩	bean	콩을 심다	
2급	크기	size	크기가 작다	
2급	크리스마스	Christmas	크리스마스 파티	
1급	키	height	키가 크다	
2급	킬로그램	kilogram	1kg	
2급	킬로미터	kilometer	1km	

		ㅌ		
1급	탁구	table tennis	탁구를 치다	
1급	태국	Thailand	태국에 살다	
1급	태권도	taekwondo; traditional Korean martial arts	태권도를 배우다	
2급	태극기	taegeukgi; the national flag of the Republic of Korea	태극기를 달다	
2급	태풍	typhoon	태풍이 불다	
1급	택시	taxi	택시를 타다	
1급	터미널	terminal	버스 터미널	
1급	테니스	tennis	테니스를 치다	
2급	테이블	table	테이블에 놓다	
1급	텔레비전	television	텔레비전을 보다	
2급	토마토	tomato	토마토 주스	
1급	토요일	Saturday	이번 주 토요일	
2급	통장	banknote	은행 통장	
3급	특징	characteristic, feature	독특한 특징	
1급	티셔츠	T-shirt	티셔츠를 입다	
2급	팀	team	팀을 이루다	

		ㅍ		
3급	파	spring onion	파를 썰다	
2급	파란색	blue color	파란색 물감	
1급	파티	party	생일 파티	
1급	팔	arm	팔, 다리	
1급	팔월	August	8월	

	3급	패션	fashion	패션 잡지	
	1급	편지	letter	편지를 쓰다	
	2급	평일	week days	평일과 주말	
	1급	포도	grape(s)	포도 주스	
	2급	포장	wrapping	선물 포장	
	1급	표	ticket	표를 예매하다	
	3급	표현	expression	감정 표현	
	1급	프랑스	France	프랑스에 살다	
	1급	프로그램	program	행사 프로그램	
	1급	피아노	piano	피아노를 치다	
	2급	피자	pizza	피자를 주문하다	
	1급	필통	pencil case	필통에 넣다	
ㅎ					
	2급	하늘	sky	하늘과 땅	
	2급	하늘색	skyblue color	하늘색 물감	
	1급	하루	one day	하루가 걸리다	
	3급	하숙	boarding, lodging	하숙을 하다	
	2급	하숙집	boarding house	하숙집을 구하다	
	2급	하얀색	white color	하얀색 물감	
	1급	학교	school	학교에 다니다	
	2급	학기	session, semester	학기가 시작되다	
	2급	학년	grade, school year	1학년	
	1급	학생	student	학생을 가르치다	
	1급	학생증	student card	학생증을 발급하다	
	2급	학원	institute, academy	학원에 다니다	
	2급	한강	Han river	한강 공원	
	1급	한국	Korea	한국에 살다	
	1급	한국어	Korean (language)	한국말을 쓰다	
	2급	한글	Hangul	한글을 쓰다	
	2급	한번	once	한번 해 보다	
	1급	한복	hanbok; traditional Korean costume	한복을 입다	
	2급	한식	Korean food	한식으로 먹다	
	2급	한옥	hanok; traditional Korean house	한옥 마을	

3급	한자	Chinese character	한자를 읽다	
1급	할머니	grandmother	할머니와 할아버지	
1급	할아버지	grandfather	할머니와 할아버지	
2급	할인	discount	할인 가격	
3급	합격	passing an examination	시험 합격	
2급	해	sun	해가 뜨다	
2급	해외	overseas	해외 유학	
2급	해외여행	overseas trip	해외여행을 가다	
2급	햄버거	hamburger	햄버거를 먹다	
2급	햇빛	sunshine, sunlight	햇빛이 비치다	
2급	행복	happiness	행복을 빌다	
2급	행사	event	행사가 열리다	
2급	허리	waist	허리 사이즈	
2급	현금	cash	현금 결제	
2급	현재	current	과거와 현재	
1급	형	one's elder brother	형과 동생	
2급	형제	sibling	아들 삼 형제	
2급	호랑이	tiger	호랑이 한 마리	
2급	호수	lake	호수가 맑다	
1급	호텔	hotel	호텔에 묵다	
1급	혼자	alone	혼자 살다	부사
3급	홈페이지	homepage	홈페이지에 접속하다	
2급	홍차	black tea	홍차를 마시다	
2급	화	anger	화를 내다	
2급	화가	painter	화가의 그림	
1급	화요일	Tuesday	이번 주 화요일	
1급	화장실	restroom	화장실에서 손을 씻다	
2급	화장품	cosmetics	화장품을 바르다	
2급	환자	patient	환자를 치료하다	
1급	회사	company	회사에 다니다	
1급	회사원	company employee	회사원이 되다	
2급	회색	gray color	회색 물감	
1급	회의	meeting	회의에 참석하다	

	2급	횡단보도	cross walk	횡단보도를 건너다	
	1급	후	later	오 분 후	
	2급	후배	junior	선배와 후배	
	1급	휴가	leave, vacation	여름 휴가	
	2급	휴대폰	cell phone, mobile	휴대폰으로 전화하다	
	2급	휴일	holiday	휴일 계획	
	2급	휴지	wastepaper	휴지를 줍다	
	2급	휴지통	wastebasket	휴지통에 버리다	
	2급	흰색	white	흰색 물감	
	2급	힘	power, force, energy	힘이 세다	

02 동사

동사는 사물의 동작이나 움직임을 나타내는 말입니다.

☐ 모르는 단어에 ✔ 표시를 하면서 자신의 암기 상황을 파악하세요.

✔	등급	한국어	영어	길잡이말	참고
			ㄱ		
	1급	가다	go	학교에 가다	
	1급	가르치다	teach	한국어를 가르치다	
	2급	가져가다	take along, carry	책을 가져가다	
	2급	가져오다	bring, fetch	책을 가져오다	
	1급	가지다	get	돈을 가지다	
	1급	갈아타다	transfer	지하철을 갈아타다	
	2급	감다	close, shut (eyes)	눈을 감다	
	2급	감다	wash, bathe	머리를 감다	
	1급	감사(하다)	thank	감사한 마음	
	2급	갖다	get	돈을 갖다	
	2급	걱정(하다)	worry	걱정되는 마음	
	2급	건너가다	go across	길을 건너가다	
	2급	건너다	go over	길을 건너다	
	1급	걷다	walk	길을 걷다	
	1급	걸다	hang	그림을 걸다	
	–	걸다	call	전화를 걸다	
	1급	걸리다	hang	그림이 걸리다	
	1급	걸리다	take (time)	시간이 걸리다	
	2급	걸어가다	go on foot, walk	학교에 걸어가다	
	2급	걸어오다	come on foot	집에 걸어오다	
	2급	결정(하다)	decide	대학에 가기로 결정하다	
	2급	결혼(하다)	marry	여자 친구와 결혼하다	
	2급	계산(하다)	calculate	거리를 계산하다	
	1급	계시다	[honorific] be, stay	한국에 계시다	
	1급	고르다	pick, choose	선물을 고르다	

	2급	고치다	fix	컴퓨터를 고치다	
	1급	공부(하다)	study, learn	한국어를 공부하다	
	2급	관광(하다)	go sightseeing	관광하러 다니다	
	1급	구경(하다)	look around	경치를 구경하다	
	3급	구하다	look for	하숙집을 구하다	
	4급	구하다	save	생명을 구하다	
	2급	굽다	bake	고기를 굽다	
	1급	그리다	draw, paint	그림을 그리다	
	2급	그치다	stop, cease	비가 그치다	
	1급	기다리다	wait, hold on	버스를 기다리다	
	2급	기르다	raise, cultivate	개를 기르다	
	2급	기뻐하다	be happy with, be glad for	취직을 기뻐하다	
	2급	기억(하다)	remember	이름을 기억하다	
	2급	긴장(되다)	be nervous	긴장된 목소리	
	2급	깎다	discount	사과를 깎다	
	2급	깨다	wake up	잠이 깨다	
	3급	깨지다	be broken	유리가 깨지다	
	2급	꺼내다	pull, take out	가방에서 꺼내다	
	2급	꾸다	dream	꿈을 꾸다	
	1급	끄다	turn off	불을 끄다	
	2급	끓이다	boil	물을 끓이다	
	1급	끝나다	be finished	수업이 끝나다	
	2급	끝내다	finish, end	일을 끝내다	
	2급	끼다	put on	반지를 끼다	
ㄴ					
	2급	나가다	go out	밖으로 나가다	
	2급	나누다	divide	둘로 나누다	
	1급	나다	grow, sprout	수염이 나다	
	–	나다	have (a fever, a runny nose)	열이 나다, 콧물이 나다	
	3급	나빠지다	go bad, get worse	건강이 나빠지다	
	1급	나오다	come out, appear	밖에 나오다	
	2급	나타나다	appear, turn up	건물이 나타나다	
	2급	남기다	leave, save, spare	음식을 남기다	

	2급	내려가다	go down	아래로 내려가다	
	2급	내려오다	come down, descend	아래로 내려오다	
	1급	내리다	get off	비가 내리다	
	2급	넘다	go beyond, be over	세 시간이 넘다	
	2급	넘어지다	fall down, collapse	아이가 넘어지다	
	1급	넣다	put sth in	책을 넣다	
	1급	노력(하다)	make an effort	열심히 노력하다	
	1급	놀다	play	친구와 놀다	
	2급	놀라다	be surprised	깜짝 놀라다	
	2급	놓다	set, keep, put	펜을 놓다	
	2급	누르다	suppress, repress	세게 누르다	
	2급	눕다	lay down	바닥에 눕다	
	2급	느끼다	feel	추위를 느끼다	
	1급	늦다	be late	약속 시간에 늦다	형용사
	2급	늘다	increase, gain	면적이 늘다	
ㄷ					
	1급	다녀오다	get back	학교에 다녀오다	
	1급	다니다	go to (acompany), work for	회사에 다니다	
	2급	다치다	be hurt	팔을 다치다	
	2급	닦다	wipe out	구두를 닦다	
	1급	닫다	close	문을 닫다	
	3급	닫히다	be shut, be closed	문이 닫히다	
	3급	달다	hang	태극기를 달다	
	2급	달리다	run	말이 달리다	
	2급	닮다	be like, resemble	엄마를 닮다	
	3급	담그다	soak, pickle	김치를 담그다	
	1급	대답(하다)	answer	질문에 대답하다	
	3급	덮다	cover	이불을 덮다	
	2급	데려가다	take someone away	친구를 데려가다	
	1급	도와주다	help	일을 도와주다	
	1급	도착(하다)	arrive	공항에 도착하다	
	1급	돌아가다	spin	바퀴가 돌아가다	
	1급	돌아오다	return, come around	학교에서 돌아오다	

	1급	돕다	help, assist	아버지를 돕다	
	1급	되다	become	선생님이 되다	
	2급	두다	keep, place	책을 책상 위에 두다	
	1급	드리다	[honorific] give	용돈을 드리다	
	–	드시다	[honorific] eat	밥을 드시다	
	1급	듣다	listen, hear	음악을 듣다	
	1급	들다	spend	돈이 들다	
	1급	들다	hold and carry	가방을 들다	
	1급	들어가다	go in	방으로 들어가다	
	1급	들어오다	come in	일찍 들어오다	
	3급	따라가다	go with	친구를 따라가다	
	3급	따라오다	come with	친구를 따라오다	
	2급	떠나다	leave	멀리 떠나다	
	2급	떠들다	make a noise	떠드는 소리	
	2급	떨어지다	fall down	벼락이 떨어지다	
	2급	뛰다	run	운동장을 뛰다	
			ㅁ		
	2급	마르다	get dry	목이 마르다	
	1급	마시다	drink	물을 마시다	
	2급	마치다	end, finish, close	준비를 마치다	
	2급	막히다	be blocked	구멍이 막히다	
	1급	만나다	meet	친구와 만나다	
	1급	만들다	make, form	음식을 만들다	
	2급	만약	supposing, if	만약의 경우	
	2급	만지다	touch, handle	손을 만지다	
	1급	말씀(하다)	[honorific] speak	선생님께서 말씀해(시)다	
	1급	말하다	speak	조용히 말하다	
	1급	맞다	right	답이 맞다	
	2급	매다	tie, bind, fasten	신발 끈을 매다	
	1급	먹다	eat	아침을 먹다	
	2급	메다	shoulder, carry on one's shoulder	가방을 메다	
	1급	모르다	do not know	규칙을 모르다	
	2급	모시다	[honorific] serve	어른을 모시다	

	2급	모으다	collect	돈을 모으다	
	2급	모이다	come together	다 같이 모이다	
	2급	목욕(하다)	take a bath	깨끗이 목욕하다	
	1급	못하다	be incapable	노래를 못하다	형용사
	1급	묻다	ask	길을 묻다	
	2급	물어보다	ask, inquire	길을 물어보다	
	2급	밀다	push	문을 밀다	

ㅂ

	1급	바꾸다	change, replace, turn into	헌것을 새것으로 바꾸다	
	2급	바뀌다	be changed, be replaced	헌것이 새것으로 바뀌다	
	2급	바라다	hope, wish	성공을 바라다	
	2급	바르다	put on	화장품을 바르다	
	1급	받다	accept, get, receive	선물을 받다	
	1급	배우다	learn	외국어를 배우다	
	2급	버리다	discard, throw away	쓰레기를 버리다	
	2급	벌다	earn	돈을 벌다	
	2급	벗다	take off	모자를 벗다	
	1급	보내다	send, mail	편지를 보내다	
	1급	보다	see, watch	밖을 보다	
	2급	보이다	be seen	산이 보이다	
	2급	볶다	parch, roast	마늘을 볶다	
	2급	뵙다	[honorific] see	어른을 뵙다	
	1급	부르다	call	친구를 부르다	
	2급	부치다	send, mail	편지를 부치다	
	1급	불다	blow	바람이 불다	
	3급	붓다	pour	물을 냄비에 붓다	
	2급	붙다	side with, take the side of	먼지가 붙다	
	2급	붙이다	stick, paste, attach	우표를 붙이다	
	1급	빌리다	borrow	돈을 빌리다	
	2급	빼다	take out, draw	가시를 빼다	

ㅅ

	1급	사귀다	get along with	친구를 사귀다	
	1급	사다	buy, get, purchase	물건을 사다	

	1급	사랑(하다)	love	부모님을 사랑하다	
	1급	사용(하다)	use	휴대폰을 사용하다	
	3급	사인(하다)	sign one's name	영수증에 사인하다	
	1급	살다	live	오래 살다	
	2급	생기다	come into being	새로 생기다	
	1급	샤워(하다)	take a shower	깨끗이 샤워하다	
	2급	서다	stand, rise	똑바로 서다	
	2급	선택(하다)	choose	직업을 선택하다	
	1급	설명(하다)	explain	문제를 설명하다	
	1급	세수(하다)	wash one's face	깨끗이 세수하다	
	2급	세우다	stop	자리에서 세우다	
	3급	세일(하다)	have a sale	세일한 가격	
	1급	쇼핑(하다)	do the shopping	백화점에서 쇼핑하다	
	1급	쉬다	rest	푹 쉬다	
	2급	쉬다	breathe	숨을 쉬다	
	2급	슬퍼하다	be sad, feel sad	죽음을 슬퍼하다	
	1급	시키다	force	일을 시키다	
	1급	신다	put on	신을 신다	
	2급	신청(하다)	apply for	여권을 신청하다	
	1급	싫어하다	hate, dislike	몹시 싫어하다	
	2급	싸다	pack	짐을 싸다	
	2급	싸우다	fight, argue	친구와 싸우다	
	2급	쌓다	pile	물건을 쌓다	
	2급	썰다	chop	오이를 썰다	
	1급	쓰다	write	글을 쓰다	
	2급	쓰다	wear, put on	모자를 쓰다	
	1급	쓰다	use	컴퓨터를 쓰다	
	3급	쓰이다	be used	재료로 쓰이다	
	2급	씹다	chew	껌을 씹다	
	1급	씻다	wash, rinse	손을 씻다	

ㅇ

	1급	안내(하다)	guide	위치를 안내하다	
	2급	안다	embrace	아기를 안다	

	1급	앉다	sit (down)	의자에 앉다	
	1급	알다	know	사실을 알다	
	1급	알리다	let know	사실을 알리다	
	2급	얘기(하다)	talk (with)	친구들과 얘기하다	
	2급	어울리다	associate, join	사람들과 어울리다	
	1급	연습(하다)	practice	열심히 연습하다	
	1급	열다	open, unlock	문을 열다	
	2급	열리다	be opened	문이 열리다	
	1급	오다	come	학교에 오다	
	2급	오르다	climb	값이 오르다	
	1급	올라가다	go up	나무에 올라가다	
	2급	올라오다	come up	정상에 올라오다	
	3급	옮기다	move	짐을 옮기다	
	2급	외출(하다)	go out	외출할 준비	
	1급	운동(하다)	exercise, work out	운동장에서 운동하다	
	1급	운전(하다)	drive	자동차를 운전하다	
	1급	울다	cry	아이가 울다	
	3급	울리다	make cry	아이를 울리다	
	2급	움직이다	move	몸을 움직이다	
	4급	웃기다	make laugh	웃기는 이야기	
	1급	웃다	laugh	활짝 웃다	
	2급	원하다	want, wish, hope	도움을 원하다	
	3급	위하다	do in favor of	관광객을 위한 시설	
	1급	이야기(하다)	talk (with)	친구들과 이야기하다	
	2급	이해(하다)	understand	내용을 이해하다	
	1급	인사(하다)	greet, say hello	헤어지며 인사하다	
	1급	일어나다	get up	일찍 일어나다	
	1급	일(하다)	work	열심히 일하다	
	1급	읽다	read	큰 소리로 읽다	
	2급	잃다	lose	물건을 잃다	
	2급	잃어버리다	loss, miss	물건을 잃어버리다	
	1급	입다	wear, put on	옷을 입다	
	2급	입원(하다)	be hospitalized	아파서 입원하다	

	1급	있다	be, have	나무가 있다	형용사
	2급	잊다	forget	번호를 잊다	
	2급	잊어버리다	entirely forget	비밀번호를 잊어버리다	
			ㅈ		
	2급	자기소개	self introduction	자기소개를 하다	
	1급	자다	sleep	낮잠을 자다	
	2급	자르다	cut	머리를 자르다	
	1급	잘하다	be good at	노래를 잘하다	
	2급	잠자다	sleep	잠자는 모습	
	2급	잡다	grasp	손을 잡다	
	1급	잡수시다	[honorific] eat	저녁을 잡수시다	
	2급	적다	write	이름을 적다	
	2급	전하다	transmit, deliver	편지를 전하다	
	2급	정리(하다)	arrange	책상 위를 정리하다	
	2급	정하다	determine	시간을 정하다	
	3급	조사(하다)	investigate	사건을 조사하다	
	2급	조심(하다)	be careful	행동을 조심하다	
	1급	졸업(하다)	graduate	대학을 졸업하다	
	1급	좋아하다	like	꽃을 좋아하다	
	1급	주다	give	선물을 주다	
	1급	주무시다	[honorific] sleep	낮잠을 주무시다	
	2급	주문(하다)	order	음식을 주문하다	
	2급	주차(하다)	park	주차할 공간	
	2급	죽다	die	사람이 죽다	
	1급	준비(하다)	prepare	재료를 준비하다	
	2급	줄다	become smaller	무게가 줄다	
	2급	즐거워하다	be delighted	매우 즐거워하다	
	2급	즐기다	enjoy	자유를 즐기다	
	1급	지나다	go past	하루가 지나다	
	1급	지내다	live, spend	잘 지내다	
	2급	지키다	guard, defend	나라를 지키다	
	1급	질문(하다)	ask a question	모르는 것을 질문하다	
	2급	짓다	build	집을 짓다	

	1급	찍다	tamp	도장을 찍다	
	–	찍다	take (a picture)	사진을 찍다	

			ㅊ		
	2급	차다	be full	가득 차다	
	2급	차다	kick	공을 차다	
	2급	차다	wear	시계를 차다	
	2급	차다	cold	바람이 차다	
	3급	차리다	set the table	음식을 차리다	
	1급	찾다	find, look for	지갑을 찾다	
	2급	찾아가다	go visit	교실로 찾아가다	
	2급	찾아오다	come to see	손님이 찾아오다	
	1급	청소(하다)	clean	방을 청소하다	
	1급	초대(하다)	invite	파티에 초대하다	
	1급	추다	dance	춤을 추다	
	1급	축하(하다)	celebrate	생일을 축하하다	
	2급	출근(하다)	go to work	회사에 출근하다	
	1급	출발(하다)	depart	공항으로 출발하다	
	1급	춤추다	dance	무대에서 춤추다	
	2급	취소(하다)	cancel	예약을 취소하다	
	2급	취직(하다)	get a job	대기업에 취직하다	
	1급	치다	hit	책상을 치다	

			ㅋ		
	1급	켜다	turn on	불을 켜다	
	2급	켜다	play a instrument	바이올린을 켜다	
	2급	키우다	grow, raise	개를 키우다	

			ㅌ		
	1급	타다	burn	불에 타다	
	1급	타다	get on, ride	차에 타다	
	2급	태어나다	be born	아이가 태어나다	
	1급	퇴근(하다)	get off work	일을 마치고 퇴근하다	
	2급	틀다	turn on	텔레비전을 틀다	
	2급	틀리다	be wrong	답이 틀리다	

ㅍ				
1급	팔다	sell	물건을 팔다	
2급	펴다	open	우산을 펴다	
2급	풀다	untie, untangle	나사를 풀다	
1급	피우다	bloom	꽃을 피우다	
–	피우다	smoke	담배를 피우다	
ㅎ				
1급	하다	do	명사+을/를 하다	
2급	화나다	be angered	화난 얼굴	
2급	화내다	get angry	친구에게 화내다	
3급	확인(하다)	confirm	일정을 확인하다	
2급	환영(하다)	welcome	손님을 환영하다	

03 형용사

형용사는 사물의 성질이나 상태를 나타내는 말입니다.

□ 모르는 단어에 ✔ 표시를 하면서 자신의 암기 상황을 파악하세요.

✔	등급	한국어	영어	길잡이말	참고
			ㄱ		
	1급	가깝다	near, close	거리가 가깝다	
	1급	가볍다	light	짐이 가볍다	
	2급	간단하다	simple	설명이 간단하다	
	2급	강하다	strong	힘이 강하다	
	1급	같다	same	서로 같다	
	1급	건강(하다)	healthy	건강한 몸	
	2급	게으르다	lazy	게으른 사람	
	1급	고맙다	thankful, grateful	고마운 마음	
	1급	고프다	hungry	배가 고프다	
	3급	곱다	fine, sweet, beautiful	고운 얼굴	
	1급	괜찮다	nice, good	성격이 괜찮다	
	2급	귀엽다	cute	얼굴이 귀엽다	
	1급	그렇다	so, as such, like that	그런 사람	
	2급	급하다	urgent, hurry	급한 사정	
	1급	기쁘다	glad, happy	기쁜 일	
	1급	길다	long	다리가 길다	
	2급	까맣다	deep-black, inky	밤하늘이 까맣다	
	1급	깨끗하다	clean	옷이 깨끗하다	
			ㄴ		
	1급	나쁘다	bad, not good	공기가 나쁘다	
	2급	낫다	better	더 낫다	
	1급	낮다	low	산이 낮다	
	1급	넓다	wide, broad	집이 넓다	
	1급	높다	high	산이 높다	
	2급	느리다	slow	걸음이 느리다	

			ㄷ		
	1급	다르다	different	모양이 다르다	
	1급	달다	sweet	맛이 달다	
	2급	더럽다	dirty	손이 더럽다	
	1급	덥다	hot	날씨가 덥다	
	2급	두껍다	thick	책이 두껍다	
	1급	따뜻하다	warm	날씨가 따뜻하다	
	2급	똑같다	same	모양이 똑같다	
	2급	뜨겁다	hot	뜨거운 국물	
			ㅁ		
	1급	많다	a lot of, many, much	사람이 많다	
	1급	맑다	clear, pure, clean	물이 맑다	
	1급	맛없다	taste bad	음식이 맛없다	
	1급	맛있다	taste good	맛있는 음식	
	1급	맵다	hot and spicy	고추가 맵다	
	1급	멀다	far, distant	거리가 멀다	
	1급	멋있다	elegant, nice, stylish	멋있는 사람	
	1급	무겁다	heavy	무거운 가방	
	2급	무섭다	scary	귀신이 무섭다	
	1급	미안(하다)	sorry	미안한 마음	
			ㅂ		
	1급	바쁘다	busy	바쁜 생활	
	1급	반갑다	glad, welcome, happy	반가운 손님	
	2급	밝다	bright, light	불빛이 밝다	동사
	2급	복잡하다	complicated, complex	생각이 복잡하다	
	2급	부드럽다	soft, tender	옷감이 부드럽다	
	2급	부지런하다	hard-working, diligent	부지런한 사람	
	2급	비슷하다	similar	외모가 비슷하다	
	1급	비싸다	expensive	비싼 물건	
	1급	빠르다	fast	걸음이 빠르다	
	2급	빨갛다	red, crimson	코가 빨갛다	
			ㅅ		
	1급	쉽다	easy	문제가 쉽다	

1급	슬프다	sad	슬픈 얼굴	
2급	시끄럽다	noisy	시끄러운 소리	
1급	시다	sour	맛이 시다	
1급	시원하다	cool, refreshing	공기가 시원하다	
1급	싫다	hate, dislike	싫은 일	
2급	심하다	extreme	장난이 심하다	
1급	싱겁다	not salty	국물이 싱겁다	
1급	싸다	cheap	값이 싸다	
1급	쓰다	bitter	맛이 싸다	

ㅇ

1급	아니다	no, not, be not	사실이 아니다	
1급	아름답다	beautiful	아름다운 목소리	
1급	아프다	painful, sick, hurt	배가 아프다	
2급	안전(하다)	safe	안전한 곳	
2급	알맞다	appropriate, proper	알맞은 단어	
2급	얇다	thin	껍질이 얇다	
2급	어둡다	dark	어두운 밤	
1급	어떻다	how, what, be how	건강이 어떻다	
1급	어렵다	difficult, hard	문제가 어렵다	
2급	어리다	young	어린 시절	
1급	없다	not to have	돈이 없다	
1급	예쁘다	pretty	얼굴이 예쁘다	
2급	외롭다	lonely, solitary	외로운 시간	
2급	위험(하다)	dangerous	위험한 방법	
1급	유명(하다)	famous	유명한 가수	
2급	이렇다	so, like this	상황이 이렇다	
2급	이상(하다)	strange, odd, weird	맛이 이상하다	

ㅈ

1급	작다	small	키가 작다	
1급	재미없다	not interesting	재미없는 이야기	
1급	재미있다	intersting	재미있는 친구	
1급	적다	few, little	양이 적다	
2급	적당하다	right, proper	적당한 가격	

2급	젊다	young, youthful	젊은 남녀	
1급	조용하다	quiet	집이 조용하다	
2급	좁다	narrow	방이 좁다	
1급	좋다	fine, good	품질이 좋다	
1급	죄송하다	sorry	죄송한 마음	
2급	중요(하다)	important	중요한 자료	
2급	즐겁다	pleasant, enjoyable	즐거운 마음	
1급	짜다	salty	음식이 짜다	
2급	짧다	short, brief	길이가 짧다	

ㅊ

2급	차갑다	cold	물이 차갑다	
2급	착하다	good-natured	착한 사람	
1급	춥다	cold	날씨가 춥다	
1급	친절하다	kind	친절한 사람	
1급	친하다	close to, intimate	후배와 친하다	

ㅋ

1급	크다	big	키가 크다	

ㅌ

1급	특별하다	special	특별한 날	

ㅍ

2급	편하다	comfortable, relaxed	마음이 편하다	
1급	피곤하다	tired	몸이 피곤하다	
2급	필요(하다)	necessary	시간이 필요하다	

ㅎ

1급	한가하다	leisurely, unhurried	한가한 때	
1급	흐리다	gray, cloud, blur	날씨가 흐리다	
1급	힘들다	laborious, hard	일이 힘들다	

04 부사

부사는 주로 동사나 형용사 앞에 놓여 그 뜻을 분명하게 만들어 주는 말입니다.

□ **모르는 단어에 ✔ 표시를 하면서 자신의 암기 상황을 파악하세요.**

✔	등급	한국어	영어	길잡이말
			ㄱ	
	2급	가끔	sometimes	가끔 보다
	1급	가장	most	가장 좋다
	2급	간단히	simply	간단히 말하다
	2급	갑자기	suddenly	갑자기 나타나다
	1급	같이	together	같이 살다
	2급	거의	almost	거의 없다
	1급	계속	countinue	계속 뛰다
	2급	곧	soon	곧 가다
	2급	그냥	as it is, as it stands, just	그냥 가다
	2급	그만	no more than that	그만 먹다
	2급	금방	just now, a moment ago	금방 가다
	2급	깜짝	with surprise	깜짝 놀라다
	1급	꼭	without fail, certainly	꼭 필요하다
			ㄴ	
	1급	너무	too	너무 심하다
	2급	늘	always	늘 만나다
			ㄷ	
	1급	다	all	모두 다
	1급	다시	again, once more	다시 시작하다
	1급	더	more	하나 더
	2급	따로	seperately, independently	따로 분리하다
	1급	또	again, once more	또 생기다
	2급	또는	or	남자 또는 여자
	2급	똑바로	straight	똑바로 가다

			ㅁ	
	1급	많이	many, much, really	많이 사다
	2급	매우	very	매우 좋다
	1급	먼저	ahead, first	먼저 가다
	1급	모두	all	모두 함께
	1급	못	not	못 마시다
	2급	무척	very	무척 길다
	2급	미리	in advance	미리 알리다
			ㅂ	
	1급	바로	straight, directly	바로 시작하다
	2급	벌써	already	벌써 도착하다
	1급	별로	particularly	별로 없다
	1급	빨리	quickly, early	빨리 걷다
			ㅅ	
	2급	새로	newly	새로 사다
	2급	서로	with each other	서로 믿다
			ㅇ	
	2급	아까	a short while ago	아까 했다
	2급	아마	probably, perhaps	아마 그럴 것이다
	1급	아주	very	아주 똑똑하다
	1급	아직	(not) yet, still	아직 없다
	1급	안	not	안 춥다
	2급	약간	a few, a bit	약간 작다
	1급	어서	quick	어서 가다
	2급	언제나	whenever	언제나 똑같다
	1급	얼마나	how long	얼마나 좋은지
	1급	열심히	hard, diligently	열심히 공부하다
	2급	오래	for a long time	오래 걸리다
	1급	왜	why	왜 그래?
	2급	우선	in the first place	우선 먼저
	1급	이따가	later	이따가 가다
	1급	일찍	early	일찍 오다

			ㅈ	
	2급	자꾸	again and again	자꾸 반복하다
	1급	자주	often, frequently	자주 만나다
	1급	잘	well	잘 모르다
	2급	전혀	not at all	전혀 모르다
	1급	정말	really	정말 좋아하다
	2급	조용히	quietly	조용히 말하다
	1급	좀	please	좀 비싸다
	1급	주로	mainly	주로 말하다
	2급	직접	direct	직접 경험하다
			ㅊ	
	1급	참	very, really	참 좋다
	1급	천천히	slowly	천천히 가다
			ㅌ	
	2급	특별히	especially, particularly	특별히 대접하다
	1급	특히	especially	특히 좋아하다
			ㅎ	
	1급	함께	together	함께 놀다
	2급	항상	always	항상 같다

부사는 앞뒤 말을 이어 주기도 합니다.

□ 모르는 단어에 ✓ 표시를 하면서 자신의 암기 상황을 파악하세요.

✓	등급	한국어	영어	길잡이말
			ㄱ	
	1급	그래서	there upon, so	(원인, 근거, 조건) + 그래서
	2급	그러나	but	그러나 + (반대되는 말)
	1급	그러니까	so, for that reason	(이유, 까닭) + 그러니까
	1급	그러면	then	(조건, 바탕) + 그러면
	2급	그러므로	so, therefore	(이유, 원인, 근거) + 그러므로
	1급	그런데	but, by the way	그런데 + (반대되는 말, 전환)
	1급	그럼	then	(조건, 바탕) + 그러면
	1급	그렇지만	but, however	그렇지만 + (반대되는 말)
			ㅇ	
	1급	왜냐하면	because	왜냐하면 ~ 때문이다
			ㅎ	
	1급	하지만	but	하지만 + (반대되는 말)

05 관형사 · 대명사

   관형사는 명사, 대명사, 수사 앞에 놓여서 내용을 자세히 꾸며 주는 말이고, 대명사는 사람이나 사물의 이름 대신 나타내는 말입니다.

☐ 모르는 단어에 ✔ 표시를 하면서 자신의 암기 상황을 파악하세요.

✔	등급	한국어	영어	길잡이말	참고
	1급	누구	who, (whom, who, whose)	누구십니까?	대명사
	1급	다른	other	다른 나라	관형사
	1급	몇	how many	몇 개	관형사, 수사
	2급	모든	all, every, whole	모든 사람	관형사
	1급	무슨	what kind of	무슨 요일	관형사
	1급	무엇	what	무엇입니까?	대명사
	1급	뭐	what	뭐라고 하다	대명사
	2급	새	new	새 옷	관형사
	2급	아무	any, anyone, not at all	아무 책	관형사, 대명사
	1급	약	about	약 1시간	관형사
	1급	어느	which	어느 나라	관형사
	1급	어디	where	어디예요?	대명사
	1급	어떤	what kind of	어떤 일	관형사
	1급	여러	various, several	여러 사람	관형사
	1급	여러분	all of you	시민 여러분	대명사
	2급	옛	old	옛 친구	관형사
	1급	전	previous	전 대통령	관형사, 명사
	2급	전	all	전 세계	관형사
	4급	헌	old, used	헌 옷	관형사

✔	등급	한국어	영어	참고
	1급	나	I, (my, me, mine, myself)	대명사
	1급	저	I, (my, me, mine, myself)	대명사
	1급	우리	we, (our, us, ours, myselves)	대명사
	1급	너	you, (your, yours, ourself)	대명사
	2급	저희	we, (our, us, ours, ourselves)	대명사
	2급	너희	you, (your, yours)	대명사

✔	등급	한국어	영어	길잡이말	참고
	1급	이	this	이 사람	관형사
				이와 같은 사실	대명사
	1급	저	that	저 사람	관형사
				이도 저도 아니다	대명사
	1급	그	that	그 사람	관형사
				그와 같은 사실	대명사

✔	등급	한국어	영어	참고
	1급	이것	this (one)	대명사
	1급	저것	that (one)	대명사
	1급	그것	that (one)	대명사
	1급	이쪽	this side	대명사
	1급	저쪽	that side	대명사
	1급	그쪽	that side	대명사
	1급	여기	here	대명사
	1급	저기	there	대명사
	1급	거기	there	대명사

✓	등급	한국어	영어	참고
	2급	이거	this (one)	대명사
	2급	저거	that (one)	대명사
	2급	그거	that (one)	대명사
	2급	이곳	this place	대명사
	2급	저곳	that place	대명사
	2급	그곳	that place	대명사
	2급	이런	such, this	관형사
	2급	저런	such, that	관형사
	2급	그런	such a	관형사
	2급	이분	[honorific] this person	대명사
	2급	저분	[honorific] that person	대명사
	2급	그분	[honorific] that person	대명사

06 수사

수사는 사물의 수, 양, 순서 등을 나타내는 말입니다.

□ 모르는 단어에 ✔ 표시를 하면서 자신의 암기 상황을 파악하세요.

연도/월/일, 치수, 돈				개수		
숫자	✔	한국어	참고	✔	한국어	참고
1		일	수사, 관형사		하나	수사
					한/첫	관형사
2		이	수사, 관형사		둘	수사
					두	관형사
3		삼	수사, 관형사		셋	수사
					세	관형사
4		사	수사, 관형사		넷	수사
					네	관형사
5		오	수사, 관형사		다섯	수사, 관형사
6		육	수사, 관형사		여섯	수사, 관형사
7		칠	수사, 관형사		일곱	수사, 관형사
8		팔	수사, 관형사		여덟	수사, 관형사
9		구	수사, 관형사		아홉	수사, 관형사
10		십	수사, 관형사		열	수사, 관형사
20		이십	수사, 관형사		스물	수사
					스무	관형사
30		삼십	수사, 관형사		서른	수사, 관형사
40		사십	수사, 관형사		마흔	수사, 관형사
50		오십	수사, 관형사		쉰	수사, 관형사
60		육십	수사, 관형사		예순	수사, 관형사
70		칠십	수사, 관형사		일흔	수사, 관형사
80		팔십	수사, 관형사		여든	수사, 관형사
90		구십	수사, 관형사		아흔	수사, 관형사
100		백	수사, 관형사			
1,000		천	수사, 관형사			
10,000		만	수사, 관형사			
100,000		십만	수사, 관형사			
1,000,000		백만	수사, 관형사			
10,000,000		천만	수사, 관형사, 명사			
100,000,000		억	수사, 관형사			

07 감탄사

감탄사는 말하는 이의 놀람, 느낌, 부름, 응답 따위를 나타내는 말입니다.

▢ **모르는 단어에 ✔ 표시를 하면서 자신의 암기 상황을 파악하세요.**

✔	등급	한국어	영어	길잡이말
	1급	그래	so, yes, indeed	그래, 알았어.
	1급	네	yes	네, 알겠습니다.
	1급	여보세요	hello	
	1급	예	yes	
	1급	와	wow	
	2급	글쎄	well, let me see	글쎄요.
	2급	아니	no	아니요.
	2급	응	yeah	
	3급	어머	oh	
	3급	자	well	

08 접미사

접미사는 다른 단어의 뒤에 붙어 새로운 단어를 만들어 내는 말입니다.

▢ **모르는 단어에 ✔ 표시를 하면서 자신의 암기 상황을 파악하세요.**

✔	등급	한국어	영어	길잡이말
	2급	−되다		명사/부사 + −되다
	2급	−하다		명사/부사 + −하다
	3급	−기		세탁기, 청소기, 게임기, 계산기
	3급	−님	[honorific] sir	아버님, 어머님, 선생님, 손님
	3급	−쯤	about, around	내일쯤, 이쯤
	4급	−째		첫째, 둘째, 셋째, 넷째, 다섯째

09 연결 어미

연결 어미는 용언(동사, 형용사)의 어간에 붙여 다음 말을 연결할 때 쓰는 말입니다. 예를 들어, '보다(see), 보니, 보고'에서의 '보-'와 '예쁘다(pretty), 예쁘니, 예쁘고'에서의 '예쁘-'처럼 형태가 변하지 않는 부분이 어간입니다. 그 뒤에 붙은 '-다, -니, -고'는 어미라고 합니다.

✓	대표형	관련형	등급(국제통용)	의미
1	-고		1급(초급)	나열
2	-으니까	-니까	1급(초급)	
3	-으러	-러	1급(초급)	
4	-어서	-아서, -여서, -아, -여, -라서, -라	1급(초급)	
5	-지만		1급(초급)	
6	-으려고	-려고, -으려, -려	1급(중급)	의도
7	-거나		2급(초급)	
8	-는데	-은데, -ㄴ데	2급(초급)	대립, 배경
9	-으면	-면	2급(초급)	가정
10	-으면서	-면서	2급(초급)	
11	-게		2급(초급)	목적
12	-다가	-다, -다가도	2급(중급)	중단

1 -고

1. 두 가지 이상의 일을 함께 말할 때 사용합니다. 앞 문장과 뒤 문장의 순서를 바꿔도 괜찮습니다.

　① 앞뒤 문장의 주어가 같을 때

> • 준수는 키가 크고 잘생겼습니다. (준수는 키가 큽니다. 준수는 잘생겼습니다.)
> • 나는 말하기도 배우고 쓰기도 배웁니다. (나는 말하기를 배웁니다. 나는 쓰기도 배웁니다.)

　② 앞뒤 문장의 주어가 다를 때

> • 설탕은 달고 소금은 짜요.
> • 어머니는 선생님이고 아버지는 의사입니다.

2. [동사에 붙어] 앞 내용이 뒤 내용보다 시간 · 순서가 먼저 이루어질 때 사용합니다.

> • 세수하고 옷을 입습니다. (먼저 세수를 합니다. 그 다음에 옷을 입습니다.)
> • 나는 밥을 먹고 이를 닦습니다. (먼저 밥을 먹습니다. 그 다음에 이를 닦습니다.)

3. [동사에 붙어] 앞 내용이 뒤 내용의 수단이나 방법일 때 사용합니다. 주로 '타다' 뒤에 많이 옵니다.

> • 지하철을 타고 학교에 갑니다.
> • 연아는 새 구두를 신고 회사에 갑니다.

2 –으니까/–니까

[동사나 형용사에 붙어] 받침이 있으면 '–으니까'를 사용하고, 받침이 없으면 '–니까'를 사용합니다. 앞의 내용은 뒤의 내용의 이유나 발견을 나타냅니다.

1. 이유: 뒤의 내용에 대한 이유를 말할 때 사용합니다.

> • 더우니까 창문을 여세요.
> • 누리가 없으니까 심심하다.
> • 오늘은 바쁘니까 내일 만날까요?
> • 좋은 사람이니까 한번 만나 보세요.

2. 발견: 앞 문장의 일이 끝나고 나서 뒤 문장의 사실을 알게 되는 경우에 사용합니다.

> • 집에 가니까 아무도 없었어요.
> • 아침에 일어나니까 8시였어요.

3 −으러/−러

[동사에 붙어] 받침이 있으면 '−으러'를 사용하고, 받침이 없으면 '−러'를 사용합니다. 앞 내용은 뒤 내용(주로 이동 동사)의 목적을 나타냅니다.

- 저녁을 먹으러 식당에 갑니다.
- 책을 빌리러 도서관에 갑니다.

4 −어서/−아서, −여서, −아, −여, −라서, −라

[동사나 형용사에 붙어] 용언의 어간이 모음 'ㅏ, ㅗ'로 끝나면 '−아서'를 사용하고, 그 외에 다른 모음으로 끝나면 '−어서'를 사용합니다. '하다' 뒤에는 '−여서'를 사용합니다.

1. 시간의 앞뒤 순서를 나타냅니다. 앞 문장의 동작이 완료된 상태를 그대로 유지하면서 뒤 문장의 동작을 한다는 뜻입니다. 그러므로 어느 정도 지속될 수 있는 동사에만 사용할 수 있습니다.

- 한국에 와서 한국말을 공부합니다.
- 의자에 앉아서 잠깐만 기다리세요.
- 시장에 가서 여러 가지 물건을 삽니다.

📝 더 알아보기 ✎ −어서/−고

	−어서	−고
공통점	시간의 앞뒤 순서를 나타낸다.	
차이점	앞 문장이 뒤 문장의 전제나 조건이 된다.	앞뒤의 내용이 단순히 순서대로 일어난 것이다.
예	• 학교에 가서 공부해요. (학교에 간다. 그 학교에서 공부한다.) • 친구를 만나서 공부해요. (친구를 만난다. 그 친구와 함께 공부한다.	• 학교에 가고 공부해요. (학교에 간다. 그 후에 공부한다.) • 친구를 만나고 공부해요. (친구를 만난다. 그 후에 공부를 한다.)

2. 앞 내용이 뒤 내용의 원인이나 이유임을 나타냅니다. 이때 앞 문장에는 시제를 표현하는 '-었/았/였-, -겠-' 등을 쓸 수 없고 뒤 문장에는 명령, 부탁, 제안 등의 내용이 올 수 없습니다.

- 저는 바빴어서 참석하지 못했어요. (×)
  → 저는 바빠서 참석하지 못했어요. (○)
- 아이가 배가 아파서 울어라. (×)
  → 아이가 배가 아파서 울고 있습니다. (○)
- 바람이 심하게 불어서 나뭇잎이 떨어져 주세요. (×)
  → 바람이 심하게 불어서 나뭇잎이 떨어졌습니다. (○)

3. 수단이나 방법, 시간, 감정의 이유를 나타냅니다.

- 쇠꼬리를 고아서 먹었다. (수단, 방법)
- 옷에 방울을 달아서 장식했다. (수단, 방법)
- 2월 들어서 판매량이 상승했다. (시간)
- 매번 도와주셔서 고마워요. (감정의 이유)

더 알아보기 ✎ -어서/-으니까

	-어서	-으니까
특징	일반적인 이유를 말하거나 부드럽게 말할 때 쓴다.	이유를 강조하거나 질문에 대답할 때 쓴다.
예	한국이 좋아서 한국에 왔어요.	한국이 좋으니까 한국에 왔어요.

4. '-어서'는 '-어'에 보조사 '서'가 붙은 형태이므로, '-어서'와 '-어'는 서로 바꿔 쓸 수 있습니다. 특히 '서'가 붙으면 앞의 동작이나 상태를 더욱 강조하는 의미를 나타냅니다.

- 산이 높아 오르기 힘들다. → 산이 높아서 오르기 힘들다. (강조)
- 고향을 떠나 서울로 왔다. → 고향을 떠나서 서울로 왔다. (강조)
- 소파에 앉아 신문을 본다. → 소파에 앉아서 신문을 본다. (강조)

5 -지만

1. 앞 문장과 반대되는 내용을 뒤 문장에서 이어 말할 때 씁니다.

> • 난 비록 늙었지만 마음은 젊다.
> • 한국말은 어렵지만 재미있습니다.

2. 앞 내용을 인정하면서 뒤 내용이 그것에 별로 영향을 받지 않음을 나타냅니다.

> • 전 김치를 먹을 수 있지만 별로 좋아하지 않습니다.
> • 처음에는 피곤했지만 지금은 습관이 돼서 괜찮아요.

3. 앞 내용을 인정하면서 그것에 다른 내용을 덧붙여 말할 때 씁니다.

> • 참외도 맛이 좋지만 수박은 더 맛있다.
> • 수연이는 공부도 잘하지만 성격이 아주 좋아요.

4. '미안하다', '실례하다' 뒤에 와서 부탁할 때 사용합니다.

> • 미안하지만 펜 좀 빌려줄래?
> • 실례지만, 거기 이 선생님 계십니까?

5. '-지만'은 '-지마는'의 줄임말입니다. 일상적인 대화에서는 '-지만'을 더 많이 사용합니다.

6 ㅡ으려고/ㅡ려고, ㅡ으려, ㅡ려

[동사에 붙어] 받침이 있으면 'ㅡ으려고'를 사용하고, 받침이 없으면 'ㅡ려고'를 사용합니다.

1. 계획: 나의 계획을 말하거나 다른 사람의 계획을 물어볼 때 씁니다. 주로 'ㅡ으려고 하다'의 형태로 씁니다.

> • 내년에 고향으로 돌아가려고 해요.
> • 언제부터 한국어를 배우려고 합니까?

2. 의도: 무언가를 하기 위해 다른 것을 하는 것을 말합니다. 주로 'ㅡ으려고 + 다른 동사'의 형태로 씁니다.

> • 일찍 일어나려고 일찍 자요.
> • 친구에게 꽃을 주려고 꽃을 샀어요.

더 알아보기 ✎ ㅡ으려고/ㅡ으려

	ㅡ으려고	ㅡ으려
의미	계획, 의도	목적
뒤에 오는 표현	① 하다 ② 다른 동사	이동 동사(가다, 오다 등)
특징	'ㅡ으려'로 바꿔 쓸 수 없다.	'ㅡ으려고'로 바꿔 쓸 수 있다.
예	친구에게 주려고 선물을 샀어요. → 친구에게 주려 선물을 샀어요. (×)	공부를 하러 한국에 왔어요. → 공부를 하려고 한국에 왔어요. (○)

3. 곧 일어날 움직임: 곧 일어날 움직임이나 상태의 변화를 나타냅니다. 주로 'ㅡ으려고 하다'의 형태로 씁니다.

> • 차가 막 출발하려고 한다.
> • 하늘을 보니 곧 비가 쏟아지려고 한다.

7 -거나

1. '또는, 아니면'이라는 뜻입니다. 앞 문장과 뒤 문장 중 하나를 선택함을 나타냅니다.

> • 토요일에는 여행을 하거나 책을 읽어요.
> • 아프거나 힘들 때는 어머니 생각이 나요.
> • 외출할 때는 모자를 쓰거나 선글라스를 낀다.

2. '-는 경우가 있다'라는 뜻입니다. 주로 '-거나 하다'의 형태로 씁니다.

> • 무리하면 피곤하거나 해서 몸이 약해진다.
> • 누가 뭘 부탁하거나 하면 거절을 못 하겠어요.
> • 일을 해서 돈이 생기거나 하면 옷 사는 데 다 써버려요.

3. '둘 중에서 어느 것이어도'라는 뜻입니다. 주로 '-거나 -거나'의 형태로 씁니다.

> • 믿거나 말거나 마음대로 하세요.
> • 누가 보거나 말거나 우리는 질서를 지켜야 합니다.

4. '어느 것이든지 가리지 않고'라는 뜻입니다. 주로 '-거나 간에'의 형태로 씁니다. '무슨, 어느' 등과 잘 어울립니다.

> • 무슨 일을 하거나 간에 열심히 하세요.
> • 사람이거나 동물이거나 간에 생명은 사랑으로 키워야 한다.

8 −는데/−은데, −ㄴ데

앞에 오는 형용사에 ㄹ을 제외한 받침이 있으면 '−은데'를 사용하고, 받침이 없거나 ㄹ 받침이 있으면 '−ㄴ데'를 사용합니다. 앞에 '있다[없다]'가 오면 '−는데'를 사용합니다.

1. 앞 내용과 관련된 질문, 부탁, 제안을 할 때 사용합니다.

> • 지금 비가 오는데 어디 가세요?
> • 식사 시간이 되었는데 같이 밥 먹을래?

2. 앞 내용이 뒤 내용의 원인이나 이유임을 나타냅니다.

> 오늘 바쁜데 그 일은 다음에 합시다.

3. 앞 내용과 뒤 내용이 서로 반대일 때 사용합니다.

> 동생은 키가 큰데 저는 키가 작습니다.

4. 대화를 시작할 때, 부드럽게 화제를 바꿀 때, 뒤에 어떤 것을 소개하거나 설명하려고 할 때 사용합니다.

> • 요즘 한국어를 배우는데 아주 재밌어요.
> • 저는 중국에서 왔는데 한국말을 공부한 지 1년이 됐습니다.

5. 뒤 문장의 동작이 일어날 때의 상황을 묘사할 때 사용합니다. 주로 동작 동사 뒤에 붙고 현재 시제를 씁니다.

> • 저녁을 먹는데 전화가 왔어요.
> • 텔레비전을 보는데 엄마가 꺼 버렸어요.
> • 신호 대기 중인데 갑자기 저 차가 이쪽으로 왔어요.

더 알아보기 ✎ −는데/−으니까

	−는데	−으니까
의미	상황 설명	이유
특징	듣는 사람이 정보를 무리 없이 받아들일 수 있도록 여유를 준다.	듣는 사람에게 말하는 이유를 정확히 밝히려고 할 때 쓴다.
예	• 추운데 집에 있자. • 아기가 자는데 떠들지 마세요.	• 추우니까 집에 있자. • 아기가 자니까 떠들지 마세요.

6. 앞 문장의 기대와는 반대로 뒤 문장의 결과가 나타납니다.

   ① 앞 문장과 뒤 문장을 바꿔 쓸 수 있습니다.

   > • 키는 큰데 발은 작아요. → 발은 작은데 키는 커요. (○)
   > • 말하기는 쉬운데 쓰기는 어려워요. → 쓰기는 어려운데 말하기는 쉬워요. (○)
   > • 운동은 잘하는데 노래는 못해요. → 노래는 못하는데 운동은 잘해요. (○)

   ② 앞 문장과 뒤 문장을 바꿔 쓸 수 없습니다.

   > • 시간이 많았는데 아무것도 못 했어요. → 아무것도 못 했는데 시간이 많아요. (×)
   > • 좋아하는 사람이 있었는데 헤어졌어요. → 헤어졌는데 좋아하는 사람이 있어요. (×)
   > • 항상 열심히 공부하는데 시험을 못 봐요. → 시험을 못 봤는데 항상 열심히 공부해요. (×)

9 -으면/-면

[동사나 형용사에 붙어] 받침이 있으면 '-으면'을 사용하고, 받침이 없으면 '-면'을 사용합니다. 뒤 문장에는 과거 시제가 올 수 없습니다.

1. 조건 · 가정: 앞 내용이 뒤 내용의 조건이나 가정임을 나타냅니다.

　① 일반적 · 반복적인 일의 조건: '만일, 만약' 등과 어울리지 않습니다.

> • 겨울이 오면 추워져요.
> • 담배를 피우면 건강이 나빠져요.

　② 특수한 경우의 가정: '만일, 만약' 등과 잘 어울립니다.

> • 만약 책을 다 읽으면 좀 빌려주세요.
> • 만일 복권에 당첨되면 차를 사겠어요.

2. 희망, 바람, 부드러운 요청, 부탁: '스스로 이루고 싶은 것'이나 '다른 사람에게 바라는 것'에 모두 쓸 수 있습니다. 주로 '-으면 좋겠다'의 형태로 씁니다.

　① 스스로 이루고 싶은 것

> • 나는 내년에 취직하면 좋겠어.
> • 저는 이번 방학 때 여행을 가면 좋겠어요.

　② 다른 사람에게 바라는 것: '-어 주세요'보다 더 부드러운 표현입니다.

> • 비밀을 지켜주면 좋겠구나.
> • 친구와 사이좋게 지내면 좋겠어요.

10 -으면서/-면서

[동사에 붙어] 받침이 있으면 '-으면서'를 사용하고, 받침이 없으면 '-면서'를 사용합니다.

1. 앞뒤의 행동이 동시에 발생: 앞의 행동과 뒤의 행동이 동시에 일어나는 것을 나타냅니다. 앞 문장과 뒤 문장의 주어가 같으며, 두 문장의 순서를 바꿔도 괜찮습니다. 경우에 따라 '-며'와 바꿔 쓸 수 있습니다.

> • 음악을 들으면서 공부합니다. → 음악을 들으며 공부합니다.
> • 학교에 다니면서 회사에 다녔어요. → 학교에 다니며 회사에 다녔어요.

더 알아보기 🖉 -으면서/-고/-어서/-며

	-으면서	-고	-어서	-며
나열 (앞뒤 문장을 바꿀 수 있음)	-	○	-	○
순서 (앞뒤 문장을 바꿀 수 없음)	-	○	○	○
동시 (앞뒤의 일이 함께 일어남)	○	-	-	-

2. 서로 맞서는 관계: 앞과 뒤의 내용이 상반되는 관계에 있음을 나타냅니다.

> • 자기는 놀면서 남만 시킨다.
> • 민지는 경수를 모르면서 아는 척한다.

11 –게

앞의 내용이 뒤의 내용의 목적이나 기준일 때 사용합니다.

- 지갑 좀 꺼내게 가방 좀 주실래요?
- 멀리서도 들리게 큰 소리로 대답했다.

12 –다가/–다, –다가도

1. 어떤 행동이나 상태 등이 중단되고 다른 행동이나 상태로 바뀜을 나타냅니다.

- 우리는 밥을 먹다가 차를 마셨다.
- 유민이가 여행을 갔다가 돌아왔다.

2. 어떤 행동이 진행되는 중에 다른 행동이 나타날 때 사용합니다.

- 잠을 자다가 무서운 꿈을 꾸었다.
- 영화를 보다가 그 사람이 생각났다.

⑩ 종결 어미

종결 어미는 문장을 마칠 때 쓰는 말입니다. 종결 어미에 따라 문장은 평서형, 감탄형, 의문형, 명령형, 청유형으로 구분할 수 있습니다.

✔	대표형	관련형	등급(국제통용)	의미
1	−습니다	−ㅂ니다	1급(초급)	
2	−습니까	−ㅂ니까	1급(초급)	
3	−읍시다	−ㅂ시다	1급(초급)	
4	−으십시오	−십시오	1급(초급)	
5	−어	−아, −여, −야, −어요, −아요, −여요, −에요	1급(초급)	
6	−으세요	−셔요, −으셔요, −셔요, −으시어요, −시어요	1급(초급)	
7	−고	−고요	1급(중급)	덧붙임, 질문
8	−을까	−ㄹ까, 을까요, −ㄹ까요	1급(초급)	
9	−으니까	−으니까요, −니까, −니까요	1급(초급)	
10	−는군	−군, −는군요, −군요	2급(초급)	
11	−을게	−ㄹ게, −을게요, −ㄹ게요	2급(초급)	
12	−지	−지요(−죠)	2급(초급)	서술, 질문, 명령, 요청
13	−는데	−ㄴ데, −은데, −는데요, −ㄴ데요, −은데요	2급(초급)	감탄
14	−네	−네요	2급(초급)	감탄
15	−을래	−을래요, −ㄹ래요	2급(중급)	

1 −습니다/−ㅂ니다

받침이 없거나 ㄹ 받침이 있으면 '−ㅂ니다'를 사용하고, ㄹ을 제외한 받침이 있으면 '−습니다'를 사용합니다. 윗사람이나 존경해야 할 대상에게 동작이나 상태가 어떠함을 알리는 말입니다. 연설, 보고, 강의, 방송 등을 할 때도 씁니다.

• 여기가 우리 학교입니다.
• 마을 뒤에 있는 산은 아주 높습니다.

2 -습니까/-ㅂ니까

윗사람이나 존경해야 할 대상에게 어떤 사실을 정중히 물어볼 때 사용합니다. 연설, 보고, 강의, 방송 등을 할 때도 씁니다.

- 여러분은 지금 행복하십니까?
- 저기 보이는 집은 누구의 집입니까?

3 -읍시다/-ㅂ시다

윗사람이나 존경해야 할 대상에게 어떤 일을 함께 하자고 말할 때 사용합니다. 반말은 '-자'를 사용합니다. 친한 사이지만 반말을 쓸 수 없을 때는 '-어요'를 씁니다.

- 커피 한잔 합시다. (커피 한잔 하자. / 커피 한잔 해요.)
- 같이 도서관에 갑시다. (같이 도서관에 가자. / 같이 도서관에 가요.)

4 -으십시오/-십시오

받침이 있으면 '-으십시오'를 사용하고, 받침이 없으면 '-십시오'를 사용합니다. 실생활에서 윗사람에게 명령, 지시, 청유를 직접 할 수는 없습니다. 그래서 상대방에게 무엇을 공손하게 시키거나 요구할 때 '-으십시오'를 씁니다. 즉, 듣는 사람은 주로 윗사람이나 존경해야 할 대상입니다.

- 오늘은 늦었으니 내일 떠나십시오.
- 선생님, 제가 쓴 글 좀 봐 주십시오.
- 잘 알아들을 수 있게 천천히 읽으십시오.

5 -어/-아, -여, -야, -어요, -아요, -여요, -에요

구어체 표현입니다. 매우 넓은 범위의 존댓말로 쓰입니다. 평서형, 의문형, 명령형, 청유형이 따로 없고, 대화의 상황과 억양에 따라 구분합니다.

- 평서형: 가. ↘ (갑니다.)
- 명령형: 가. ↕ (가십시오.)
- 의문형: 가? ↗ (갑니까?)
- 청유형: 가. → (갑시다.)

6 -으세요/-셔요, -으셔요, -셔요, -으시어요, -시어요

1. 명령: 정중하면서도 부드럽게 상대방에게 어떤 일을 시킬 때 사용합니다.

- 지금부터 한 사람씩 말씀하세요.
- 손님들이 오신 것 같은데 어서 가 보세요.

2. 요청: 친절하고 부드럽게 권유하거나 어떤 욕망을 나타냅니다.

- 할아버지, 옛날이야기 좀 해 주세요.
- 바깥이 추운데 어서 집에 들어오세요.

3. 설명: '체언+이다'와 함께 사용하여 어떤 일을 알림을 나타냅니다.

- 아까 오셨던 분이 우리 할머니세요.
- 저기 서 있는 분이 우리 선생님이세요.

4. 질문: 되묻는 형식으로, 어떤 느낌이나 부정의 내용을 힘주어 나타냅니다.

- 제가 운동을 못할 줄 아세요?
- 우리는 놀기만 하는 줄 아세요?

7 –고/–고요

1. 덧붙임: 앞에 오는 말에 내용을 덧붙이거나 계속 이어 말할 때 씁니다.

> • 몸이 나아졌어요. 기분도 좋고요.
> • 방해가 안 된다면 다음에 또 오고요.

2. 질문: 물어보는 뜻을 나타냅니다.

> • 집은 어디에 있고?
> • 선생님도 안녕하시고요?

8 –을까/–ㄹ까, 을까요, –ㄹ까요

1. 추측: 항상 의문문으로 씁니다. 대답에는 쓸 수 없습니다.

> • 내일 날씨가 좋을까?
> • 이번 시험이 어려울까요?

2. 제안: 동사 뒤에만 붙습니다. '함께, 같이, 우리' 같은 표현과 잘 어울립니다.

> • 어디에서 만날까?
> • 우리 같이 식사할까요?
> • 이번 방학에 함께 여행갈까요?

3. 의견 묻기, 혼잣말: 상대방에게 의견을 묻거나 혼잣말을 할 때 사용합니다. 다른 사람의 의견을 물을 때는 '–으면 좋겠어(요)?'로 바꿀 수 있습니다.

> • 어떤 옷을 입을까?
> • 지수야, 내가 너에게 몇 시에 전화할까? (지수야, 내가 너에게 몇 시에 전화하면 좋겠어?)

9 –으니까/–으니까요, –니까, –니까요

앞 내용이 이유나 판단의 근거임을 나타냅니다.

1. 대화하는 상황에서 표현을 강조할 때 사용합니다.

> • 이따가 전화할게요. 지금은 바쁘니까요.
> • 이제는 가을이구나. 황금빛 들판을 보니까.

2. 대화하는 상황에서 상대방의 말을 다시 반복하지 않고 이유만 말할 때 씁니다.

> 가: 왜 이렇게 차가 막히지?
> 나: 퇴근 시간이니까요. (퇴근 시간이니까 차가 막혀요.)
>
> ─────────────────────────────────
>
> 가: 답변이 많이 왔어요.
> 나: 재미있는 주제니까요. (재미있는 주제니까 답변이 많이 왔어요.)

10 –는군/–군, –는군요, –군요

감탄, 놀라움, 새롭게 알게 된 사실, 직접 경험한 것, 다른 사람에게 들은 것에 대해 말할 때 사용합니다. '–군'은 '–구나'의 줄임말입니다.

1. 직접 정보: 직접 경험한 것에 대해 이야기할 때, 새롭게 알게 되었거나 느끼게 된 사실에 대해 이야기할 때 사용합니다. '–네(요)'로 바꿔 쓸 수 있습니다.

> 가: 머리를 잘랐군요. → 머리를 잘랐네요.
> 나: 네, 어제 미용실에 갔어요.
>
> ─────────────────────────────────
>
> 가: 밖에 나오니까 날씨가 참 춥구나. → 밖에 나오니까 날씨가 참 춥네.
> 나: 옷을 따뜻하게 입어야겠어요.

2. 간접 정보: 다른 사람에게서 새로운 정보를 듣고 나서 말할 때 사용합니다. 문장 전체를 '그렇군요 (그렇구나)'로 바꿔 쓸 수 있습니다.

> 가: 우리 학교는 내일부터 방학이에요.
> 나: 내일부터 방학이군요. → 그렇군요.
> ─────────────────────────────────
> 가: 어제 마이클 씨가 고향으로 돌아갔어.
> 나: 마이클 씨가 돌아갔구나. → 그렇구나.

11 -을게/-ㄹ게, -을게요, -ㄹ게요

주어는 항상 '나'입니다. 말하는 사람이 어떤 행동을 할 것을 듣는 사람에게 약속하거나 자신의 의지를 나타낼 때, 다른 사람의 생각에 동의할 때 사용합니다. 즉, '아니요', '싫어요' 같은 부정적인 말보다 '네(응)', '-을게'와 같은 긍정적인 말과 어울리고, 듣는 사람에게 피해를 주는 일에 대해 쓰면 어색합니다. 문장 전체를 '그럴게(요)'로 바꿔 쓸 수 있습니다.

> 가: 오늘 저녁에 전화해.
> 나: 알았어. 전화할게. → 그럴게.
> ─────────────────────────────────
> 가: 여러분, 조용히 하세요.
> 나: 네, 조용히 할게요. → 그럴게요.

12 –지/–지요(–죠)

말하는 사람과 듣는 사람 모두 아는 사실을 확인할 때 사용합니다. 존경을 표현하는 '–시–', 시제를 표현하는 '–었/았/였–, –겠–' 뒤에 붙어 어떤 사실을 긍정적으로 확인하여 서술하거나 친절하고 부드럽게 되물을 때 씁니다. 하강조의 억양을 빌어 명령, 청유 등의 뜻을 나타내기도 하며, 의문대명사 등과 같이 쓰여 물으려고 하는 일을 이미 알고 있으나 재확인하기 위하여 되묻는 형식으로 사용하기도 합니다.

1. 서술: 상대방에게 친근하게 어떤 사실을 알림을 나타냅니다.

> • 그건 제가 해결하지요.
> • 우리는 서울에서 행복한 나날을 보냈지요.

2. 질문: 어떤 사실에 대해 상대방에게 물음을 나타냅니다.

> • 집에서 학교가 가깝지요?
> • 점심 식사를 같이 하시지요?

3. 동의: 상대방에게 동의할 것을 요구하거나 동감을 표시합니다.

> • 점심은 곧 드실 거지요?
> • 이 식당에는 손님이 아주 많지요?

4. 서술: 어떤 일을 짐작함을 나타냅니다. 주로 '–겠지요'의 형태로 씁니다.

> • 이제 좀 있으면 기차가 도착하겠지요.
> • 이번에 실패하면 다음 기회가 있겠지요.

5. 명령 · 요청: 윗사람에게 어떤 행동을 함께 하기로 아주 정중하게 권유할 때는 '–으시지요'를 사용합니다. 이때 '–으시지요'의 억양은 내려갑니다. '–으시겠습니까?'로 바꿔 쓸 수 있습니다.

> • 커피 한잔 하시지요(↘). → 커피 한잔 하시겠습니까?
> • 같이 도서관에 가시지요(↘). → 같이 도서관에 가시겠습니까?

13 -는데/-ㄴ데, -은데, -는데요, -ㄴ데요, -은데요

1. 의외라 느껴지는 어떤 사실에 대해 감탄하여 말함을 나타냅니다.

> • 이름이 근사한데요.
> • 맛이 정말 좋은데요.
> • 말씀을 듣고 보니 정말 그런데요.

2. 상대방의 반응을 기대하면서 어떤 상황에 대해 전달할 때 사용합니다.

> 가: 선생님, 궁금한 게 있는데요.
> 나: 네, 질문하세요.
> ───────────────────────────────────────
> 가: 오늘 회사에 안 나가세요?
> 나: 지금 휴가 중인데요.

3. 듣는 사람에게 어떤 대답을 요구할 때 사용합니다.

> • 이거 얼마인데요?
> • 거기가 어떤 곳인데요?
> • 누리가 얼마나 키가 큰데요?

14 -네/-네요

1. 감탄: 새삼스럽게 알게 된 사실을 감탄하여 말함을 나타냅니다.

> • 정말 근사하네요.
> • 세월 참 빠르네요.

	−네	−는군
공통점	새롭게 알게 된 사실에 대하여 감탄할 때 쓴다.	
차이점	−	자신이 확인할 수 없는 과거 사실을 현재 시점에 깨닫게 되었을 때도 쓸 수 있다.
예	가: 지난주에 여기는 비가 많이 왔어요. 나: 아, 그랬군요. (○) / 그랬네요. (×)	

2. 서술: 말하는 사람 스스로의 생각을 서술함을 나타냅니다.

- 정말 큰일이네요.
- 형님은 복도 많으시네요.

3. 말하는 사람이 추측한 것을 듣는 이에게 동의를 구하여 물어 보는 뜻을 나타냅니다. 주로 '−겠−' 과 같이 씁니다.

- 할머니도 우리 선생님 아시겠네요?
- 그럼 요즘은 매일 교회에 가시겠네요?

15 −을래/−을래요, −ㄹ래요

1. 부드러운 의지 표현: '−으려고 해요', '−을 거예요'를 부드럽게 말한 것입니다.

① 주어가 '나'일 때

- 일찍 일어날래요.
- 텔레비전 안 볼래.
- 오늘부터 매일 운동할래요.

② 주어가 '너'일 때: '언제, 어디, 무슨, 무엇, 몇, 누가' 등과 어울립니다.

> • 언제까지 숙제해 올래요?
> • 제 자리는 여기인데 정은 씨는 어디에 앉을래요?
> • 저는 냉면을 먹으려고 하는데 선생님은 뭘 드실래요?

2. 부드러운 요청, 명령, 부탁: '-어 주세요', '-으세요'를 부드럽게 말한 것입니다.

> • 내일 시간 좀 내줄래요?
> • (지하철에서) 내리려고 하는데 좀 비켜 주실래요?

3. 제안: 듣는 사람에게 어떤 일을 하자고 제안하거나 의견을 물을 때 사용합니다. '같이, 우리, 함께'
와 같은 표현과 어울립니다. 주로 동사 뒤에 붙습니다.

> • 같이 커피 마실래요?
> • 우리 내일 몇 시에 볼래요?
> • 우리 함께 도서관에 갈래요?

더 알아보기 ✏ -을래?/-을까요?/-읍시다

※ 청유의 정도: -을래요? < -을까요? < -읍시다
• 수미 씨, 같이 식사할래요? (수미 씨가 식사하고 싶은지 먼저 묻습니다.)
• 수미 씨, 같이 식사할까요? (나는 식사하고 싶은데 수미 씨는 어떤지 묻습니다.)
• 수미 씨, 같이 식사합시다. (수미 씨의 생각을 묻지 않고 같이 식사하려고 합니다.)

	-을래요?	-을까요?	-읍시다
듣는 사람의 생각	◎(먼저)	○(나중)	×(묻지 않음)
말하는 사람의 생각	○(나중)	◎(먼저)	◎(제일 중요)

⑪ 복합 표현

복합 표현은 문법 요소가 두 가지 이상 나타난 말입니다.

▫ 관련형의 ㉤는 유의어, ㉤은 반의어입니다.

✓	대표형	관련형	등급(국제통용)	의미
1	이 아니다	가 아니다	1급(초급)	
2	-고 싶다		1급(초급)	
3	-고 있다		1급(초급)	
4	-어야 되다	-아야 되다, -여야 되다 ㉤ -어야 하다, -아야 하다, -여야 하다	1급(초급)	
5	-지 않다		1급(초급)	
6	-지 못하다		1급(초급)	
7	-을 수 있다	-ㄹ 수 있다 ㉤ -ㄹ 수 없다, -을 수 없다	1급(초급)	
8	-기 전에	-기 전	1급(초급)	
9	-은 후에	-은 후, -ㄴ 후에, -ㄴ 후 ㉤ -은 뒤에, -은 뒤, -ㄴ 뒤에, -ㄴ 뒤	1급(초급)	
10	-으러 가다[오다]	-러 가다[오다]	1급(초급)	
11	-으려고 하다	-려고, 으려, 려	1급(초급)	의도
12	-게 되다		2급(초급)	
13	-기 때문에	-기 때문이다	2급(초급)	
14	-기로 하다		2급(초급)	
15	-는 것	-은 것, -ㄴ 것, -을 것, -ㄹ 것	2급(초급)	
16	-는 것 같다	-ㄴ 것 같다, -은 것 같다, -ㄹ 것 같다, -을 것 같다	2급(초급)	
17	-은 지	-ㄴ 지	2급(초급)	
18	-을 때	-ㄹ 때	2급(초급)	
19	-는 동안에	-는 동안	2급(초급)	
20	-은 적이 있다	-ㄴ 적이 있다, -는 적이 있다 ㉤ -은 적이 없다, -ㄴ 적이 없다, -는 적이 없다	2급(초급)	
21	-을 것이다	-ㄹ 것이다	2급(초급)	추측
22	-을까 보다	-ㄹ까 보다	2급(초급)	

23	-을까 하다	-ㄹ까 하다	2급(초급)	
24	-어 보다	-아 보다, -여 보다	2급(초급)	
25	-어 있다	-아 있다, -여 있다	2급(초급)	
26	-어 주다	-아 주다, -여 주다	2급(초급)	
27	-어도 되다	-아도 되다, -여도 되다	2급(초급)	
28	-지 말다		2급(초급)	
29	-을 수밖에 없다	-ㄹ 수밖에 없다	2급(초급)	
30	-는 게 좋겠다		3급(중급)	
31	-으면 좋겠다	-면 좋겠다	3급(중급)	

1 이 아니다/가 아니다

'이다'의 부정 표현입니다. 문장 첫머리의 명사는 문장의 주어이고, 뒤의 것은 보어입니다.

- 이것은 꿈입니다. → 이것은 꿈이 아닙니다.
  주어   보어   서술어
- 제 말은 거짓말이 아니에요.
- 이 물건은 신상품이 아닙니다.

2 -고 싶다

[동사에 붙어] 말하는 사람이 어떤 행위를 하기를 원함을 나타냅니다. 어미 '-고'와 형용사 '싶다'가 함께 쓰인 표현입니다.

- 우리는 제주도에 가고 싶어요.
- 저는 한국어를 잘하고 싶습니다.

더 알아보기 🖉 '-고 싶다'의 활용

1. 듣는 사람에게 원하거나 바라는 것을 물을 때 사용할 수 있습니다.

> • 무슨 영화를 보고 싶어요?
> • 생일에 무슨 선물을 받고 싶어요?

2. 과거에 원했거나 바란 내용을 나타내고 싶을 때는 '-고 싶었다'를 사용하고, 추측의 의미를 나타낼 때는 '-고 싶겠다, -고 싶었겠다'를 사용합니다. 추측의 의미를 나타낼 때는 말하는 사람이 자신이 아닌 다른 사람을 주어로 쓸 수 있습니다.

> • 저는 영화를 보러 가고 싶었어요. (과거의 소망)
> • 민수 씨는 집에 가서 쉬고 싶겠어요. (현재 소망에 대한 추측)
> • 너도 친구들과 같이 여행을 가고 싶었겠다. (과거 소망에 대한 추측)

3. 형용사 뒤에는 쓸 수 없습니다. 그러나 형용사에 '-어지다'가 붙어 동사가 되면 '-고 싶다'를 쓸 수 있습니다.

> • 예쁘고 싶어요. (×) → 예뻐지고 싶어요. (○)
> • 유명하고 싶어요. (×) → 유명해지고 싶어요. (○)

4. 그러나 '행복하다, 건강하다' 같은 일부 형용사는 일상생활에서 말할 때 주로 '-고 싶다'의 형태로 씁니다.

> • 행복하고 싶어요. / 행복해지고 싶어요.
> • 건강하고 싶으면 운동을 하세요. / 건강해지고 싶으면 운동을 하세요.

5. '-고 싶다'는 평서문에서는 말하는 사람이 원하는 것을 말할 때 사용하고, 의문문에서는 듣는 사람이 원하는 것을 물을 때 사용합니다. 그 이외 사람의 희망을 나타낼 때는 '-고 싶어 하다'를 사용해야 합니다.

> • 나는 제주도에 가고 싶어요. 정연 씨는 어디로 가고 싶어요?
> • 제 동생은 영화를 보고 싶어 해요.
> • 정모야, 성현이는 무슨 일을 하고 싶어 하니?

3 –고 있다

[동사에 붙어] 어떤 동작이 진행되고 있음을 나타냅니다. 어미 '–고'와 동사 '있다'가 함께 쓰인 표현입니다.

1. 어떤 동작이 진행 중이거나 계속됨을 나타냅니다.

> • 동생은 책을 읽고 있어.
> • 아이들은 노래를 부르고 있습니다.

2. ['입다, 신다, 끼다' 등의 착용 동사나 '감다, 들다' 등의 신체 동작을 나타내는 동사에 붙어] 그러한 동작의 상태나 결과가 계속되고 있음을 나타냅니다.

> • 저는 양복을 입고 있어요.
> • 철수는 모자를 쓰고 있어요.
> • 연지는 눈을 감고 있습니다.

더 알아보기 ✐ '–고 있다'의 활용

1. '–고 있다'를 사용하지 않더라도 현재를 나타내는 어미가 현재 동작의 진행을 나타낼 수 있습니다.

> • 정한이가 지금 책을 읽고 있다. / 정한이가 지금 책을 읽는다.
> • 도겸이가 지금 노래를 하고 있다. / 도겸이가 지금 노래를 한다.

2. 과거의 어느 시점에, 혹은 어느 시간 동안 동작이 진행되고 있음을 나타낼 때 '–고 있었다'를 사용합니다.

> • 집에서 책을 읽고 있었어요. 그때 엄마가 왔어요.
> • 어떻게 하면 좋을까 고민하고 있었어요. 그때 좋은 생각이 났어요.

3. 그러나 어느 특정 시점이 아니라 단순히 과거에 한 동작이나 행위를 나타낼 때는 '–고 있었다'를 사용하지 않고 '–었/았/였다'의 형태로 사용해야 합니다. '–고 있었다'는 그 동작의 진행이 이루어지는 시점에 일어난 다른 일과 대비시킬 때만 사용할 수 있습니다.

> • 가: 어제 뭐했어요? 나: 집에서 책을 읽고 있었어요. (×)
> → 가: 어제 뭐했어요? 나: 집에서 책을 읽었어요. (○)

4 −어야 되다[하다]/−아야 되다[하다], −여야 되다[하다]

어미 '−어야'와 동사 '되다[하다]'가 함께 쓰인 표현입니다. 청유형과 명령형은 쓰지 않습니다.

1. 현재 시제일 경우: 당연히 해야 하는 의무나 반드시 필요한 조건을 나타냅니다.

> • 시험을 꼭 **봐야** 합니까?
> • 전화가 오면 알려 **주셔야** 해요.
> • 외국에 가려면 여권을 **받아야** 됩니다.
> • 사람은 무엇보다도 마음이 **착해야** 됩니다.

2. 과거 시제 '−었/았/였−'이 붙었을 경우: '꼭 그렇게 할 수밖에 없음', 또는 '필연적으로 해야 할 행 위였으나 못 했음'을 나타냅니다.

> • 저는 작년에 회사를 그만 **두었어야** 됐어요.
> • 어제는 친구가 온다고 했으니까 일찍 **왔어야** 했다.

3. '−으려면 −어야 된다[한다]'의 형태로 자주 쓰입니다. '−으려면'은 의도를 나타냅니다.

> • 내일 일찍 일어나려면 일찍 **자야** 돼요.
> • 장학금을 타려면 다른 사람보다 두 배의 노력을 **해야** 한다.

4. '−어야'에 '만'을 붙여 강조의 뜻을 나타냅니다.

> • 수요일까지는 물건을 **받아야만** 된다.
> • 그 학교에 가려면 시험을 잘 **쳐야만** 한다.

5 -지 않다

앞의 행위나 상태를 부정하는 뜻을 나타냅니다. 어미 '-지'와 동사/형용사 '않다'가 함께 쓰인 표현입니다.

1. [동사에 붙어] 앞선 행위에 대해 단순하게 부정하거나 앞선 행위를 할 주어의 의지나 의도가 없음을 나타냅니다.

- 이 회사는 토요일에 일하지 **않는다.** (단순 부정)
- 저는 단 음식을 좋아하지 **않습니다.** (단순 부정)
- 울고 싶지만 울지 **않겠다.** (의지나 태도가 없음)

2. [형용사에 붙어] 앞선 상태에 대해 단순하게 부정할 때 씁니다.

- 전 배고프지 **않아요.**
- 어머니께서는 건강이 좋지 **않으시다.**

📓 **더** 알아보기 ✏ '-지 않다'의 제약

※ '아니/안'이나 '-지 않다'는 '알다, 깨닫다, 지각하다, 인식하다' 같은 인지 동사와 함께 쓸 수 없습니다. 왜냐하면 주어의 의도와 무관하게 그 상황을 저절로 알게 되기 때문입니다. 또 어떤 일을 감당할 능력이 있음을 나타내는 '견디다' 같은 동사와도 함께 쓸 수 없습니다. 이 경우에는 '못'이나 '-지 못하다'를 써야 합니다.

6 −지 못하다

능력이 없거나 의지대로 되지 않음을 나타내거나 어떤 상태에 미치지 않음을 나타냅니다. 어미 '−지'와 동사/형용사 '못하다'가 함께 쓰인 표현입니다. 평서문과 의문문에는 쓰이지만 명령문이나 청유문에는 쓸 수 없습니다.

1. 주어의 의지나 바람은 있지만 그에 필요한 능력이 없거나 다른 어떤 것에 의해 주어의 의지대로 되지 않음을 나타냅니다.

> • 화가 났지만 화를 내지 못하겠다.
> • 시간이 모자라서 몇 문제 풀지 못했어요.
> • 표가 없으면 안으로 들어가지 못합니까?

2. 능력이나 상황이 기대나 기준만큼 되지 않아 앞 상태에 미치지 않음을 나타냅니다.

> • 그런 생각은 옳지 못해요.
> • 요즘 현수네 집이 사정이 좋지 못하니?

3. '못'이나 '−지 못하다'는 능력이나 의지와 무관한 경우나 피동의 문장에서는 사용할 수 없습니다. 이 경우에는 '아니/안'이나 '−지 않다'를 써야 합니다.

> • 소리가 잘 못 들린다. (×) / 소리가 잘 들리지 못한다. (×)
>   → 소리가 잘 안 들린다. (○)
> • 전화가 못 걸린다. (×) / 전화가 걸리지 못한다. (×)
>   → 전화가 걸리지 않는다. (○)

4. 동사 '망하다, 잃다, 염려하다, 고민하다, 실직하다, 후회하다, 실패하다, 굶주리다, 헐벗다' 등은 능력이 있다면 당연히 피하고자 하는 상황을 나타내므로 '못'이나 '−지 못하다'와 함께 쓸 수 없습니다.

> • 현수는 지금까지 못 망했어. (×) / 현수는 지금까지 망하지 못했어. (×)
> • 김 선생님은 한 번도 못 실패했다. (×) / 김 선생님은 한 번도 실패하지 못했다. (×)

5. 의도를 나타내는 '-으려고, -고자, -고 싶다' 등의 표현과도 어울리지 않습니다.

- 현수는 여행을 가지 못하려고 한다. (×)
- 현수는 올해 대학교에 못 가고자 한다. (×)
- 여름휴가를 가족과 함께 못 보내고 싶다. (×)

6. '못'이나 '-지 못하다'는 의도는 있으나 능력이 없는 부정 표현입니다. '아니/안'이나 '-지 않다'는 능력은 있으나 의도가 없는 부정 표현 또는 단순 부정 표현입니다. '못살다', '못생기다'와 같이 관용적으로 굳어진 어휘도 있고 '-지 못하다'와만 어울리는 관용적 표현도 있습니다.

내가 못 죽어 산다. (×) → 내가 죽지 못해 산다. (○)

7 −을 수 있다[없다]/−ㄹ 수 있다[없다]

1. 능력: 무언가를 잘한다[못한다]는 의미입니다.

- 나는 수영을 할 수 있어요.
- 한국 음식도 만들 수 있어요?
- 목이 아파서 노래를 부를 수 없어요.

2. 가능성: 어떤 행동이나 상태가 가능하다[불가능하다]는 의미입니다. 어떤 상황이나 조건에서의 가능성을 말합니다.

- 그 사람의 말은 믿을 수 있어요.
- 이 수영장은 몇 시까지 수영할 수 있어요?
- 비행기표를 못 구해서 고향에 갈 수 없었다.

3. 일반적인 진리: 일반적으로 가능한[불가능한] 일을 나타냅니다.

- 사람은 물을 마시지 않고 살 수 없어요.
- 남자는 아기를 낳을 수 없다. 여자만 아기를 낳을 수 있다.

8 -기 전에/-기 전

어떤 행위나 상태가 앞에 오는 사실보다 시간상 앞섬을 나타내는 표현입니다. 어미 '-기'와 명사 '전', 조사 '에'가 함께 쓰인 표현입니다.

1. 어떤 행위나 상태가 앞에 오는 사실보다 앞섬을 나타냅니다.

> • 한국에 오기 전에 무엇을 하셨어요?
> • 해외여행을 가기 전에 여권을 준비하세요.

2. 과거 시제 '-었/았/였-'과 함께 사용할 수 없습니다. 대신 뒤에 오는 문장에 '-었/았/였-'을 씁니다.

> • 밥을 먹었기 전에 손을 씻었다. (×)
>   → 밥을 먹기 전에 손을 씻었다. (○)
> • 수영을 하였기 전에 준비 운동을 했습니다. (×)
>   → 수영을 하기 전에 준비 운동을 했습니다. (○)

3. 조사 '에'가 생략된 '-기 전' 형태로도 쓰입니다.

> 밥을 먹기 전 손을 씻었다.

4. '전에'가 명사 뒤에 오기도 합니다.

> • 식사 전에 기도를 드리고 먹어라.
> • 10분 전에는 도착해 있을 거예요.

9 -은 후에[뒤에]/-은 후[뒤], -ㄴ 후에[뒤에], -ㄴ 후[뒤]

1. [동사나 형용사에 붙어] 동작이 있은 다음을 나타냅니다.

> • 시험이 끝난 후에 우리는 놀러 갔다.
> • 여권이 나온 뒤에 비행기표를 삽시다.

2. [명사에 붙어] 시간이나 기간을 나타냅니다.

> • 30분 후에 도서관 앞에서 만나자.
> • 지금부터 일주일 뒤가 중요한 때입니다.

더 알아보기 ✎ **후에/전에/-고 나서**

	-은 후에	-기 전에
특징	동사 + (으)ㄴ + 후에	동사 + -기 + 전에
예	• 밥을 먹은 후에 커피를 마셨다. • 열심히 공부한 후에 문제를 풀었다.	• 커피를 마시기 전에 밥을 먹었다. • 문제를 풀기 전에 열심히 공부했다.

	-은 후에	-고, -고 나서
의미	어떤 때나 시간이나 동안의 이후	어떤 행위가 끝나고 난 후
특징	앞 문장과 뒤 문장이 종속적으로 연결되어 뒤 문장이 중요시된다.	앞 문장과 뒤 문장을 대등하게 연결하여 두 행위의 중요도가 비슷하다.
예	회의를 한 후에 점심을 먹었다.	회의를 하고 점심을 먹었다.

10 -으러 가다[오다]/-러 가다[오다]

[동작 동사 뒤에 붙어] 목적을 나타내는 연결 어미 '-으러'에 이동 동사 '가다[오다]'의 동사가 연결되어 이동하는 의도나 목적을 나타냅니다.

> • 도서관에 책을 빌리러 갔다.
> • 너 여기에 누구 만나러 왔니?

11 −으려고 하다/−려고, 으려, 려

[동사에 붙어] 계획이나 의도를 나타냅니다. '이다'나 형용사에는 쓸 수 없습니다.

1. 계획: 내 계획을 말하거나 다른 사람의 계획을 물어볼 때 씁니다.

> • 친구와 영화를 보려고 해요.
> • 내년에 고향으로 돌아가려고 해요.
> • 저는 1년 동안 한국어를 배우려고 합니다.
> • 한국어 공부를 마치고 무엇을 하려고 해요?

2. 의도: '하다' 대신 다른 동사를 써서, 무언가를 하기 위해 다른 것을 한다는 뜻을 나타냅니다.

> • 일찍 일어나려고 일찍 자요.
> • 살을 빼려고 조금만 먹어요.
> • 물을 마시려고 냉장고를 열었어요.
> • 친구에게 꽃을 주려고 꽃을 샀어요.

12 −게 되다

외부 영향에 의해 어떤 상황에 이르렀거나 바뀌었음을 나타냅니다.

1. [동사에 붙어] 주어의 의지나 바람과는 달리 다른 사람의 행위나 외부 조건에 의해 어떤 상황에 이르렀음을 나타냅니다.

> • 결국 회사는 문을 닫게 되었다.
> • 두통이 심해서 이렇게 결국 병원에 오게 되었어요.

2. [주로 형용사에 붙어] 어떤 상황에서 다른 상황으로 변화하였음을 나타냅니다. 이때의 변화는 자연스러운 변화가 아니라 노력이나 인위적인 것에 의한 변화인 경우가 많습니다.

> • 청소를 하니까 사무실이 깨끗하게 되었다.
> • 수술을 하고 난 뒤에 다행히 건강하게 되었어요.

더 알아보기 ✏ **–게 되다/–어지다**

1. 일부 동사의 어간에는 '–이–, –히–, –리–, –기–'를 붙여서도 피동(남의 힘에 의해 움직임)의 의미를 나타낼 수 있습니다.

> • 문이 닫혔어요.
> • 마을 근처에 와서야 물이 보였다.

2. '–게 되다'는 큰 의미 차이 없이 '–어지다'로 바꿔 쓸 수 있습니다.

> 찌개가 맛있게 됐다. → 찌개가 맛있어졌다.

3. '–게 되다'는 앞에 올 수 있는 동사에 제약이 없지만, '–어지다'는 제약이 있습니다.

> 그 후로 외국에서 살게 됐어요. (○) → 그 후로 외국에서 살아졌어요. (×)

4. '–어지다'는 피동문의 구조로 나타납니다.

> 우리는 그 책상을 철로 만들게 됐어. → 그 책상은 철로 만들어졌어.

13 –기 때문에/–기 때문이다

앞 문장이 뒤 문장의 이유가 됨을 나타냅니다. 이유를 나타내는 연결 어미 '–으니까, –어서'에 비해 더 강한 의미를 나타냅니다.

> • 돈이 없기 때문에 물건을 못 삽니다.
> • 손님이 오시기 때문에 음식을 만듭니다.

14 −기로 하다

[동사에 붙어] 결심, 약속을 했음을 나타냅니다. 어미 '−기'와 조사 '로', 동사 '하다'가 함께 쓰인 표현입니다.

- 내일 다시 만나기로 하자.
- 제가 내일 직접 병원에 가기로 했어요.

📝 알아보기 ✏ '−기로 하다'의 제약

1. '−기로 하다'는 앞에 과거 시제 '−었/았/였−'을 쓸 수 없습니다.

   - 우리는 택시를 탔기로 했다. (×) → 우리는 택시를 타기로 했다. (○)
   - 우리는 수영을 배웠기로 했다. (×) → 우리는 수영을 배우기로 했다. (○)

2. '−기로 하다'에서 '하다'는 상황에 맞게 '결정하다, 결심하다, 약속하다' 등의 동사로 바꿔 쓸 수 있습니다.

   - 나는 내일 떠나기로 했다. → 나는 내일 떠나기로 결정했다.
   - 내일 다시 만나기로 약속하자. → 내일 다시 만나기로 약속하자.

15 −는 것/−은 것, −ㄴ 것, −을 것, −ㄹ 것

명사가 아닌 것을 문장에서 명사처럼 쓰이게 하거나 '이다' 앞에 쓰일 수 있게 하는 표현입니다.

- 지금 보는 것은 가족사진입니다.
- 저는 노래 부르는 것을 좋아해요.

16 –는 것 같다/–ㄴ 것 같다, –은 것 같다, –ㄹ 것 같다, –을 것 같다

1. –는 것 같다: 주로 동사에 붙여 씁니다. 현재 동작이나 상태에 대한 추측을 나타냅니다.

> • 밖에 비가 오는 것 같아요.
> • 소영이는 아파트에 사는 것 같다.

2. –은 것 같다: 앞에 오는 말이 동작 동사일 때는 주어의 과거 행위를 추측하지만 단정 지어서 말할 수 없음을 나타냅니다. 상태 동사나 '이다', 형용사일 때는 현재의 상태나 사실에 대한 추측을 나타냅니다.

> • 제가 잘못한 것 같습니다.
> • 그 사람이 부자가 된 것 같다.
> • 해진이는 기분이 좋은 것 같다.

3. –(으)ㄹ 것 같다: 앞에 오는 말이 동작 동사일 때는 미래 사실에 대한 추측을 나타냅니다. 상태 동사나 '이다', 형용사일 때는 현재에 대한 추측을 나타냅니다.

> • 이 김치는 매울 것 같다.
> • 정원이는 명랑한 성격일 것 같다.
> • 오늘은 왠지 좋은 일이 생길 것 같다.

17 –은 지/–ㄴ 지

[동사에 붙어] 받침이 있으면 '–은 지'를 사용하고, 받침이 없으면 '–ㄴ 지'를 사용합니다. 어떤 일을 한 과거부터 지금까지를 나타냅니다. 뒤에는 시간을 나타내는 말이 옵니다.

> • 한국말을 공부한 지 1년이 되었습니다.
> • 정은이가 집을 나간 지 한참 되었어요.

18 -을 때/-ㄹ 때

1. 일반적 · 습관적인 일이 일어나는 때

- 나는 집에 혼자 있을 때 책을 읽어요.
- 지하철을 타고 내릴 때 교통카드가 편리합니다.

2. 과거의 일이 일어난 때: '-을 때'를 '-었/았/였을 때'로 바꿔 쓸 수 있습니다.

- 저번에 만날 때는 건강했었는데 지금은 몸이 아파요.
  → 저번에 만났을 때는 건강했었는데 지금은 몸이 아파요.
- 한국어 공부를 시작할 때 한글 외우는 것이 어려웠어요.
  → 한국어 공부를 시작했을 때 한글 외우는 것이 어려웠어요.

더 알아보기 ✎ -을 때/-는데

	-을 때	-는데
의미	뒤 문장의 동작이 일어난 시간을 나타낸다.	뒤 문장의 행위가 일어나는 동안의 상황을 알려 준다.
예	밥을 먹을 때 전화가 왔어요.	밥을 먹는데 전화가 왔어요.

※ 앞 문장과 뒤 문장이 서로 대조적인 관계를 나타내는 경우: '-는데'만 사용할 수 있습니다.

- 한국의 봄은 따뜻한데 바람이 많이 불어요.
- 그분은 영어를 잘하는데 한국말은 서투릅니다.

---

3. 미래의 일이 일어나는 때

- 이사할 때 도와 드릴게요.
- 모르는 것이 있을 때 언제든지 물어보세요.

19 –는 동안에/–는 동안

앞에 오는 말이 나타내는 행동이나 상태가 계속되는 시간만큼을 나타냅니다.

- 내가 책을 읽는 동안에 엄마는 뜨개질을 하셨다.
- 우리는 서울에 머무르는 동안 여러 관광지를 돌아보았다.

20 –은 적이 있다[없다]/–ㄴ 적이 있다[없다], –는 적이 있다[없다]

경험이 있음[없음]을 나타냅니다. 너무 가까운 과거의 일, 항상 하는 일, 아주 일반적인 일에는 쓰지 않습니다. 지금은 그 일을 하지 않을 때 씁니다.

- 저는 하숙을 한 적이 있습니다.
- 아직 혼자 여행을 한 적이 없어요.

21 –을 것이다/–ㄹ 것이다

미래에 대한 추측을 나타냅니다.

- 내일 고향에 갈 것입니다.
- 나는 내일 집에 없을 겁니다.

📝 **더 알아보기** ✏ –을 것/–겠–

	–을 것	–겠–
공통점	어떤 일이나 상황에 대한 추측을 나타낸다.	
차이점	추측의 근거가 주관적 판단에 가깝다.	추측의 근거가 객관적 판단이나 일반적 사실에 가깝다.
예	주말이니까 극장이 만원일 것이다.	주말이니까 극장이 만원이겠다.

22 –을까 보다/ –ㄹ까 보다

1. 앞에 오는 말이 나타내는 행동을 할 의도가 있음을 나타냅니다.

> • 이번 주말에는 오랜만에 고향에 다녀올까 봐.
> • 약속 시간에 늦을 것 같은데, 택시를 탈까 봐.

2. 앞에 오는 말이 나타내는 상황이 될 것을 걱정하거나 두려워함을 나타냅니다.

> • 아이가 넘어질까 봐 제가 손으로 잡아 주었어요.
> • 아직 늦지 않았지요? 늦을까 봐 얼마나 열심히 달렸는지 몰라요.

23 –을까 하다/–ㄹ까 하다

어미 '–을까'와 동사/형용사 '하다'가 함께 쓰인 표현입니다. 동작 동사에 붙어서 쓰이며, '이다', 형용사에는 붙지 않습니다. 현재나 과거 시제로 쓰고 미래를 나타내는 '–겠–'은 쓰지 않습니다.

1. 화자의 의도를 나타내는 경우: 주어가 겉으로 드러나지 않습니다.

> • 이번 학기에는 피아노를 배울까 합니다.
> • 생일에는 친구들을 집으로 초대할까 해요.

2. 화자의 추측을 나타내는 경우: 주로 뒤에 연결 어미가 붙어 '–을까 하고, –을까 해서'와 같은 형태로 쓰입니다. 주어는 3인칭입니다.

> • 동주가 올까 하고 밖에서 기다렸다.
> • 혹시 전화라도 올까 해서 외출을 못하고 있다.

24 −어 보다/−아 보다, −여 보다

[동사에 붙어] 앞에 오는 동사의 동작을 시도하거나 경험해 봄을 나타냅니다. 어미 '−어'와 동사 '보다'가 함께 쓰인 표현입니다.

> • 베스트셀러니까 한번 읽어 보세요.
> • 맛이 어떤지 시식회에서 먹어 봤어요.

📝 더 알아보기 −어 보다/−은 적이 있다

※ 과거 경험에 대해 말할 때는 '−어 보다'와 '−은 적이 있다'를 모두 사용할 수 있습니다. 하지만 현재나 미래에 할 시도에 대해 말할 때는 '−아 보다'를 사용합니다.

• 요리를 배워 봤어요. (과거의 경험. 지금은 안 배웁니다.)
• 요리를 배운 적이 있어요. (과거의 경험. 지금은 안 배웁니다.)
• 요리를 배워 보고 있어요. (현재의 시도. 주어의 의지가 큽니다.)
• 요리를 배워 볼 거예요. (미래의 시도. 주어의 의지가 큽니다.)

	−어 보다	−은 적이 있다
과거의 경험	○	○
현재, 미래의 시도	○	−
주어의 의지	의지가 있는 편이다.	의지가 있을 때도 있고 없을 때도 있다.

25 -어 있다/-아 있다, -여 있다

앞의 말이 나타내는 상태가 계속됨을 나타냅니다.

- 봄이 되자 어느새 나무 싹이 돋아 있다.
- 아침에 비가 내려서 땅이 아직도 젖어 있다.

더 알아보기 ✍ -어 있다/-고 있다

	-어 있다	-고 있다
공통점	상태의 지속을 나타낸다.	
차이점	동작이 완료된 상태. 목적어가 없다.	동작이 진행 중인 상태. 목적어가 있다.
예	버스에 앉아 있다.	버스를 타고 있다.

26 -어 주다/-아 주다, -여 주다

1. [동사에 붙어] 남을 도와주는 어떤 행동을 함을 나타냅니다.

- 엄마가 딸에게 책을 읽어 준다.
- 나는 선생님께 책을 보내 드렸다.

2. 도움을 받는 사람이 윗사람이면 '주다' 대신 '드리다'를 씁니다. 말하는 사람과 듣는 사람의 관계에 따라 다음과 같이 쓰입니다.

질문 · 요청	대답	
듣는 사람을 높임	말하는 사람을 높임	말하는 사람을 낮춤
• 전화번호를 써 드릴까요? • 창문을 좀 열어 주십시오.	• 예, 써 주십시오. • 예, 열어 드리겠습니다.	• 응, 써 줘. • 응, 열어 줄게.

27 -어도 되다/-아도 되다, -여도 되다

1. 어떤 행동에 대한 허락이나 허용을 나타냅니다.

> • 창문을 열어도 되나요?
> • 교실 청소 끝냈으면 집에 가도 됩니다.

2. '되다' 대신 '좋다, 괜찮다'를 쓸 수 있습니다.

> • 신발을 신고 들어가도 됩니다. → 신발을 신고 들어가도 좋습니다/괜찮습니다.
> • 이제부터 질문을 하셔도 됩니다. → 이제부터 질문을 하셔도 좋습니다/괜찮습니다.

3. 의문문일 때 대답이 부정이면 조건과 금지의 뜻을 가진 '-으면 안 되다'를 씁니다.

> 가: 칠판 글씨를 지워도 돼요?
> 나: 아니요, 지우면 안 돼요.
> ───────────────────────
> 가: 지금 들어가도 괜찮습니까?
> 나: 아니요, 들어오면 안 됩니다.

28 -지 말다

[동사에 붙어] 어떤 행위의 금지를 나타냅니다. 어미 '-지'와 동사 '-말다'가 함께 쓰인 표현입니다.

1. 듣는 사람에게 어떤 행위를 하지 못하게 함을 나타냅니다.

> • 너무 놀라지 마세요.
> • 여기서 사진을 찍지 마세요.
> • 환경 오염을 시키지 맙시다.

2. '-지 말다'는 명령문과 청유문에서만 쓰고, 평서문과 의문문에는 쓸 수 없습니다. 그러나 '바라다, 기도하다, 원하다'와 같이 기원이나 바람의 의미를 갖는 동사에서는 예외적일 수 있습니다.

> • 약속 시간에 늦지 맙니다. (×) → 약속 시간에 늦지 맙시다. (○)
> • 저에게 너무 많은 것을 바라지 마세요. (○)

3. 글이나 표어, 제목 등에서 특정의 듣는 사람이 아닌 일반 청중, 독자들에게 명령할 때는 '-지 말라'와 같은 표현을 쓰기도 합니다. 그리고 간접적으로 명령의 내용을 다른 사람에게 전달하거나 인용하는 경우에는 반드시 '-지 말라'로 써야 합니다.

> • 꽃으로도 때리지 말라.
> • 어머니께서 너무 늦게 다니지 말라고 하셨어.

4. 뒤에 명령형 어미 '-아'나 '-아라'가 붙으면 '말아, 말아라'가 아닌 '마, 마라'가 됩니다.

29 -을 수밖에 없다/-ㄹ 수밖에 없다

그것 말고는 다른 방법이나 가능성이 없음을 나타냅니다.

> • 밥이 없으니 라면을 먹을 수밖에 없다.
> • 공부를 안 하면 시험에 떨어질 수밖에 없다.

30 –는 게 좋겠다

듣는 사람에게 조언을 하거나 말하는 사람이 자신의 생각을 전달할 때 사용합니다.

> • 시간이 없으니까 택시를 타는 게 좋겠어요.
> • 밖에 나가지 말고 집에서 쉬는 게 좋겠어요.

31 –으면 좋겠다/–면 좋겠다

희망이나 바람을 나타냅니다. 앞에 '–었/았/였–'이 붙어서 쓰이는 경우가 많은데 이때의 '–었/았/였–'은 과거 시제가 아니라 희망하는 내용이 완전히 이루어짐을 나타냅니다. '좋겠다'의 '–겠–'은 미래 시제가 아니라 추정을 나타냅니다.

1. 미래 사건에 대한 간절한 바람을 나타냅니다.

> • 내일 날씨가 맑으면 좋겠어요. → 내일 날씨가 맑았으면 좋겠어요. (강한 희망)
> • 부모님이 항상 건강하면 좋겠어요. → 부모님이 항상 건강했으면 좋겠어요. (강한 희망)

2. 현실과 다르게 되기를 바라는 것을 나타냅니다.

> • 저는 제가 하늘을 날 수 있었으면 좋겠어요.
> • 철수는 가끔 자신이 여자면 좋겠다고 생각합니다.

12 조사

조사는 주로 체언(명사, 대명사, 수사)에 붙어 그 말과 다른 말과의 문법적 관계를 표시하거나
그 말의 뜻을 도와주는 말입니다.

✔	대표형	관련형	등급(국제통용)	의미
1	이	가, 께서	1급(초급)	
2	과	와	1급(초급)	
3	까지		1급(초급)	
4	은	는, ㄴ	1급(초급)	대조
5	도		1급(초급)	
6	을	를, ㄹ	1급(초급)	
7	이랑	랑	1급(초급)	
8	으로	로	1급(초급)	
9	부터	에서부터(서부터)	1급(초급)	
10	에		1급(초급)	
11	에게	에게로, 에게서, 께	1급(초급)	
12	에서	서	1급(초급)	
13	의		1급(초급)	
14	하고		1급(초급)	
15	만		1급(초급)	단독
16	이다		1급(초급)	지정사
17	보다		1급(초급)	
18	마다		2급(초급)	
19	밖에		2급(초급)	
20	처럼		2급(초급)	
21	이나	나	2급(초급)	

1 이/가

받침이 있으면 '이'를 사용하고, 받침이 없으면 '가'를 사용합니다.

1. 주어를 나타냅니다. 주로 새로운 사실이나 행동을 표현할 때 사용합니다.

> 남동생이 한국에 왔습니다.

더 알아보기 ✏ **높임말**

> ※ 높여야 할 대상 뒤에는 '이' 대신 '께서'를 사용합니다.
>
> • 할머니가 낮잠을 주무십니다. → 할머니께서 낮잠을 주무십니다.
> • 세종 대왕이 한글을 만드셨습니다. → 세종 대왕께서 한글을 만드셨습니다.

2. '되다' 앞에 와서 그렇게 되는 것을 나타냅니다.

> 나는 커서 가수가 되고 싶습니다.

3. '아니다' 앞에 와서 부정을 나타냅니다.

> 나는 학생이 아닙니다.

4. 주어에 중심을 두고 묻거나 대답할 때 사용합니다.

> 가: 어느 분이 선생님입니까?
> 나: 제가 선생님입니다.

5. 앞의 말을 강조할 때 사용합니다.

> 가: 점심에 불고기를 해 먹을까요?
> 나: 저는 불고기 말고 비빔밥이 먹고 싶어요.

2 과/와

받침이 있으면 '과'를 사용하고, 받침이 없으면 '와'를 사용합니다. '이랑, 하고'와 뜻이 같습니다.

1. '그리고'를 뜻합니다. 명사와 명사 사이에 사용합니다.

> 아버지는 사과와 귤을 좋아합니다.

2. 어떤 행동을 함께 하는 대상을 나타냅니다. 뒤에 '같이, 함께' 등이 올 수 있습니다.

> 오늘 친구와 함께 등산을 했습니다.

3. 비교의 대상을 나타냅니다.

> 중국 음식은 한국 음식과 많이 다릅니다.

3 까지

어떤 범위의 끝을 나타냅니다.

> 오늘 몇 시까지 수업을 합니까?
> _____
> 가: 어제부터 비가 많이 옵니다. 언제 비가 그칩니까?
> 나: 비는 내일 오전까지 계속 옵니다.

4 은/는, ㄴ

받침이 있으면 '은'을 사용하고, 받침이 없으면 '는'을 사용합니다.

1. 문장 속에서 어떤 대상이 주제나 화제임을 나타냅니다.

> 이 옷은 백화점에서 샀습니다.

2. 어떤 대상이 다른 것과 대조됨을 나타냅니다.

> 서울은 비가 오는데, 부산은 비가 오지 않습니다.

3. 강조의 뜻을 나타낼 때 사용합니다.

> 여기에서는 담배를 피우시면 안 됩니다.

4. 사실을 나타낼 때 사용합니다.

> 중국은 인구가 많습니다.

5. 이미 말한 내용을 이야기할 때 사용합니다.

> 친구가 오늘 우리 집에 왔습니다. 친구는 나와 함께 농구도 하고, 영화도 봤습니다.

5 도

1. 이미 어떤 것이 포함되고 그 위에 더함을 나타냅니다.

> (저는 영화관에 갔습니다.) 영화관에 동생도 같이 갔습니다.

2. 둘 이상의 대상이나 상황을 나타낼 때 사용합니다.

> 친구는 공부도 잘하고, 운동도 잘합니다.

6 을/를, ㄹ

받침이 있으면 '을'을 사용하고, 받침이 없으면 '를'을 사용합니다. 어떤 행동의 목적이나 대상을 나타냅니다.

> 우리는 공원에서 빵을 먹었습니다.

7 이랑/랑

받침이 있으면 '이랑'을 사용하고, 받침이 없으면 '랑'을 사용합니다. 어떤 행동을 함께 하는 대상을 나타냅니다. '과'와 뜻이 같습니다.

> 수연이랑 누리가 춤을 춥니다.

8 으로/로

받침이 있으면 '으로'를 사용하고, 받침이 없으면 '로'를 사용합니다. 움직임의 방향이나 경로를 나타냅니다.

> 누리는 집으로 가려면 시간이 오래 걸려요.

9 부터/에서부터(서부터)

범위의 시작을 나타냅니다.

> 처음부터 끝까지 다시 읽겠습니다.

10 에

1. 사물이나 사람이 있는 장소를 나타냅니다. 주로 '있다, 없다'가 뒤에 옵니다.

> 상 위에 책이 있다.

2. 사건이나 행위가 일어나는 장소를 나타냅니다. 주로 '살다, 앉다, 내리다'가 뒤에 옵니다.

> 의자에 앉으십시오.

3. 행동의 목표가 되는 장소를 나타냅니다. 주로 '가다, 오다, 다니다' 등 이동을 나타내는 동사가 뒤에 옵니다.

> 저는 고향에 가고 싶습니다.

4. 기준이나 단위를 나타냅니다.

> 한 개에 얼마예요?

5. 시간을 나타낼 때 사용합니다. '언제, 그저께, 어제, 오늘, 내일, 모레, 매일'의 뒤에는 '에'를 사용하지 않습니다.

> 1시에 만나요.

11 에게/에게로, 에게서

행위자의 행위를 받는 대상 또는 어떤 행동이 시작되는 대상을 나타냅니다.

- 동생에게 과자를 주었습니다.
- 친구가 나에게로 다가왔어요.
- 저는 한국인에게서 직접 한국어를 배웠어요.

더 알아보기 ✏ 높임말

※ 높여야 할 대상 뒤에는 '에게' 대신 '께'를 사용합니다.

- 아이는 선생님에게 도움을 받았습니다. → 아이는 선생님께 도움을 받았습니다.
- 동생이 부모님에게 선물을 드렸습니다. → 동생이 부모님께 선물을 드렸습니다.

12 에서/서

1. 어떤 행동이나 상태가 일어나고 있는 장소를 나타냅니다.

> 교실에서 한국말을 공부합니다.

2. 어떤 행위나 사건의 시작을 나타냅니다.

> 여기에서 서울까지 얼마나 걸려요?

13 의

소유나 소속을 나타냅니다.

> 아버지의 옷은 비쌉니다.

14 하고

어떤 행동을 함께 하는 대상을 나타냅니다. '과'와 같습니다.

> 누리하고 승화가 영화를 봤대요.

15 만

어느 것을 선택하고 다른 것은 제한하는 것을 나타냅니다.

> 오늘 빵만 먹고, 다른 것은 먹지 못했습니다.

16 이다

지시하는 대상이 무엇인지 지정하는 뜻을 나타냅니다. 동사나 형용사처럼 활용을 할 수 있습니다.

- 서울은 대한민국의 수도이다.
- 안녕하세요? 제 이름은 김준수입니다.

17 보다

서로 차이가 있는 것을 비교할 때 사용합니다.

비행기가 배보다 빠릅니다.

18 마다

1. '빠짐없이 모두'를 뜻합니다.

부모님이 보고 싶을 때마다 전화를 합니다.

2. 일정한 기간에 비슷한 행동이 여러 번 계속되는 것을 나타냅니다.

3일마다 한 번씩 시장에 갑니다.

19 밖에

'그것 이외에는, 그것 말고는'을 뜻합니다. 앞에 명사나 부사가 오고 뒤에는 부정을 나타내는 말이 옵니다.

오늘 다섯 명밖에 안 왔습니다.

20 처럼

비슷한 정도이거나 같음을 나타냅니다.

> 한국 사람처럼 한국말을 잘하고 싶어요.

21 이나/나

반침이 있으면 '이나'를 사용하고, 반침이 없으면 '나'를 사용합니다.

1. 여러 가지 중에서 어느 것을 선택해도 괜찮음을 나타냅니다.

> 점심에 주로 빵이나 과일을 먹습니다.

2. 가장 마음에 드는 것은 아니지만 선택함을 나타냅니다.

> 영화나 보러 갑시다.

3. 크거나 많음을 나타냅니다.

> 우표를 100장이나 모았습니다.

PART

02

실전 모의고사

실전 모의고사 활용 방법

01 정해진 시간에 맞추어 문제를 풀어 보자!

먼저 시험 당일 일과에 맞추어서 실제 시험을 치르듯 모의고사 문제를 풀어 봅시다. 실제 시험보다 연습을 어렵게 해 두어야 시험 날 당황하지 않으므로 실제 시험 시간의 70~80%만 활용해 문제를 풀어 보는 것도 좋은 방법이 될 수 있습니다.

02 내가 잘 모르는 것이 무엇인지 찾아보자!

틀린 문제는 왜 틀렸는지, 맞춘 문제는 자신이 제대로 이해하고 풀었는지 해설을 보면서 꼼꼼히 확인해 보도록 합니다. 자주 틀리는 영역이나 유형의 문제가 있다면 앞의 이론 부분으로 돌아가서 그 부분을 집중적으로 다시 공부하는 것이 좋습니다.

03 시험장에 가져갈 수 있도록 공부하자!

중요한 내용은 휴대할 수 있는 수첩 등에 따로 정리해 두었다가 실제 시험장에서 시험 직전 다시 한번 확인하면 큰 도움이 됩니다. 단순히 내용 정리만 해뒀다가 시험 날 보지 말고 평소에도 가지고 다니며 자주 보는 것이 좋습니다.

듣기	대본을 보지 않고 받아쓰기를 해 봅시다. 받아쓰기가 끝나면 대본과 자신의 받아쓰기를 비교해 본 후, 틀린 부분이 잘 들릴 때까지 반복해서 다시 들어봅니다. 익숙해지면 다시 문제를 처음부터 끝까지 들어보면서 말하는 속도를 자연스럽게 따라갈 수 있는지 확인해 봅니다.
읽기	읽기는 어휘가 가장 중요합니다. 모의고사에 나온 어휘 중 잘 모르는 것은 모두 정리해서 암기해 둘 필요가 있습니다. 이때 바로 사전을 찾아보지 말고, 앞뒤 문장을 통해 뜻을 추측해 보고 그것이 맞는지 사전을 찾아 확인하는 식으로 공부를 하면 더욱 좋습니다.

한국어능력시험 I
제1회 실전 모의고사

Test of Proficiency in Korean I

The 1st actual mock test

듣기, 읽기 (Listening, Reading)

 모바일 OMR
자동채점

 듣기 MP3 유튜브
바로가기

수험번호(Registration No.)		
이름 (Name)	한국어(Korean)	
	영어(English)	

유의 사항
Information

1. 시험 시작 지시가 있을 때까지 문제를 풀지 마십시오.

   Do not open the booklet until you are allowed to start.

2. 수험번호와 이름을 정확하게 적어 주십시오.

   Write your name and registration number on the answer sheet.

3. 답안지를 구기거나 훼손하지 마십시오.

   Do not fold the answer sheet; keep it clean.

4. 답안지의 이름, 수험번호 및 정답의 기입은 배부된 펜을 사용하여 주십시오.

   Use the given pen only.

5. 정답은 답안지에 정확하게 표시하여 주십시오.

   Mark your answer accurately and clearly on the answer sheet.

6. 문제를 읽을 때에는 소리가 나지 않도록 하십시오.

   Keep quiet while answering the questions.

7. 질문이 있을 때에는 손을 들고 감독관이 올 때까지 기다려 주십시오.

   When you have any questions, please raise your hand.

실전 모의고사

듣기(01번~30번)

시험 시간 **40**분 | 정답 및 해설 3쪽

※ [01~04] 다음을 듣고 〈보기〉와 같이 물음에 맞는 대답을 고르십시오.

보기

> 남자: 운동을 해요?
> 여자: _____

❶ 네, 운동을 해요.　　　　　　② 네, 운동이 아니에요.
③ 아니요, 운동이에요.　　　　　④ 아니요, 운동을 좋아해요.

01 (4점)

① 네, 물이에요.　　　　　　② 네, 물이 아니에요.
③ 아니요, 물이 좋아요.　　　④ 아니요, 물이 맛있어요.

02 (4점)

① 네, 지갑이 좋아요.　　　　② 네, 지갑을 샀어요.
③ 아니요, 지갑이 싸요.　　　④ 아니요, 지갑에 있어요.

03 (3점)

① 우체국에 가요.　　　　　② 친구하고 가요.
③ 다음 주에 가요.　　　　　④ 돈을 가지고 가요.

04 (3점)

① 내일 가요.　　　　　　　② 누나랑 가요.
③ 제주도로 가요.　　　　　④ 바다를 보러 가요.

※ [05~06] 다음을 듣고 〈보기〉와 같이 이어지는 말을 고르십시오.

보기

> 남자: 김 선생님이세요.
> 여자: _____

① 감사합니다.
② 고맙습니다.
③ 안녕히 가세요.
❹ 처음 뵙겠습니다.

05 (4점)

① 네, 안녕하세요.
② 네, 내일 만나요.
③ 네, 안녕히 가세요.
④ 네, 처음 배웠습니다.

06 (3점)

① 고마워요.
② 죄송해요.
③ 괜찮아요.
④ 어서 오세요.

※ [07~10] 여기는 어디입니까? 〈보기〉와 같이 알맞은 것을 고르십시오.

보기

남자: 어떻게 오셨어요?
여자: 머리가 어지러워서 왔어요.

① 교실   ② 공항   ❸ 병원   ④ 서점

07 (3점)

① 약국   ② 교실   ③ 서점   ④ 식당

08 (3점)

① 운동장   ② 미술관   ③ 동물원   ④ 영화관

09 (3점)

① 택시   ② 버스   ③ 비행기   ④ 지하철

10 (4점)

① 공항   ② 공원   ③ 사진관   ④ 대사관

※ [11~14] 다음은 무엇에 대해 말하고 있습니까? 〈보기〉와 같이 알맞은 것을 고르십시오.

보기

남자: 언제 와요?
여자: 6시까지 갈게요.

① 장소   ❷ 시간   ③ 날짜   ④ 요일

11 (3점)

    ① 돈   ② 책   ③ 일   ④ 잠

12 (3점)

    ① 가족   ② 친구   ③ 선생님   ④ 부모님

13 (4점)

    ① 계절   ② 장소   ③ 날짜   ④ 날씨

14 (3점)

    ① 계획   ② 운동   ③ 약속   ④ 주말

※ [15~16] 다음을 듣고 가장 알맞은 그림을 고르십시오. (각 4점)

15

16

※ [17~21] 다음을 듣고 〈보기〉와 같이 대화 내용과 같은 것을 고르십시오. (각 3점)

보기

> 남자: 한국 노래를 잘 불러요?
> 여자: 네, 한국 노래를 배웠어요.
>
> ① 남자는 가수입니다.
> ② 여자는 한국말을 못합니다.
> ③ 남자는 한국 노래를 배웁니다.
> ❹ 여자는 한국 노래를 공부했습니다.

17 ① 여자는 금요일에 출발합니다.
② 남자는 주말에 여행을 갑니다.
③ 두 사람은 제주도에 있습니다.
④ 여자는 사진을 많이 찍었습니다.

18 ① 여자는 파마를 할 겁니다.
② 여자는 미용실에서 일합니다.
③ 여자는 갈색으로 염색할 겁니다.
④ 여자는 머리를 많이 자를 겁니다.

19 ① 남자는 비자를 연장할 겁니다.
② 여자는 월요일에 대사관에 갈 겁니다.
③ 여자는 비자를 만들러 대사관에 갑니다.
④ 남자와 여자는 월요일에 수업이 없습니다.

20
① 남자는 방금 케이크를 사 왔습니다.
② 여자는 술과 음식을 준비했습니다.
③ 여자는 생일 선물을 미리 준비했습니다.
④ 남자는 혼자 생일 선물을 사러 갔습니다.

21
① 여자는 약을 먹었습니다.
② 남자는 어제 병원에 갔습니다.
③ 남자는 오늘 집에서 쉴 겁니다.
④ 여자는 오늘 회사에 늦게 갈 겁니다.

※ [22~24] 다음을 듣고 여자의 중심 생각을 고르십시오. (각 3점)

22
① 인터넷 쇼핑은 장점이 많습니다.
② 인터넷 쇼핑은 믿을 수가 없습니다.
③ 인터넷 쇼핑은 조금 비싼 편입니다.
④ 인터넷 쇼핑보다 직접 보고 사는 게 좋습니다.

23
① 더 작은 옷으로 바꾸고 싶습니다.
② 어제 산 옷을 하나 더 사고 싶습니다.
③ 남자에게는 큰 옷이 더 잘 어울립니다.
④ 옷에 문제가 있어서 환불받고 싶습니다.

24
① 감기에 걸려서 회의에 참석할 수 없습니다.
② 중요한 회의가 있어서 열심히 준비해야 합니다.
③ 중요한 일이 있어서 약한 감기약을 먹어야 합니다.
④ 감기에 걸렸지만 일 때문에 약을 먹으면 안 됩니다.

※ [25~26] 다음을 듣고 물음에 답하십시오.

25 여자가 왜 이 이야기를 하고 있는지 고르십시오. (3점)
① 대회 일정을 말해 주려고
② 전시관 위치를 알려 주려고
③ 오는 길을 알려 주기 위해서
④ 문 닫는 시간을 알리기 위해서

26 들은 내용과 같은 것을 고르십시오. (4점)
① 일요일에도 관람할 수 있습니다.
② 토요일에는 오전 9시에 문을 엽니다.
③ 6시 30분까지 작품을 볼 수 있습니다.
④ 화가 여러 명의 작품이 전시되어 있습니다.

※ [27~28] 다음을 듣고 물음에 답하십시오.

27 두 사람이 무엇에 대해 이야기를 하고 있는지 고르십시오. (3점)

① 저녁 식사 초대
② 집에서 하는 운동
③ 재미있는 취미 활동
④ 인터넷의 장점과 단점

28 들은 내용과 같은 것을 고르십시오. (4점)

① 남자는 내일부터 운동을 시작합니다.
② 남자는 요즘 친구와 같이 운동합니다.
③ 여자는 인터넷을 보면서 운동했습니다.
④ 여자와 남자는 내일 저녁에 만날 겁니다.

※ [29~30] 다음을 듣고 물음에 답하십시오.

29 남자가 앞으로도 노력하겠다고 한 이유를 고르십시오. (3점)

① 다음 올림픽에서도 금메달을 따기 위해
② 다른 선수들을 위한 계획을 세우기 위해
③ 겨울 훈련을 위한 시설을 준비하기 위해
④ 코치님과 함께 훈련 프로그램 만들기 위해

30 들은 내용과 같은 것을 고르십시오. (4점)

① 남자는 겨울에는 훈련하지 않았습니다.
② 남자는 6년 동안 올림픽을 준비했습니다.
③ 남자는 코치님의 도움을 많이 받았습니다.
④ 남자는 이번 올림픽에서 메달을 못 땄습니다.

읽기(31번~70번)

※ [31~33] 무엇에 대한 내용입니까? 〈보기〉와 같이 알맞은 것을 고르십시오. (각 2점)

보기

치마를 입습니다. 코트는 들고 갑니다.

❶ 옷   ② 손
③ 계절   ④ 쇼핑

31

눈이 큽니다. 하지만 코가 작습니다.

① 얼굴   ② 성격
③ 직업   ④ 공부

32

금요일에 제주도에 가려고 합니다. 친구와 같이 갑니다.

① 주소   ② 도시
③ 여행   ④ 주말

33

사과가 있습니다. 그리고 배도 있습니다.

① 요일   ② 날짜
③ 과일   ④ 운동

※ [34~39] 〈보기〉와 같이 (   )에 들어갈 말로 가장 알맞은 것을 고르십시오.

보기

하늘이 밝습니다. (   )이 떴습니다.

① 눈   ❷ 달
③ 구름   ④ 바람

34 (2점)

집 근처에 지하철역이 없습니다. 그래서 버스를 (   ).

① 탑니다   ② 삽니다
③ 잡니다   ④ 내립니다

35 (2점)

교실이 (   ). 그래서 불을 켭니다.

① 가깝습니다   ② 시원합니다
③ 따뜻합니다   ④ 어둡습니다

36 (2점)

오랜만에 노래방에 갑니다. 친구와 같이 노래를 (   ).

① 먹습니다   ② 마십니다
③ 말합니다   ④ 부릅니다

37 (3점)

저는 영화를 좋아합니다. 그래서 영화를 (   ) 봅니다.

① 자주   ② 거의

③ 벌써   ④ 아주

38 (3점)

(   )에서 아르바이트를 합니다. 밤부터 새벽까지 일합니다.

① 편의점   ② 여행사

③ 우체국   ④ 대사관

39 (2점)

동생은 키가 큽니다. 우리 형(   ) 키가 큽니다.

① 도   ② 에

③ 에서   ④ 에게

※ [40~42] 다음을 읽고 맞지 <u>않는</u> 것을 고르십시오. (각 3점)

40

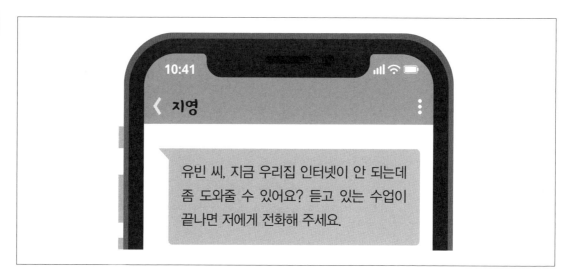

① 유빈 씨는 지금 수업을 듣고 있습니다.
② 유빈 씨는 지영 씨와 지금 같이 있습니다.
③ 지영 씨는 지금 인터넷을 쓸 수 없습니다.
④ 지영 씨가 유빈 씨에게 문자를 보냈습니다.

41

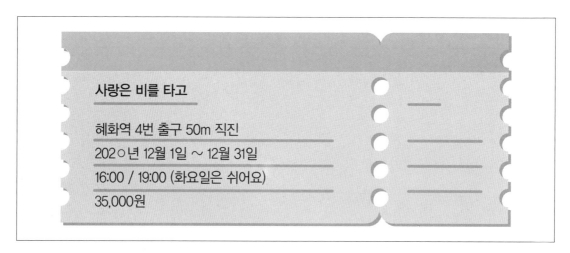

① 이 표는 삼만 오천 원입니다.
② 주말에도 연극 공연이 있습니다.
③ 혜화역 근처에서 볼 수 있습니다.
④ 여섯 시와 아홉 시에 시작합니다.

42

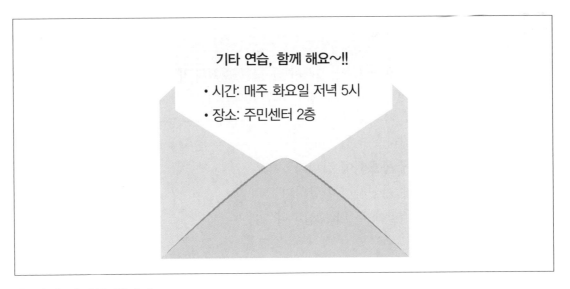

① 같이 기타를 칩니다.
② 모임은 저녁에 있습니다.
③ 주민센터에서 연습합니다.
④ 일주일에 다섯 번 모입니다.

※ [43~45] 다음을 읽고 내용이 같은 것을 고르십시오.

43 (3점)

> 어제 비자를 신청하기 위해서 대사관에 갔습니다. 대사관에서 친구를 만났습니다. 저는 깜짝 놀랐습니다. 대사관에서 나와서 친구와 같이 밥을 먹었습니다.

① 대사관에서 밥을 먹었습니다.
② 오늘 비자를 연장하러 갑니다.
③ 친구와 같이 대사관에 갔습니다.
④ 어제 대사관에 친구가 있었습니다.

44 (2점)

> 저는 테니스를 좋아합니다. 그래서 테니스 동호회에 가입했습니다. 동호회 모임은 수요일과 금요일에 있습니다. 같이 테니스를 치고 밥도 먹습니다.

① 동호회에서 테니스만 칩니다.
② 저는 목요일에 동호회에 갑니다.
③ 저는 동호회에 가입하려고 합니다.
④ 동호회는 일주일에 두 번 모입니다.

45 (3점)

> 친구가 미국으로 유학을 갔습니다. 저는 친구에게 메일을 자주 씁니다. 우체국에서 편지를 보내면 느려서 메일로 연락합니다.

① 지금 친구는 미국에 있습니다.
② 친구에게 가끔 메일을 보냅니다.
③ 저는 친구와 같이 유학 중입니다.
④ 우체국에서 편지를 보내면 빠릅니다.

※ [46~48] 다음을 읽고 중심 내용을 고르십시오.

46 (3점)

> 옛날에는 버스로 학교에 갔습니다. 그런데 요즘은 자전거를 타고 학교에 갑니다. 자전거를 타면 교통비를 절약하고 운동도 할 수 있습니다.

① 자전거 타기는 장점이 많습니다.
② 운동을 하려고 자전거를 탑니다.
③ 돈을 절약해서 자전거를 샀습니다.
④ 요즘은 옛날보다 학교에 많이 갑니다.

47 (3점)

> 쇼핑을 한 지 오래되어서 새 옷이 하나도 없습니다. 오늘 언니와 나가서 바지도 사고, 블라우스도 사려고 합니다. 싸고 좋은 옷이 있었으면 좋겠습니다.

① 쇼핑을 하면 기분이 좋아집니다.
② 오랜만에 백화점에 가려고 합니다.
③ 예쁜 바지와 블라우스를 샀습니다.
④ 언니는 싸고 좋은 옷을 잘 고릅니다.

48 (2점)

> 제 룸메이트는 한국어를 잘해서 제가 모르는 것을 잘 가르쳐 줍니다. 제가 아플 때 병원도 같이 가 주었습니다. 요리도 정말 맛있게 합니다. 계속 같이 살고 싶습니다.

① 요즘 룸메이트가 많이 아팠습니다.
② 제 룸메이트는 아주 좋은 사람입니다.
③ 병원에서 한국어를 몰라서 힘들었습니다.
④ 아플 때 룸메이트가 요리를 해 주었습니다.

※ [49~50] 다음을 읽고 물음에 답하십시오. (각 2점)

작년 여름에 가족들과 전주로 휴가를 갔습니다. 전주는 비빔밥과 한옥마을로 유명합니다. 그래서 우리는 비빔밥을 먹고 나서 한옥마을을 구경했습니다. 한옥마을에는 예쁜 한국 전통집이 많았습니다. 너무 많이 (㉠   ) 다리가 조금 아팠지만 정말 즐거웠습니다.

49 ㉠에 들어갈 말로 가장 알맞은 것을 고르십시오.

① 걸어도
② 걸어서
③ 걷게 되면
④ 걷기 전에

50 윗글의 내용과 같은 것을 고르십시오.

① 전주는 비빔밥으로 유명한 곳입니다.
② 여름에 가족들과 전주로 놀러 가려 합니다.
③ 한옥마을을 구경한 후 비빔밥을 먹었습니다.
④ 한옥마을에는 비빔밥을 파는 식당이 많습니다.

※ [51~52] 다음을 읽고 물음에 답하십시오.

> 보통 자동차에는 기름이나 가스를 넣습니다. 그런데 요즘은 전기로 가는 자동차가 나왔습니다. 전기 자동차는 아주 조용할 뿐만 아니라 다른 차에 비해서 경제적입니다. (㉠   ) 환경에도 좋습니다. 그래서 요즘 전기 자동차가 인기가 많습니다.

51 ㉠에 들어갈 말로 가장 알맞은 것을 고르십시오. (3점)

① 그러면
② 그리고
③ 그러나
④ 그런데

52 무엇에 대한 내용인지 맞는 것을 고르십시오. (2점)

① 자동차의 역사
② 전기차의 원리
③ 전기차의 장점
④ 자동차의 위험성

※ [53~54] 다음을 읽고 물음에 답하십시오.

저는 1년 전부터 식당에서 아르바이트를 했습니다. 그런데 다음 주부터 회사에 다니게 되었습니다. 그래서 사장님께 아르바이트를 (㉠   ) 했습니다. 사장님이 아쉬워할 것이라고 생각했는데 오히려 기뻐하셨습니다. 제가 입사 시험에 합격해서 정말 기쁘다고 하셨습니다. 사장님은 저를 위해서 송별회도 열어 주셨습니다.

53 ㉠에 들어갈 말로 가장 알맞은 것을 고르십시오. (2점)

① 그만두겠다고
② 시작하겠다고
③ 계속하겠다고
④ 함께하겠다고

54 윗글의 내용과 같은 것을 고르십시오. (3점)

① 저는 입사 시험에 떨어졌습니다.
② 사장님은 저 때문에 아쉬워합니다.
③ 저는 아르바이트를 그만둬서 기쁩니다.
④ 일 년 전에 아르바이트를 시작했습니다.

※ [55~56] 다음을 읽고 물음에 답하십시오.

4월 5일은 식목일입니다. 식목일은 나무를 심는 날입니다. 옛날에는 식목일에 많은 사람들이 나무를 심었습니다. 산에 가서 심기도 하고 마당이나 집 앞에 심기도 했습니다. 그런데 요즘은 나무를 심는 사람이 거의 없습니다. 그 대신 여기저기에서 (㉠) 이벤트를 합니다. 하루 동안 비닐 봉투를 사용하지 않는 가게도 있고, 친환경 제품을 싸게 팔기도 합니다.

55 ㉠에 들어갈 말로 가장 알맞은 것을 고르십시오. (2점)

① 나무를 많이 심는
② 물건을 싸게 파는
③ 환경 보호를 위한
④ 가게를 알리기 위한

56 윗글의 내용과 같은 것을 고르십시오. (3점)

① 식목일에는 비닐 봉투를 싸게 팝니다.
② 옛날에는 식목일에 나무를 많이 심었습니다.
③ 요즘에는 식목일에 산에 가는 사람이 많습니다.
④ 식목일에는 친환경 제품을 무료로 나누어 줍니다.

※ [57~58] 다음을 순서에 맞게 배열한 것을 고르십시오.

57 (3점)

> (가) 그래서 화장실을 사용할 수 없습니다.
> (나) 오늘 꼭 관리실에 연락을 해야겠습니다.
> (다) 게다가 냄새도 많이 나서 너무 불편합니다.
> (라) 어젯밤에 변기가 막혀서 물이 안 내려갑니다.

① (나)-(가)-(다)-(라)
② (나)-(다)-(가)-(라)
③ (라)-(가)-(다)-(나)
④ (라)-(다)-(나)-(가)

58 (2점)

> (가) 옛날에 산에서 아주 빨간 열매를 봤습니다.
> (나) 그렇게 사람들은 커피를 발견하게 되었습니다.
> (다) 사람들은 그것이 악마의 열매라고 생각했습니다.
> (라) 그래서 그 열매를 불에 태웠는데 향이 좋았습니다.

① (가)-(라)-(다)-(나)
② (가)-(다)-(라)-(나)
③ (다)-(라)-(나)-(가)
④ (다)-(나)-(라)-(가)

※ [59~60] 다음 글을 읽고 물음에 답하십시오.

> 저는 영화관에서 영화 보는 것을 좋아했습니다. (㉠) 그런데 요즘은 영화관에 가지 않습니다. (㉡) 집에서도 영화를 볼 수 있기 때문입니다. (㉢) 그래서 영화관에 가지 않아도 실감나게 영화를 볼 수 있습니다. (㉣) 날씨가 안 좋을 때도 편하게 영화를 볼 수 있어서 참 좋습니다.

59 다음 문장이 들어갈 곳으로 가장 알맞은 것을 고르십시오. (2점)

> 집에 큰 텔레비전과 좋은 스피커가 있습니다.

① ㉠   ② ㉡

③ ㉢   ④ ㉣

60 윗글의 내용과 같은 것을 고르십시오. (3점)

① 집에서 영화를 보니까 편합니다.

② 요즘 영화관에 많이 가고 있습니다.

③ 날씨가 안 좋을 때만 집에서 영화를 봅니다.

④ 영화를 실감나게 보려면 꼭 영화관에 가야 합니다.

※ [61~62] 다음을 읽고 물음에 답하십시오. (각 2점)

예전에는 택시를 잡기가 힘들었습니다. 택시를 잡으려면 오래 기다려야 할 때가 많았습니다. 그런데 요즘은 스마트폰 앱으로 택시를 예약할 수 있습니다. 앱으로 (㉠   ) 시간과 위치를 정하면 택시가 그 시간에 그 장소로 옵니다. 택시를 기다리지 않아도 되니까 정말 편합니다. 택시를 예약하는 데 돈이 들지 않고, 택시비도 일반 택시와 똑같습니다.

61 ㉠에 들어갈 말로 가장 알맞은 것을 고르십시오.

① 원할
② 원한
③ 원하는
④ 원하던

62 윗글의 내용과 같은 것을 고르십시오.

① 택시를 예약할 때 돈을 내야 합니다.
② 요즘은 택시 잡기가 더 힘들어졌습니다.
③ 스마트폰 앱으로 택시를 예약할 수 있습니다.
④ 앱으로 예약하는 택시는 택시비가 좀 비쌉니다.

※ [63~64] 다음을 읽고 물음에 답하십시오.

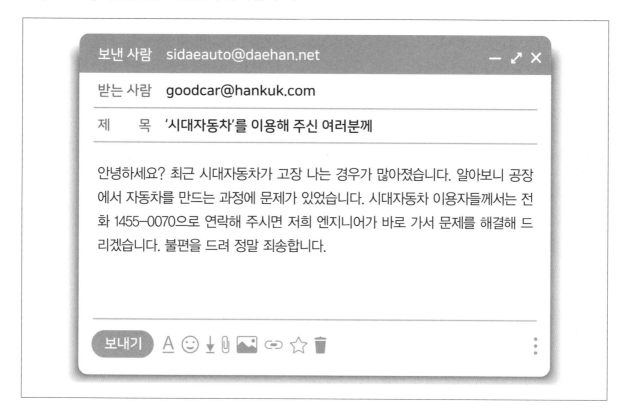

보낸 사람   sidaeauto@daehan.net

받는 사람   goodcar@hankuk.com

제   목   '시대자동차'를 이용해 주신 여러분께

안녕하세요? 최근 시대자동차가 고장 나는 경우가 많아졌습니다. 알아보니 공장에서 자동차를 만드는 과정에 문제가 있었습니다. 시대자동차 이용자들께서는 전화 1455-0070으로 연락해 주시면 저희 엔지니어가 바로 가서 문제를 해결해 드리겠습니다. 불편을 드려 정말 죄송합니다.

보내기

63 왜 윗글을 썼는지 맞는 것을 고르십시오. (2점)

① 자동차 수리를 요청하려고
② 자동차를 구입하고 싶어서
③ 자동차를 더 많이 팔고 싶어서
④ 자동차에 문제가 생긴 것을 알리려고

64 윗글의 내용과 같은 것을 고르십시오. (3점)

① 엔지니어가 방문해서 자동차를 고쳐 줍니다.
② 자동차에 문제가 있어서 사고가 많이 났습니다.
③ 자동차에 문제가 있으면 이메일을 보내야 합니다.
④ 자동차 공장에 문제가 있어서 차를 살 수 없습니다.

※ [65~66] 다음을 읽고 물음에 답하십시오. (각 3점)

지구가 따뜻해지면서 바다의 표면이 올라가고 있습니다. 원인은 두 가지가 있습니다. 하나는 추운 지역의 얼음이 (㉠   ) 바다로 흐르기 때문입니다. 그리고 다른 하나는 바다의 물이 많아지기 때문입니다. 바닷물의 온도가 올라가면 바닷물의 양이 늘어나게 되고, 해수면도 올라가는 것입니다.

65 ㉠에 들어갈 말로 가장 알맞은 것을 고르십시오. (2점)

① 녹았는데
② 녹으려고
③ 녹은 후에
④ 녹은 것 같아서

66 윗글의 내용과 같은 것을 고르십시오. (3점)

① 지구가 따뜻해지면 바닷물이 많아집니다.
② 지구가 따뜻해질수록 바닷물은 차갑습니다.
③ 바다의 표면이 올라가서 지구가 따뜻해집니다.
④ 바다의 표면이 올라가는 원인은 아직 모릅니다.

※ [67~68] 다음을 읽고 물음에 답하십시오. (각 3점)

> 김국현 선생님은 많은 소설을 쓴 유명한 작가입니다. 그런데 김 선생님은 그림을 그리는 것도 아주 좋아해서, 죽기 전에 많은 그림을 남겼습니다. 선생님이 죽은 후에 그분의 집은 박물관이 되었습니다. 그곳에 가면 그분이 쓰던 물건들을 볼 수 있을 뿐만 아니라 그분이 그린 그림도 감상할 수 있습니다. (㉠) 사람들은 꼭 한번 가 보시기 바랍니다.

67 ㉠에 들어갈 말로 가장 알맞은 것을 고르십시오.

① 그분의 책을 사고 싶은
② 그분에 대해 알고 싶은
③ 그분을 직접 만나고 싶은
④ 그분과 그림을 그리고 싶은

68 윗글의 내용과 같은 것을 고르십시오.

① 김국현 선생님은 유명한 화가였습니다.
② 김국현 선생님은 소설을 많이 썼습니다.
③ 김 선생님의 돈으로 박물관을 샀습니다.
④ 김 선생님이 죽고 나서 집을 팔았습니다.

※ [69~70] 다음을 읽고 물음에 답하십시오. (각 3점)

이 동네에 처음 이사를 왔을 때 이웃들에게 떡을 돌렸습니다. 떡집에서 떡을 사서 떡을 주면서 인사했습니다. 이웃들은 모두 반갑게 인사하며 환영해 줬습니다. 이웃들과 금방 친해져서 정말 좋았습니다. 특히 옆집 아주머니는 (㉠   ) 저에게 조금씩 갖다줍니다. 요리를 잘 못해서 집밥이 그리울 때가 있는데, 아주머니 덕분에 위로를 받는 것 같습니다.

69 ㉠에 들어갈 말로 가장 알맞은 것을 고르십시오.

① 음식을 배달시키면
② 떡집에서 떡을 하면
③ 비싼 음식을 사와서
④ 맛있는 걸 만들 때마다

70 윗글의 내용으로 알 수 있는 것을 고르십시오.

① 이웃들과 자주 만나고 있습니다.
② 이 동네에 이사 온 지 오래되었습니다.
③ 이사를 와서 이웃들과 인사를 했습니다.
④ 이웃들에게 직접 만든 떡을 주었습니다.

한국어능력시험 I
제2회 실전 모의고사

Test of Proficiency in Korean I

The 2nd actual mock test

듣기, 읽기 (Listening, Reading)

 모바일 OMR
자동채점

 듣기 MP3 유튜브
바로가기

수험번호(Registration No.)		
이름 (Name)	한국어(Korean)	
	영어(English)	

유의 사항
Information

1. 시험 시작 지시가 있을 때까지 문제를 풀지 마십시오.

   Do not open the booklet until you are allowed to start.

2. 수험번호와 이름을 정확하게 적어 주십시오.

   Write your name and registration number on the answer sheet.

3. 답안지를 구기거나 훼손하지 마십시오.

   Do not fold the answer sheet; keep it clean.

4. 답안지의 이름, 수험번호 및 정답의 기입은 배부된 펜을 사용하여 주십시오.

   Use the given pen only.

5. 정답은 답안지에 정확하게 표시하여 주십시오.

   Mark your answer accurately and clearly on the answer sheet.

| marking example | ① ● ③ ④ |

6. 문제를 읽을 때에는 소리가 나지 않도록 하십시오.

   Keep quiet while answering the questions.

7. 질문이 있을 때에는 손을 들고 감독관이 올 때까지 기다려 주십시오.

   When you have any questions, please raise your hand.

실전 모의고사

제 **2** 회

듣기(01번~30번)

시험 시간 **40**분 | 정답 및 해설 35쪽

※ [01~04] 다음을 듣고 〈보기〉와 같이 물음에 맞는 대답을 고르십시오.

보기

> 남자: 운동을 해요?
> 여자: _____

❶ 네, 운동을 해요.　　　　　　② 네, 운동이 아니에요.
③ 아니요, 운동이에요.　　　　　④ 아니요, 운동을 좋아해요.

01 (4점)

① 네, 우표예요.　　　　　　② 네, 우표를 붙여요.
③ 아니요, 우표가 있어요.　　　④ 아니요, 우표가 적어요.

02 (4점)

① 네, 산이에요.　　　　　　② 네, 산이 높아요.
③ 아니요, 산이 없어요.　　　④ 아니요, 산을 좋아해요.

03 (3점)

① 영화관에서 봐요.　　　　② 내일 영화를 봐요.
③ 무서운 영화를 봐요.　　　④ 친구랑 영화를 봐요.

04 (3점)

① 혼자 왔어요.　　　　　② 산에 왔어요.
③ 오전에 왔어요.　　　　④ 동생이 왔어요.

※ [05~06] 다음을 듣고 〈보기〉와 같이 이어지는 말을 고르십시오.

보기

> 남자: 김 선생님이세요.
> 여자: _____

① 감사합니다.
② 고맙습니다.
③ 안녕히 가세요.
❹ 처음 뵙겠습니다.

05 (4점)

① 괜찮아요.
② 여기 있어요.
③ 다음에 봐요.
④ 오랜만이에요.

06 (3점)

① 축하해요.
② 어떡해요.
③ 미안해요.
④ 반가워요.

※ [07~10] 여기는 어디입니까? 〈보기〉와 같이 알맞은 것을 고르십시오.

보기

> 남자: 어떻게 오셨어요?
> 여자: 머리가 어지러워서 왔어요.

① 교실　　　　② 공항　　　　❸ 병원　　　　④ 서점

07 (3점)

① 식당　　　　② 은행　　　　③ 학교　　　　④ 백화점

08 (3점)

① 여행사　　　　② 체육관　　　　③ 아파트　　　　④ 정거장

09 (3점)

① 마트　　　　② 극장　　　　③ 노래방　　　　④ 세탁소

10 (4점)

① 공원　　　　② 경찰서　　　　③ 미용실　　　　④ 박물관

※ [11~14] 다음은 무엇에 대해 말하고 있습니까? 〈보기〉와 같이 알맞은 것을 고르십시오.

11 (3점)
① 집   ② 색깔   ③ 선물   ④ 식물

12 (3점)
① 날씨   ② 약속   ③ 소개   ④ 위치

13 (4점)
① 걱정   ② 버릇   ③ 직업   ④ 점수

14 (3점)
① 악기   ② 과목   ③ 수첩   ④ 가구

※ [15~16] 다음을 듣고 가장 알맞은 그림을 고르십시오. (각 4점)

15 ①    ②

③    ④

16 ①    ②

③    ④

※ [17~21] 다음을 듣고 〈보기〉와 같이 대화 내용과 같은 것을 고르십시오. (각 3점)

보기

> 남자: 한국 노래를 잘 불러요?
> 여자: 네, 한국 노래를 배웠어요.

① 남자는 가수입니다.
② 여자는 한국말을 못합니다.
③ 남자는 한국 노래를 배웁니다.
❹ 여자는 한국 노래를 공부했습니다.

17　① 여자는 오전에 책을 읽었습니다.
　　② 남자는 친구와 공부를 했습니다.
　　③ 여자는 오후에 도서관에 갔습니다.
　　④ 남자는 오후에 미술관을 다녀왔습니다.

18　① 남자는 지금 야구장에 있습니다.
　　② 여자는 내일 수영장에 갈 겁니다.
　　③ 여자는 강당에서 남자를 만났습니다.
　　④ 남자는 학교에서 수업 준비 중입니다.

19　① 여자와 남자는 부부입니다.
　　② 여자는 노란색을 좋아합니다.
　　③ 남자는 아직 결혼을 하지 않았습니다.
　　④ 남자는 아내가 어떤 꽃을 좋아하는지 모릅니다.

20
① 남자는 유명한 가수입니다.
② 여자는 축제에 일찍 갈 겁니다.
③ 여자는 지금 집에서 나왔습니다.
④ 남자는 축제에 관심이 없습니다.

21
① 남자는 서점에서 일합니다.
② 여자의 취미는 독서입니다.
③ 여자의 집에는 책이 많습니다.
④ 남자는 평소에 책을 많이 봅니다.

※ [22~24] 다음을 듣고 여자의 중심 생각을 고르십시오. (각 3점)

22
① 운동은 자유롭게 하는 것이 좋습니다.
② 운동하는 모임에 가는 길이 불편합니다.
③ 운동을 하려면 모임에 가입해야 합니다.
④ 함께 운동하면 꾸준히 운동할 수 있습니다.

23
① 여행은 혼자 가는 것이 좋습니다.
② 여행은 계획을 완벽히 세워야 합니다.
③ 여행할 나라의 말을 미리 배워 두면 좋습니다.
④ 여행은 대화가 잘 되는 사람과 하는 게 중요합니다.

24   ① 손님이 많은 식당의 음식은 맛있습니다.
　　② 배가 고파서 식당에 빨리 들어가고 싶습니다.
　　③ 점심시간에는 어느 식당이나 손님이 많습니다.
　　④ 식당 앞에서 기다리는 일은 시간이 아깝습니다.

※ [25~26] 다음을 듣고 물음에 답하십시오.

25   **여자가 왜 이 이야기를 하고 있는지 고르십시오. (3점)**

　　① 예식장 위치를 알리려고
　　② 결혼식 시작을 안내하려고
　　③ 신랑과 신부를 소개하려고
　　④ 결혼식 순서를 설명하려고

26   **들은 내용과 같은 것을 고르십시오. (4점)**

　　① 예식장은 7층에 있습니다.
　　② 결혼식은 한 시간 동안 진행됩니다.
　　③ 식당 안에서는 휴대폰을 꺼야 합니다.
　　④ 음악이 시작될 때 자리에 앉으면 됩니다.

※ [27~28] 다음을 듣고 물음에 답하십시오.

27 두 사람이 무엇에 대해 이야기를 하고 있는지 고르십시오. (3점)

① 주말에 할 동아리 활동
② 동아리에 나온 사람 수
③ 동아리에서 사용할 교실 예약
④ 동아리 활동을 시작하는 시간

28 들은 내용과 같은 것을 고르십시오. (4점)

① 이번 주말에 동아리 모임이 있습니다.
② 여자는 큰 교실 한 개를 예약했습니다.
③ 주말에는 큰 교실을 이용할 수 없습니다.
④ 큰 교실은 20명까지 들어갈 수 있습니다.

※ [29~30] 다음을 듣고 물음에 답하십시오.

29 남자가 책을 쓰게 된 이유를 고르십시오. (3점)

① 좋아하는 동물을 소개하고 싶어서
② 동물을 치료하며 느낀 기쁨을 나누고 싶어서
③ 그림을 쉽게 그리는 방법을 알려 주고 싶어서
④ 의사가 되고 싶은 아이들에게 도움이 되고 싶어서

30 들은 내용과 같은 것을 고르십시오. (4점)

① 남자는 작년부터 책을 썼습니다.
② 남자는 5년 전에 의사가 되었습니다.
③ 남자는 어릴 때 그림을 배운 적이 있습니다.
④ 남자는 병원에서 고양이를 기르고 있습니다.

읽기(31번~70번)

시험 시간 **60**분 | 정답 및 해설 48쪽

※ [31~33] 무엇에 대한 내용입니까? 〈보기〉와 같이 알맞은 것을 고르십시오. (각 2점)

보기

치마를 입습니다. 코트는 들고 갑니다.

❶ 옷   ② 손
③ 계절   ④ 쇼핑

31

저는 스물다섯 살입니다. 동생은 스무 살입니다.

① 달력   ② 취미
③ 나이   ④ 계획

32

배가 아픕니다. 약국에 가려고 합니다.

① 병   ② 맛
③ 값   ④ 일

33

토요일에 언니를 만납니다. 일요일은 집에서 쉽니다.

① 가족   ② 방학
③ 생일   ④ 주말

※ [34~39] 〈보기〉와 같이 (   )에 들어갈 말로 가장 알맞은 것을 고르십시오.

보기

하늘이 밝습니다. (   )이 떴습니다.

① 눈　　　　　　　　　　　❷ 달
③ 구름　　　　　　　　　　④ 바람

34　(2점)

도서관에 갑니다. (   )을 빌립니다.

① 책　　　　　　　　　　　② 옷
③ 돈　　　　　　　　　　　④ 물

35　(2점)

백화점에 갑니다. 옷과 가방을 (   ).

① 삽니다　　　　　　　　　② 씁니다
③ 줍니다　　　　　　　　　④ 옵니다

36　(2점)

방이 (   ). 청소를 합니다.

① 비쌉니다　　　　　　　　② 덥습니다
③ 넓습니다　　　　　　　　④ 더럽습니다

37 (3점)

> 친구가 늦게 옵니다. (   ) 못 만났습니다.

① 아직   ② 항상

③ 아까   ④ 가장

38 (3점)

> 이것은 친구(   ) 가방입니다.

① 만   ② 가

③ 의   ④ 도

39 (2점)

> 동생이 부탁을 합니다. 그래서 동생을 (   ).

① 배웁니다   ② 좋아합니다

③ 도와줍니다   ④ 기다립니다

※ [40~42] 다음을 읽고 맞지 <u>않는</u> 것을 고르십시오. (각 3점)

40

① 연락은 이메일로 합니다.
② 이 집은 교통이 아주 편리합니다.
③ 처음에 천만 원을 맡겨야 합니다.
④ 한 달에 사십만 원을 내야 합니다.

41

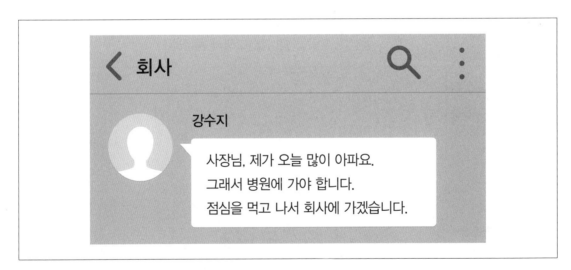

① 수지 씨는 지금 몸이 안 좋습니다.
② 수지 씨는 오늘 병원에 가려고 합니다.
③ 수지 씨는 오늘 오후에 출근을 할 겁니다.
④ 수지 씨는 오늘 사장님과 밥을 먹을 겁니다.

42

① 무료로 들을 수 있습니다.
② 홈페이지에서 신청합니다.
③ 수요일마다 수업을 합니다.
④ 2개월 동안 수업을 듣습니다.

※ [43~45] 다음을 읽고 내용이 같은 것을 고르십시오.

43 (3점)

> 저는 다음 주에 고향으로 돌아갑니다. 그래서 옷이 많은 친구에게 옷장을 주려고 합니다. 옷장은 크지 않지만 깨끗합니다.

① 저는 옷이 많습니다.
② 저는 고향에 돌아왔습니다.
③ 옷장은 깨끗하지만 작습니다.
④ 저는 옷장을 친구에게 팔았습니다.

44 (2점)

> 오늘은 어머니의 생신입니다. 어머니는 빵보다 떡을 더 좋아합니다. 그래서 저는 동생과 함께 떡케이크를 만들었습니다.

① 저는 떡케이크를 샀습니다.
② 저는 혼자 요리를 했습니다.
③ 어머니의 생일은 오늘입니다.
④ 어머니는 빵을 떡보다 좋아합니다.

45 (3점)

> 명절날 한복을 입고 경복궁에 가면 무료로 입장할 수 있습니다. 친구와 저는 설날에 한복을 입고 경복궁에 갔습니다. 구경도 하고 사진도 많이 찍었습니다.

① 저는 가족들과 경복궁에 놀러 갔습니다.
② 저는 경복궁에서 사진을 많이 찍었습니다.
③ 친구는 경복궁에서 한복 구경을 했습니다.
④ 설날에는 누구나 경복궁에 공짜로 들어갈 수 있습니다.

※ [46~48] 다음을 읽고 중심 내용을 고르십시오.

46 (3점)

> 저는 한국어를 배우고 있습니다. 우리 선생님은 항상 웃고 아주 친절합니다. 어려운 문법도 아주 쉽고 재미있게 설명해 줘서 좋습니다.

① 친구들에게 친절하게 말해야 합니다.
② 저는 한국어를 빨리 잘하고 싶습니다.
③ 한국어 문법은 어렵지만 재미있습니다.
④ 저는 우리 한국어 선생님을 좋아합니다.

47 (3점)

> 제 꿈은 요리사입니다. 좋은 재료와 정성으로 요리를 해서 사람들에게 주고 싶습니다. 사람들이 제가 만든 음식을 먹고 행복해졌으면 좋겠습니다.

① 훌륭한 요리사가 되고 싶습니다.
② 맛있는 음식을 먹으면 행복해집니다.
③ 요리사가 되는 것은 너무 어렵습니다.
④ 요리를 할 때 재료와 정성이 중요합니다.

48 (2점)

> 저는 내일 친구와 박물관에 갑니다. 친구는 박물관에 가서 역사를 공부합니다. 친구는 평소에도 역사책과 역사 드라마를 많이 봅니다.

① 친구를 빨리 만나고 싶습니다.
② 친구는 역사에 관심이 아주 많습니다.
③ 박물관에는 책과 비디오가 많이 있습니다.
④ 책을 많이 보면 역사를 많이 알 수 있습니다.

※ [49~50] 다음을 읽고 물음에 답하십시오. (각 2점)

저는 부산으로 혼자 여행을 자주 갑니다. 부산에는 예쁜 경치와 맛있는 음식이 많습니다. 도착해서 자전거를 빌려서 타고 다니면서 여기저기를 구경합니다. 물론 혼자 여행하는 것은 외롭습니다. 하지만 (㉠) 있습니다. 여행하는 동안 모든 것을 제가 하고 싶은 대로 할 수 있습니다.

49 ㉠에 들어갈 말로 가장 알맞은 것을 고르십시오.

① 싼 점도

② 좋은 점도

③ 불편한 점도

④ 어색한 점도

50 윗글의 내용과 같은 것을 고르십시오.

① 저는 부산에 처음 가 봅니다.

② 부산은 구경할 것이 많습니다.

③ 저는 외로울 때 여행을 갑니다.

④ 저는 자전거를 타고 부산에 갑니다.

※ [51~52] 다음을 읽고 물음에 답하십시오.

> 예전에는 수업을 받으려면 항상 교실로 가야 했습니다. 그런데 이제는 수업을 받기 위해 꼭 (㉠) 됩니다. 인터넷이 연결된 컴퓨터나 휴대 전화가 있으면 어디서나 수업을 들을 수 있기 때문입니다. 미리 수업 영상을 받아 두었다가 듣는 방법도 있습니다. 앞으로는 더 좋고 다양한 프로그램이 만들어질 것입니다.

51 ㉠에 들어갈 말로 가장 알맞은 것을 고르십시오. (3점)

① 선생님이 없어도
② 교실에 가지 않아도
③ 수업을 듣지 않아도
④ 컴퓨터를 할 줄 몰라도

52 무엇에 대한 내용인지 맞는 것을 고르십시오. (2점)

① 교실 환경이 중요한 이유
② 컴퓨터와 휴대 전화의 사용법
③ 다양한 언어를 가르치는 수업
④ 인터넷을 활용한 수업의 편리함

※ [53~54] 다음을 읽고 물음에 답하십시오.

요즘 너무 바빠서 (㉠   ) 시간이 없습니다. 그래서 집에서 운동을 하기로 했습니다. 지금은 친구가 준 영상을 보면서 운동을 합니다. 화면 속의 선생님이 친절하게 가르쳐 주는 것을 그대로 따라 하면 됩니다. 영상을 보면서 운동을 하니까 시간을 절약할 수 있어서 정말 좋습니다.

53 ㉠에 들어갈 말로 가장 알맞은 것을 고르십시오. (2점)

① 운동하러 갈
② 친구를 만날
③ 선생님을 만날
④ 운동 영상을 볼

54 윗글의 내용과 같은 것을 고르십시오. (3점)

① 친구와 함께 운동을 하기로 했습니다.
② 선생님과 직접 만나서 운동을 합니다.
③ 요즘 시간이 없어서 운동을 못 합니다.
④ 영상 덕분에 시간을 아낄 수 있습니다.

※ [55~56] 다음을 읽고 물음에 답하십시오.

> 제 아들은 개를 정말 좋아합니다. 계속 저에게 개를 키우자고 합니다. 하지만 아파트에서는 개를 키우기 어렵습니다. 이웃들이 개를 싫어할 수도 있습니다. 개를 키우려면 마당이 있는 집으로 가야 합니다. (㉠) 우리 가족은 시골로 이사를 가기로 했습니다. 시골에서 개도 키우고 농사도 지으려고 합니다.

55 ㉠에 들어갈 말로 가장 알맞은 것을 고르십시오. (2점)

① 그런데
② 그러나
③ 그래서
④ 그리고

56 윗글의 내용과 같은 것을 고르십시오. (3점)

① 시골에서 살기로 했습니다.
② 아들은 아파트를 좋아합니다.
③ 이웃을 싫어해서 이사를 갑니다.
④ 아파트에서 개를 키우려고 합니다.

※ [57~58] 다음을 순서에 맞게 배열한 것을 고르십시오.

57 (3점)

> (가) 그런데 저는 지하철보다 버스를 좋아합니다.
> (나) 학교에 가려면 지하철이나 버스를 타야 합니다.
> (다) 바깥 구경을 하면서 학교에 가면 기분이 좋습니다.
> (라) 버스를 타면 창문으로 밖을 볼 수 있기 때문입니다.

① (나)-(라)-(다)-(가)
② (나)-(가)-(라)-(다)
③ (다)-(나)-(가)-(라)
④ (다)-(가)-(라)-(나)

58 (2점)

> (가) 두 장소 모두 장점과 단점이 있습니다.
> (나) 물건을 사려면 대형 마트나 시장에 가야 합니다.
> (다) 그런데 시장은 값을 깎을 수는 있지만 불편한 점이 많습니다.
> (라) 대형 마트는 주차가 편리하지만 물건 값을 깎을 수 없습니다.

① (나)-(가)-(라)-(다)
② (나)-(라)-(다)-(가)
③ (라)-(다)-(나)-(가)
④ (라)-(다)-(가)-(나)

※ [59~60] 다음을 읽고 물음에 답하십시오.

> 다이어트를 하는 방법은 두 가지가 있습니다. 첫 번째는 음식을 천천히 먹는 것입니다. (㉠) 그런데 다시 음식을 많이 먹으면 도로 살이 찝니다. (㉡) 이것을 요요 현상이라고 합니다. (㉢) 두 번째는 운동을 하는 것입니다. (㉣) 운동을 꾸준히 하면 몸에 지방이 조금만 쌓이게 됩니다. 그러므로 다이어트를 하려면 운동을 하는 것이 가장 좋습니다.

59 다음 문장이 들어갈 곳으로 가장 알맞은 것을 고르십시오. (2점)

> 오래 씹어 먹으면 배부름을 빨리 느껴서 음식을 조금만 먹게 됩니다.

① ㉠   ② ㉡

③ ㉢   ④ ㉣

60 윗글의 내용과 같은 것을 고르십시오. (3점)

① 음식을 천천히 먹으면 살이 찝니다.
② 운동을 하면 몸에 지방이 덜 쌓입니다.
③ 음식을 조금 먹으면 요요 현상이 일어납니다.
④ 다이어트에는 음식을 조절하는 것이 제일 좋습니다.

※ [61~62] 다음을 읽고 물음에 답하십시오. (각 2점)

> 계절이 바뀌는 시기가 되면, 하루 중에도 온도 차이가 크게 나서 감기에 걸리기 쉽습니다. 특히 여름에서 가을이 될 때, 아침은 쌀쌀하고 낮은 따뜻할 때가 많습니다. 그래서 이 시기에는 조금 (㉠) 건강을 위해서 겉옷을 꼭 챙겨서 나가야 합니다. 특히, 두꺼운 외투 한 벌보다는 얇은 옷을 여러 개 입고 나가서 더울 때는 벗고 추울 때는 입는 게 좋습니다.

61 ㉠에 들어갈 말로 가장 알맞은 것을 고르십시오.

① 춥더라도
② 귀찮더라도
③ 심하더라도
④ 걸리더라도

62 윗글의 내용과 같은 것을 고르십시오.

① 여름이 되면 아침에 기온이 올라갑니다.
② 가을이 되면 아침보다 낮이 더 춥습니다.
③ 감기에 걸리면 옷을 겹쳐 입어야 합니다.
④ 계절이 바뀔 때면 감기에 걸리기 쉽습니다.

※ [63~64] 다음을 읽고 물음에 답하십시오.

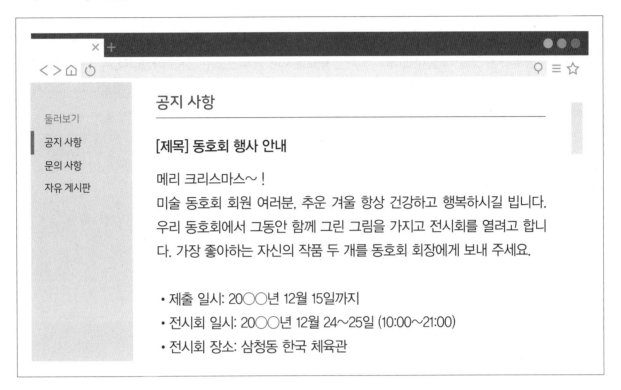

공지 사항

둘러보기
공지 사항
문의 사항
자유 게시판

공지 사항

[제목] 동호회 행사 안내

메리 크리스마스~!
미술 동호회 회원 여러분, 추운 겨울 항상 건강하고 행복하시길 빕니다.
우리 동호회에서 그동안 함께 그린 그림을 가지고 전시회를 열려고 합니
다. 가장 좋아하는 자신의 작품 두 개를 동호회 회장에게 보내 주세요.

• 제출 일시: 20○○년 12월 15일까지
• 전시회 일시: 20○○년 12월 24~25일 (10:00~21:00)
• 전시회 장소: 삼청동 한국 체육관

63 왜 윗글을 썼는지 맞는 것을 고르십시오. (2점)

① 그림을 사고 싶어서
② 성탄절 인사를 하려고
③ 전시회 일정을 알리려고
④ 미술 수업을 소개하려고

64 윗글의 내용과 같은 것을 고르십시오. (3점)

① 전시회는 이틀 동안 진행됩니다.
② 유명한 화가의 그림을 전시합니다.
③ 전시회는 오후에만 볼 수 있습니다.
④ 회원들은 그림을 하나씩 보내면 됩니다.

※ [65~66] 다음을 읽고 물음에 답하십시오.

학교가 (㉠   ) 생각하는 사람들이 있습니다. 그런 사람들은 대부분 집에서 혼자 공부하거나 학원에서 공부하는 것을 더 좋아합니다. 하지만 학교에서는 공부만 하는 것이 아닙니다. 우리는 학교에 가서 함께 살아가는 방법을 배웁니다. 서로 돕는 법을 배우고, 바르게 경쟁하는 법도 배웁니다. 그래서 공부를 하는 방법에 여러 가지가 있지만, 우리는 꼭 학교에 다녀야 합니다.

---

65 ㉠에 들어갈 말로 가장 알맞은 것을 고르십시오. (2점)

① 필요없다고
② 부족하다고
③ 다양하다고
④ 복잡하다고

66 윗글의 내용과 같은 것을 고르십시오. (3점)

① 경쟁에서 이기기 위해 공부해야 합니다.
② 학교 교육이 가장 좋은 학습 방법입니다.
③ 학교에서는 다양한 것을 배울 수 있습니다.
④ 학원에서는 서로 돕고 사는 법을 가르칩니다.

※ [67~68] 다음을 읽고 물음에 답하십시오. (각 3점)

요즘 밤에 잠을 자지 못해서 고민하는 사람이 많습니다. 잠을 잘 자기 위해 지켜야 하는 몇 가지 규칙이 있습니다. 먼저 커피나 홍차 같은 음료를 마시면 안 됩니다. 만약 (㉠   ) 저녁에 마시지 말고 아침에 마셔야 합니다. 그리고 자기 전에 따뜻한 물로 샤워를 하면 도움이 됩니다. 또 가벼운 운동을 하는 것은 좋지만, 심한 운동은 피하는 것이 좋습니다.

67 ㉠에 들어갈 말로 가장 알맞은 것을 고르십시오.

① 너무 고민을 하면
② 너무 잠이 안 오면
③ 너무 마시고 싶으면
④ 너무 카페인이 많으면

68 윗글의 내용과 같은 것을 고르십시오.

① 운동을 많이 할수록 깊이 잘 수 있습니다.
② 고민이 많아서 잠을 못 자는 사람이 많습니다.
③ 따뜻한 물로 씻으면 잠을 깊이 잘 수 없습니다.
④ 밤에 잘 자려면 홍차는 마시지 않는 게 좋습니다.

※ [69~70] 다음을 읽고 물음에 답하십시오. (각 3점)

> 저는 청소하는 것을 좋아합니다. 청소를 하고 나서 깨끗한 방을 보면 제 마음까지 깨끗해지는 기분입니다. 그런데 제 동생은 청소하는 것을 정말 싫어합니다. 동생은 청소하는 것이 귀찮고 힘들다고 합니다. 동생에게 청소를 하고 나서 느끼는 기분을 꼭 가르쳐 주고 싶습니다. 동생이 (㉠) 동생도 청소하는 것을 좋아하게 될 것 같습니다. 그리고 더 깨끗하고 쉽게 청소하는 방법도 가르쳐 줄 겁니다.

69 ㉠에 들어갈 말로 가장 알맞은 것을 고르십시오.

① 좋은 방을 보고 나면
② 나와 같이 청소를 하면
③ 그 기분을 느끼고 나면
④ 청소하는 법을 가르쳐 주면

70 윗글의 내용으로 알 수 있는 것을 고르십시오.

① 동생은 이제 청소를 좋아하게 되었습니다.
② 나는 청소를 하고 나면 기분이 좋아집니다.
③ 나와 동생은 청소하는 것을 귀찮아합니다.
④ 동생이 쉽게 청소하는 법을 가르쳐 줬습니다.

한국어능력시험 I
제3회 실전 모의고사

Test of Proficiency in Korean I

The 3rd actual mock test

듣기, 읽기 (Listening, Reading)

 모바일 OMR
자동채점

 듣기 MP3 유튜브
바로가기

수험번호(Registration No.)		
이름 (Name)	한국어(Korean)	
	영어(English)	

유의 사항
Information

1. 시험 시작 지시가 있을 때까지 문제를 풀지 마십시오.

   Do not open the booklet until you are allowed to start.

2. 수험번호와 이름을 정확하게 적어 주십시오.

   Write your name and registration number on the answer sheet.

3. 답안지를 구기거나 훼손하지 마십시오.

   Do not fold the answer sheet; keep it clean.

4. 답안지의 이름, 수험번호 및 정답의 기입은 배부된 펜을 사용하여 주십시오.

   Use the given pen only.

5. 정답은 답안지에 정확하게 표시하여 주십시오.

   Mark your answer accurately and clearly on the answer sheet.

6. 문제를 읽을 때에는 소리가 나지 않도록 하십시오.

   Keep quiet while answering the questions.

7. 질문이 있을 때에는 손을 들고 감독관이 올 때까지 기다려 주십시오.

   When you have any questions, please raise your hand.

실전 모의고사

듣기(01번~30번)

시험 시간 **40**분 | 정답 및 해설 67쪽

※ [01~04] 다음을 듣고 〈보기〉와 같이 물음에 맞는 대답을 고르십시오.

보기

남자: 운동을 해요?
여자: _____

❶ 네, 운동을 해요.   ② 네, 운동이 아니에요.
③ 아니요, 운동이에요.   ④ 아니요, 운동을 좋아해요.

01 (4점)

① 네, 의자예요.   ② 아니요, 의자가 없어요.
③ 아니요, 의자가 편해요.   ④ 아니요, 의자가 안 편해요.

02 (4점)

① 네, 책을 읽어요.   ② 네, 책이 많아요.
③ 아니요, 책이 없어요.   ④ 아니요, 책이 아니에요.

03 (3점)

① 버스를 타고 가요.   ② 친구랑 같이 가요.
③ 수업을 들으러 가요.   ④ 아침 여덟 시에 가요.

04 (3점)

① 숙제를 해요.   ② 커피숍에서 해요.
③ 친구와 같이 해요.   ④ 룸메이트가 도와줘요.

※ [05~06] 다음을 듣고 〈보기〉와 같이 이어지는 말을 고르십시오.

보기

> 남자: 김 선생님이세요.
>
> 여자: _____

① 감사합니다.
② 고맙습니다.
③ 안녕히 가세요.
❹ 처음 뵙겠습니다.

05 (4점)

① 죄송합니다.
② 별말씀을요.
③ 반갑습니다.
④ 실례합니다.

06 (3점)

① 네, 괜찮습니다.
② 네, 바꿔 드릴게요.
③ 네, 다음에 만나요.
④ 네, 이쪽으로 오세요.

※ [07~10] 여기는 어디입니까? 〈보기〉와 같이 알맞은 것을 고르십시오.

보기

남자: 어떻게 오셨어요?
여자: 머리가 어지러워서 왔어요.

① 교실   ② 공항   ❸ 병원   ④ 서점

07 (3점)

① 공항   ② 항구   ③ 우체국   ④ 세탁소

08 (3점)

① 공원   ② 시장   ③ 약국   ④ 식당

09 (3점)

① 꽃집   ② 병원   ③ 미술관   ④ 미용실

10 (4점)

① 회사   ② 학교   ③ 빵집   ④ 학원

※ [11~14] 다음은 무엇에 대해 말하고 있습니까? 〈보기〉와 같이 알맞은 것을 고르십시오.

남자: 언제 와요?
여자: 6시까지 갈게요.

① 장소　　　　❷ 시간　　　　③ 날짜　　　　④ 요일

11 (3점)
① 나라　　　　② 운동　　　　③ 기분　　　　④ 공부

12 (3점)
① 위치　　　　② 취미　　　　③ 쇼핑　　　　④ 날짜

13 (4점)
① 맛　　　　② 꿈　　　　③ 물　　　　④ 술

14 (3점)
① 이름　　　　② 계획　　　　③ 고향　　　　④ 휴일

※ [15~16] 다음을 듣고 가장 알맞은 그림을 고르십시오. (각 4점)

15

①

②

③

④

16

①

②

③

④

※ [17~21] 다음을 듣고 〈보기〉와 같이 대화 내용과 같은 것을 고르십시오. (각 3점)

보기

> 남자: 한국 노래를 잘 불러요?
> 여자: 네, 한국 노래를 배웠어요.

① 남자는 가수입니다.
② 여자는 한국말을 못합니다.
③ 남자는 한국 노래를 배웁니다.
❹ 여자는 한국 노래를 공부했습니다.

17
① 여자는 책을 자주 봅니다.
② 두 사람은 영화를 보고 있습니다.
③ 남자와 여자는 영화를 자주 봅니다.
④ 남자는 영화보다 책을 더 좋아합니다.

18
① 남자는 친구와 같이 왔습니다.
② 여자는 가방을 파는 직원입니다.
③ 남자는 자기 가방을 사려고 합니다.
④ 여자는 남자에게 가방을 선물합니다.

19
① 여자는 꾸준히 돈을 모으고 있습니다.
② 남자는 여행을 가기 위해 일을 합니다.
③ 여자와 남자는 같이 해외여행을 갈 겁니다.
④ 남자는 해외에서 아르바이트를 하고 있습니다.

20
① 여자의 방에는 사진이 걸려 있습니다.
② 여자는 고등학교 때 농구 선수였습니다.
③ 여자와 남자는 지금 남자의 방에 있습니다.
④ 여자는 십 년 전에 남자 친구가 있었습니다.

21
① 남자는 동물에 관심이 많습니다.
② 여자는 동물원에 많이 와 봤습니다.
③ 남자는 여기에 오늘 처음 와 봅니다.
④ 여자는 동물원에 대해 잘 알고 있습니다.

※ [22~24] 다음을 듣고 <u>여자</u>의 중심 생각을 고르십시오. (각 3점)

22
① 영화를 언제 봐도 상관이 없습니다.
② 영화를 내일 보는 것이 더 좋습니다.
③ 비가 와도 영화를 보는 데 문제가 없습니다.
④ 비가 오는 날에는 우산을 가지고 가야 합니다.

23
① 일을 집중해서 하는 것이 좋습니다.
② 여러 가지 일을 동시에 하고 싶습니다.
③ 시간을 절약하는 방법을 찾아야 합니다.
④ 일하는 것보다 밥을 먹는 것이 중요합니다.

24
① 꼭 필요한 물건을 선물해야 합니다.
② 선물로 그림을 사서 주면 좋겠습니다.
③ 기억에 남는 선물을 하는 것이 좋습니다.
④ 고향에 가는 사람에게 꼭 선물을 줘야 합니다.

※ [25~26] 다음을 듣고 물음에 답하십시오.

25 여자가 왜 이 이야기를 하고 있는지 고르십시오. (3점)

① 도서관 이용을 부탁하려고
② 새로운 작가를 소개하려고
③ 특별 강연에 대해 안내하려고
④ 참가 신청 방법을 알려 주려고

26 들은 내용과 같은 것을 고르십시오. (4점)

① 강연이 1시 50분에 끝날 겁니다.
② 강연장에서는 커피를 마실 수 없습니다.
③ 강연장에 가서 참가 신청을 해야 합니다.
④ 강연이 끝나고 작가와 사진을 찍을 수 있습니다.

※ [27~28] 다음을 듣고 물음에 답하십시오.

27 두 사람이 무엇에 대해 이야기를 하고 있는지 고르십시오. (3점)

① 동물을 키우는 방법
② 강의를 신청하는 방법
③ 인터넷을 이용하는 방법
④ 자원봉사를 시작하는 방법

28 들은 내용과 같은 것을 고르십시오. (4점)

① 토요일마다 교육을 받을 수 있습니다.
② 여자는 요즘 자원봉사를 하고 있습니다.
③ 남자는 동물보호소에서 일한 적이 있습니다.
④ 교육을 받으려면 동물보호소에 가야 합니다.

※ [29~30] 다음을 듣고 물음에 답하십시오.

29 여자가 이 책을 쓴 목적을 고르십시오. (3점)

① 자연을 이용하는 법을 알려 주기 위해
② 환경 보호에 관련된 직업을 소개하기 위해
③ 자연 속에서 살아가는 방법을 제시하기 위해
④ 환경 보호의 구체적인 방법을 설명하기 위해

30 들은 내용과 같은 것을 고르십시오. (4점)

① 남자는 여자의 책을 읽었습니다.
② 여자는 최근에 이 일을 시작했습니다.
③ 여자는 예전에 책을 쓴 적이 있습니다.
④ 책에는 각종 생활 정보가 들어 있습니다.

읽기(31번~70번)

시험 시간 **60**분 | 정답 및 해설 80쪽

※ [31~33] 무엇에 대한 내용입니까? 〈보기〉와 같이 알맞은 것을 고르십시오. (각 2점)

보기

치마를 입습니다. 코트는 들고 갑니다.

❶ 옷 　　　　　　　　　　② 손
③ 계절 　　　　　　　　　④ 쇼핑

31

저는 활발합니다. 하지만 룸메이트는 조용합니다.

① 친척 　　　　　　　　　② 나이
③ 날씨 　　　　　　　　　④ 성격

32

저는 비빔밥을 좋아합니다. 그리고 불고기도 좋아합니다.

① 음식 　　　　　　　　　② 가구
③ 장소 　　　　　　　　　④ 시간

33

아버지와 어머니가 계십니다. 그리고 언니가 한 명 있습니다.

① 계획 　　　　　　　　　② 여행
③ 가족 　　　　　　　　　④ 운동

※ [34~39] 〈보기〉와 같이 (   )에 들어갈 말로 가장 알맞은 것을 고르십시오.

보기

하늘이 밝습니다. (   )이 떴습니다.

① 눈   ❷ 달
③ 구름   ④ 바람

34 (2점)

저는 과일을 좋아합니다. 그중에서 사과를 (   ) 좋아합니다.

① 제일   ② 아직
③ 먼저   ④ 빨리

35 (2점)

지금은 겨울입니다. 그래서 날씨가 아주 (   ).

① 좁습니다   ② 춥습니다
③ 밝습니다   ④ 넓습니다

36 (2점)

책을 사고 싶습니다. 그래서 (   )에 가려고 합니다.

① 공항   ② 학교
③ 식당   ④ 서점

37 (3점)

> 어제 친구(   ) 같이 놀이공원에 갔습니다.

① 를   ② 은

③ 하고   ④ 라도

38 (3점)

> 선생님을 만났습니다. 선생님께 반갑게 (   ).

① 보냈습니다   ② 인사했습니다

③ 소개했습니다   ④ 전화했습니다

39 (2점)

> 편지를 썼습니다. 우체국에 가서 편지를 (   ).

① 빌립니다   ② 배웁니다

③ 보냅니다   ④ 받습니다

※ [40~42] 다음을 읽고 맞지 <u>않는</u> 것을 고르십시오. (각 3점)

40

① 일요일에는 쉽니다.   ② 사 층으로 가면 됩니다.
③ 저녁 여섯 시에 끝납니다.   ④ 여행사는 주니빌딩에 있습니다.

41

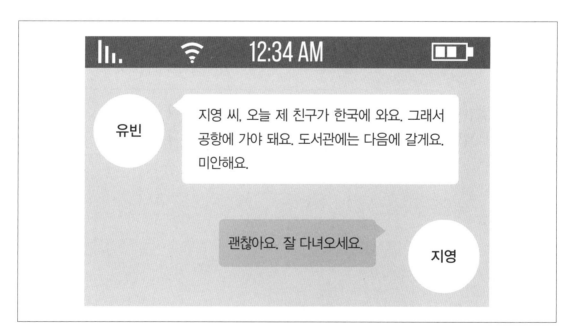

① 유빈 씨는 공항에 갈 겁니다.   ② 지영 씨는 도서관에 있습니다.
③ 지영 씨의 친구가 한국에 옵니다.   ④ 유빈 씨는 오늘 친구를 만납니다.

42

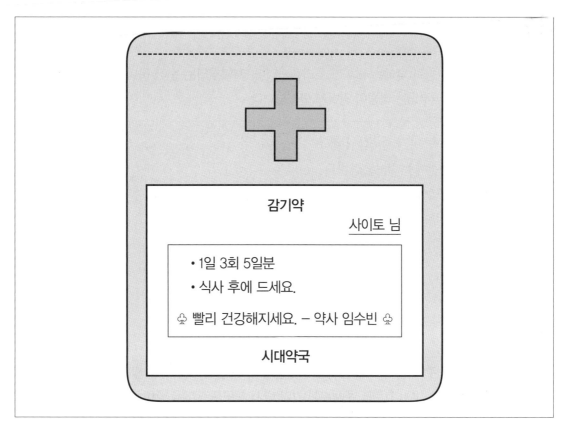

감기약

<u>사이토 님</u>

- 1일 3회 5일분
- 식사 후에 드세요.
♧ 빨리 건강해지세요. – 약사 임수빈 ♧

시대약국

① 하루에 세 번 먹습니다.   ② 임수빈 씨가 먹을 약입니다.
③ 오 일 동안 먹을 수 있습니다.   ④ 밥을 먹은 후에 먹어야 됩니다.

※ [43~45] 다음을 읽고 내용이 같은 것을 고르십시오.

43 (3점)

> 저는 학교에서 운동을 가르칩니다. 아이들이 운동을 하고 건강해지는 모습을 보면 기분이 좋아집니다. 돈을 많이 벌지는 못하지만 항상 행복합니다.

① 저는 운동선수입니다.
② 돈이 없지만 늘 행복합니다.
③ 운동을 하면 기분이 좋아집니다.
④ 저는 운동을 하러 학교에 갑니다.

44 (2점)

> 오늘 아침과 낮에는 날씨가 흐리겠습니다. 저녁부터는 눈이 옵니다. 눈은 내일 아침까지 계속 오고, 낮부터는 바람이 강하게 불겠습니다.

① 오늘 계속 비가 올 겁니다.
② 내일 아침에는 맑을 겁니다.
③ 오늘 저녁에 눈이 올 겁니다.
④ 내일 하루 종일 바람이 불 겁니다.

45 (3점)

> 어제 친구와 같이 BTS 콘서트에 갔습니다. 저는 BTS를 아주 좋아하지만 친구는 별로 좋아하지 않았습니다. 그런데 콘서트에 갔다 와서 친구도 BTS를 좋아하게 되었습니다.

① 친구와 나는 어제 BTS를 봤습니다.
② 친구는 자주 콘서트를 보러 갑니다.
③ 친구는 저를 별로 좋아하지 않았습니다.
④ 친구는 BTS를 안 좋아해서 콘서트에 안 갔습니다.

※ [46~48] 다음을 읽고 중심 내용을 고르십시오.

46 (3점)

> 담배를 피우면 기분이 좋지만 안 좋은 냄새가 나고 건강이 나빠집니다. 다른 사람들에게 피해를 주기도 하고, 돈도 많이 씁니다. 그래서 저는 담배를 끊을 겁니다.

① 담배를 피우면 기분이 좋아집니다.
② 앞으로는 담배를 피우지 않을 겁니다.
③ 다른 사람에게 피해를 주면 안 됩니다.
④ 건강을 위해서 돈을 많이 써야 합니다.

47 (3점)

> 저는 기타 동호회에서 기타를 배우고 있습니다. 기타를 배우는 것도 재미있고 동호회 회원들도 참 친절하고 좋습니다. 저는 이 동호회에서 오랫동안 활동하고 싶습니다.

① 기타를 배우는 것은 어렵습니다.
② 동호회에 회원들이 아주 많습니다.
③ 이 동호회가 아주 만족스럽습니다.
④ 동호회 활동을 너무 오래 했습니다.

48 (2점)

> 제 컴퓨터는 4년 전에 샀습니다. 좀 더럽고 자주 고장이 납니다. 그래서 인터넷에서 새 컴퓨터를 알아보고 있습니다. 좋은 컴퓨터를 살 수 있었으면 좋겠습니다.

① 새로운 컴퓨터로 바꾸려고 합니다.
② 컴퓨터가 더러워서 고장이 납니다.
③ 인터넷에서 새 컴퓨터를 샀습니다.
④ 컴퓨터를 오래 쓰는 것이 좋습니다.

※ [49~50] 다음을 읽고 물음에 답하십시오. (각 2점)

저는 주말에 혼자 있는 것을 좋아합니다. 월요일부터 금요일까지는 사람들을 많이 만나지만 토요일과 일요일에는 보통 집에서 책을 보거나 혼자 산책을 합니다. (　ㄱ　) 가까운 곳에 여행을 가기도 합니다. 저는 혼자 있어도 심심하지 않고 재미있고 편합니다.

49 ㄱ에 들어갈 말로 가장 알맞은 것을 고르십시오.

① 가끔
② 매일
③ 항상
④ 자꾸

50 윗글의 내용과 같은 것을 고르십시오.

① 여행을 싫어해서 가지 않습니다.
② 주말에는 도서관에서 책을 봅니다.
③ 주말에는 사람을 만나지 않습니다.
④ 월요일부터 금요일까지 혼자 있습니다.

※ [51~52] 다음을 읽고 물음에 답하십시오.

원래 한국 사람들은 설날 같은 명절이 되면 고향을 찾아서 떠나곤 했습니다. (　　㉠　　) 요즘은 명절에 고향에 가지 않는 사람도 많습니다. 이런 사람들은 보통 가족들과 함께 여행을 갑니다. 또 맛집에 가서 맛있는 음식을 먹으면서 즐거운 시간을 보내기도 합니다.

---

51 ㉠에 들어갈 말로 가장 알맞은 것을 고르십시오. (3점)

① 그래서
② 그러면
③ 그리고
④ 그렇지만

52 무엇에 대한 내용인지 맞는 것을 고르십시오. (2점)

① 명절에 해야 하는 일
② 명절에 주로 먹는 음식
③ 명절을 지내는 모습의 변화
④ 명절을 고향에서 보내는 사람들

※ [53~54] 다음을 읽고 물음에 답하십시오.

제 여자 친구는 베트남 사람입니다. 한국에 유학 온 친구들을 도와주면서 여자 친구와 처음 만났는데 이제 만난 지 4년이 되었습니다. 그동안 저는 (㉠) 베트남어와 베트남 문화를 계속 공부했습니다. 여자 친구는 볼수록 사랑스럽습니다. 그래서 꼭 그녀와 결혼하고 싶습니다. 다음 주에 반지를 주면서 말하려고 합니다. 여자 친구가 제 마음을 받아주었으면 좋겠습니다.

53 ㉠에 들어갈 말로 가장 알맞은 것을 고르십시오. (2점)

① 베트남에서 일하기 위해서
② 외국 친구를 만나기 위해서
③ 여자 친구를 이해하기 위해서
④ 베트남으로 유학을 가기 위해서

54 윗글의 내용과 같은 것을 고르십시오. (3점)

① 저는 여자 친구를 사 년 전에 만났습니다.
② 저는 여자 친구에게 결혼하자고 했습니다.
③ 저는 베트남에서 여자 친구를 사귀었습니다.
④ 저는 여자 친구와 베트남어를 공부했습니다.

※ [55~56] 다음을 읽고 물음에 답하십시오.

> 스마트폰은 우리 생활에 꼭 필요한 물건입니다. 그런데 스마트폰을 너무 많이 사용하면 (㉠). 먼저 스마트폰이 없으면 불안하고, 스마트폰을 사용하지 않을 때 계속 생각난다고 합니다. 그리고 눈도 나빠지고, 잠도 잘 못 잔다고 합니다. 그러므로 스마트폰은 꼭 필요할 때만 사용하는 것이 좋습니다.

55 ㉠에 들어갈 말로 가장 알맞은 것을 고르십시오. (2점)

① 좋은 점도 많습니다
② 생활이 편리해집니다
③ 위험한 점도 없습니다
④ 건강에 좋지 않습니다

56 윗글의 내용과 같은 것을 고르십시오. (3점)

① 스마트폰을 절대 사용하면 안 됩니다.
② 스마트폰을 많이 사용하면 눈이 나빠집니다.
③ 스마트폰은 우리 삶에 별로 필요하지 않습니다.
④ 스마트폰은 밤에 잠을 잘 때만 사용해야 합니다.

※ [57~58] 다음을 순서에 맞게 배열한 것을 고르십시오.

57 (3점)

> (가) 잠을 아주 적게 자는 사람들이 많습니다.
> (나) 그래서 적당한 시간 동안 잘 자야 합니다.
> (다) 잘 자려면 커피도 안 마시는 것이 좋습니다.
> (라) 그런데 잠을 너무 적게 자면 제대로 생활할 수 없습니다.

① (가)-(나)-(라)-(다)
② (가)-(라)-(나)-(다)
③ (나)-(가)-(다)-(라)
④ (나)-(다)-(가)-(라)

58 (2점)

> (가) 특히 다른 차에 비해 훨씬 조용합니다.
> (나) 전기 자동차는 좋은 점이 아주 많습니다.
> (다) 사람들이 차가 오는 것을 모르기 때문입니다.
> (라) 그런데 너무 조용해서 사고가 나기도 합니다.

① (나)-(다)-(라)-(가)
② (나)-(가)-(라)-(다)
③ (다)-(라)-(가)-(나)
④ (다)-(나)-(가)-(라)

※ [59~60] 다음 글을 읽고 물음에 답하십시오.

저는 친구들과 찜질방에 자주 갑니다. (㉠) 찜질방에 가면 먼저 씻고 나서 식혜와 삶은 계란을 먹습니다. (㉡) 음식을 먹으면서 친구들과 이야기를 나누거나 게임을 합니다. (㉢) 저는 원래 만화책을 별로 안 좋아하지만 찜질방에서 보는 만화책은 정말 재미있습니다. (㉣) 다음 주에도 친구들과 찜질방에 가기로 했는데 정말 기대됩니다.

59 다음 문장이 들어갈 곳으로 가장 알맞은 것을 고르십시오. (2점)

가끔 누워서 만화책을 보기도 합니다.

① ㉠ ② ㉡
③ ㉢ ④ ㉣

60 윗글의 내용과 같은 것을 고르십시오. (3점)

① 식혜와 계란을 먹은 후에 씻습니다.
② 저는 만화책을 전혀 보지 않습니다.
③ 저는 다음 주에 찜질방에 갈 겁니다.
④ 찜질방에서 이야기를 하면 안 됩니다.

※ [61~62] 다음을 읽고 물음에 답하십시오. (각 2점)

어제 기숙사에 있는데 옆방에서 싸우는 소리가 들렸습니다. 옆방에 사는 두 사람은 사이가 좋은 단짝 친구들인데 왜 (㉠   ) 궁금했습니다. 그래서 오늘 친구에게 물어봤습니다. 친구는 두 사람이 싸운 것이 아니라 드라마를 보다가 남자 주인공의 멋있는 모습이 나와서 소리를 지른 것이었다고 말해줬습니다. 그것을 듣고 제가 싸웠다고 생각한 것입니다.

61 ㉠에 들어갈 말로 가장 알맞은 것을 고르십시오.

① 싸웠는지
② 싸우면서
③ 싸울 만큼
④ 싸우는 동안

62 윗글의 내용과 같은 것을 고르십시오.

① 옆방 사람들이 싸웠습니다.
② 옆방이 어제 시끄러웠습니다.
③ 옆방 사람들은 사이가 좋지 않습니다.
④ 옆방 사람에게 싸운 이유를 물어봤습니다.

※ [63~64] 다음을 읽고 물음에 답하십시오.

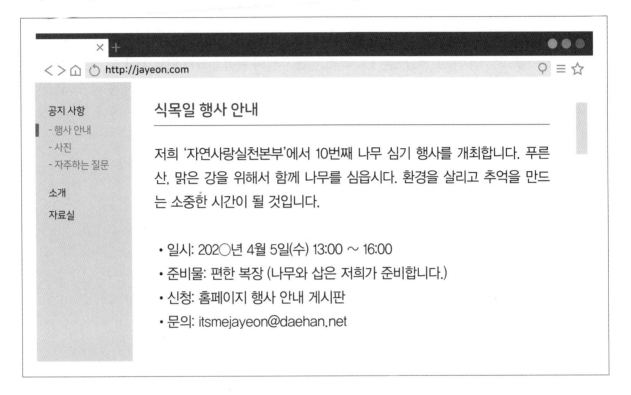

63 왜 윗글을 썼는지 맞는 것을 고르십시오. (2점)

① 함께 나무 심을 사람을 찾으려고
② 행사 시간이 바뀐 것을 알리려고
③ 나무 심기의 중요성을 설명하려고
④ 행사에 필요한 나무와 삽을 사려고

64 윗글의 내용과 같은 것을 고르십시오. (3점)

① 이 행사는 올해 처음 열립니다.
② 이 행사는 오후 한 시에 시작합니다.
③ 이 행사에 참여하려면 나무를 사야 합니다.
④ 참가 신청은 전화나 메일로 할 수 있습니다.

※ [65~66] 다음을 읽고 물음에 답하십시오. (각 3점)

보통 사람들은 일주일에 5일 동안 일을 합니다. 월요일부터 금요일까지 일을 하고 주말에는 쉽니다. 약국에서 약을 파는 약사들도 주말에는 쉽니다. 그런데 주말에 몸이 아파서 약을 사야 할 때도 있습니다. 그런 사람들을 위해서 약사들은 돌아가면서 (㉠   ) 약속했습니다. 주말에 일을 한 약사들은 다른 날에 쉽니다. 주말에 문을 여는 약국은 인터넷에서 알아볼 수 있습니다.

65 ㉠에 들어갈 말로 가장 알맞은 것을 고르십시오. (2점)

① 주말에도 약국을 열기로
② 인터넷으로 약을 팔기로
③ 환자를 직접 찾아가기로
④ 토요일에는 모두 다 쉬기로

66 윗글의 내용과 같은 것을 고르십시오. (3점)

① 약사들은 모두 주말에도 일을 합니다.
② 주말에 약국에 가려면 예약을 해야 합니다.
③ 다른 요일에 쉬고 주말에만 여는 약국도 있습니다.
④ 주말에 여는 약국을 인터넷에서 찾을 수 있습니다.

※ [67~68] 다음을 읽고 물음에 답하십시오. (각 3점)

> 롯데월드타워는 한국에서 가장 높은 빌딩입니다. 2016년에 만들어진 이 건물은 서울 잠실에 있는데 123층에 555m로 세계에서 다섯 번째로 높은 건물입니다. 이 건물에는 쇼핑몰, 사무실, 호텔이 있고, 여러 가지 서비스가 있는 최고급 아파트도 있습니다. 맨 위에는 '서울 스카이'가 있는데, 여기에 올라가면 (㉠) 인기가 많습니다.

67 ㉠에 들어갈 말로 가장 알맞은 것을 고르십시오.

① 서울의 역사에 대해 알 수 있어서
② 서울 시내를 한눈에 볼 수 있어서
③ 한국의 전통문화를 느낄 수 있어서
④ 한국의 건축 기술을 배울 수 있어서

68 윗글의 내용과 같은 것을 고르십시오.

① 롯데월드타워 안에는 호텔이 있습니다.
② 롯데월드타워에서는 사람이 살 수 없습니다.
③ 롯데월드타워는 세계의 빌딩 중 가장 높습니다.
④ 롯데월드타워의 가장 높은 곳에 사무실이 있습니다.

※ [69~70] 다음을 읽고 물음에 답하십시오. (각 3점)

저는 얼마 전에 자동차 운전면허를 땄습니다. 그런데 아직 운전을 잘하지 못합니다. 그래서 주말마다 여자 친구와 운전 연습을 하기로 했습니다. 처음에는 운전에 익숙하지 않아서 (㉠   ). 그런데 여자 친구가 계속 잘하고 있다고 칭찬을 해 줘서 마음이 편해지고 자신감도 생겼습니다. 여자 친구 덕분에 이제 운전에 좀 익숙해진 것 같습니다.

69 ㉠에 들어갈 말로 가장 알맞은 것을 고르십시오.

① 긴장이 되었습니다
② 잘할 수 있었습니다
③ 자신감이 생겼습니다
④ 마음이 편안했습니다

70 윗글의 내용으로 알 수 있는 것을 고르십시오.

① 여자 친구가 운전을 해 주었습니다.
② 나는 운전면허를 딴 지 얼마 안 됐습니다.
③ 여자 친구는 오래전에 운전면허를 땄습니다.
④ 나는 이제 운전을 아주 잘 하게 되었습니다.

좋은 책을 만드는 길, 독자님과 함께하겠습니다.
. . . .

2024 한국어능력시험 TOPIK I 한 번에 통과하기

개정11판1쇄 발행	2024년 02월 05일 (인쇄 2024년 01월 19일)
초 판 인 쇄	2014년 06월 10일 (인쇄 2014년 04월 11일)
발 행 인	박영일
책 임 편 집	이해욱
편 저	한국어능력시험연구회 · 임준
편 집 진 행	구설희 · 곽주영
표지디자인	조혜령
본문디자인	홍영란 · 채현주
그 림	기도연
발 행 처	(주)시대고시기획
출 판 등 록	제10-1521호
주 소	서울시 마포구 큰우물로 75 [도화동 538 성지 B/D] 9F
전 화	1600-3600
팩 스	02-701-8823
홈 페 이 지	www.sdedu.co.kr

I S B N	979-11-383-6372-3 (14710)
	979-11-383-6371-6 (세트)
정 가	22,000원

TOPIK 완벽 대비, 한 번에 제대로 공부하자!

TOPIK 전문 교수와 함께하는
〈토픽 I · II 한 번에 통과하기〉 무료 동영상 강의

영역별
공략 비법
+
핵심
이론
+
문제
풀이

강의 도서

〈TOPIK I 한 번에 통과하기〉

〈TOPIK II 한 번에 통과하기〉

※ 임준 선생님의 YouTube 채널 'TOPIK STUDY'에서도 동일한 강의가 무료로 제공됩니다.

수강 방법

SD에듀 홈페이지(sdedu.co.kr) 접속 → 학습 자료실 →
무료 특강 → 자격증/면허증 → 언어/어학 → TOPIK 클릭 →
'TOPIK I · II 한 번에 통과하기' 클릭

※ 강의 제목 및 커리큘럼은 바뀔 수 있습니다.

한국인이 되는 합격의 공식

한국어능력시험

TOPIK

2024
최신개정판

중국, 대만, 베트남 현지 번역 출간
온라인 모의고사(객관식, 도서 동형)

토픽 I

저자 한국어능력시험연구회 · 엄준

All-in-One Guide to the TOPIK I　　一本通　　한국어능력시험

한 번에 통과하기

정답 및 해설

SD에듀
(주)시대고시기획

BEST 5

한국어 선생님이 되려면 꼭 봐야 하는

한국어교육능력검정시험 추천 도서

한국어교육능력검정시험 **30일 안에 다잡기**

한국어교육능력의
기본기를 쌓자!

- 다년간 이론과 문제를 정확하게 분석
- 시험에 출제되는 경향에 맞게 문제 구성
- 전문, 학술용어에 대한 자세한 설명 제공

한국어교육능력검정시험 **5년간 기출문제해설**

기출문제분석으로
총정리하자!

- 3~17회 e-book 출시
- 문제와 관련된 참고문헌 제시
- 자세한 기출문제해설 수록

한국어교육능력검정시험 **교안작성연습**

교안작성연습도
철저히 하자!

- 정확한 기출 경향 분석을 통한 해설 수록
- 기본적으로 알아야 할 교안작성법 제시
- 출제 가능성이 높은 문법 항목으로 문제 구성

한국어교육능력검정시험 **2차 면접시험**

면접시험도
완벽하게 준비하자!

- 합격생들의 생생한 면접 후기 수록
- 기출 중심의 예시문제와 답변 Tip
- 한국어교육 현장에서 알아야 할 다양한 정보 수록
- 면접 기출 전 회차 복원 수록

한국어교육능력검정시험 **용어해설**

모르는 용어도
확실하게 알고 넘어가자!

- 편리한 사전식 구성
- 영역별 핵심용어 완벽 정리
- 상세한 해설 및 도표 수록

※ 도서의 이미지 및 구성은 변경될 수 있습니다.

PART

03

정답 및 해설

시험 당일 유의점

01 시험 시작 40분 전까지 해당 시험실의 지정된 자리에 앉아 있어야 하며, 다른 지역이나 다른 시험 장에서는 절대로 응시할 수 없습니다.

02 본인 확인을 위해 수험표와 규정된 신분증(외국인등록증, 여권, 운전면허증 등)을 모두 제시할 수 있어야 하며, 시험 당일 신분증을 가져오지 않으면 시험에 응시할 수 없습니다. 학생증, 자격증, 규정된 신분증의 복사본 모두 신분증으로 인정하지 않습니다.

03 시험 시간(쉬는 시간 포함) 중에는 모든 전자기기를 사용할 수 없습니다. 전자기기를 포함한 아래의 반입 금지 물품은 시험 시작 전 감독관 지시에 따라 제출하도록 합니다. 제출하지 않은 경우, 부정행위로 간주합니다.

> **반입 금지 물품**
>
> 휴대폰, 이어폰, 디지털카메라, MP3, 전자사전, 카메라 펜, 전자계산기, 라디오, 휴대용 미디어 플레이어, 스마트 워치, 웨어러블 장비, 시각 표시와 교시별 잔여 시간 표시 이외의 기능이 부착된 시계 등 모든 전자기기

04 시험 시간 중에는 신분증을 책상 위에 올려 두어야 하며, 책상 위에는 신분증 외에 어떠한 물품도 놓을 수 없습니다. 수험표 역시 출석 확인이 끝나면 가방 안이나 책상 서랍 안에 보이지 않게 넣도록 합니다.

05 시험 시간 관리 책임은 수험생 본인에게 있으며, 시간 내에 답안 작성을 완료하여야 합니다. 특히 듣기 평가 종료 후 별도의 마킹 시간이 없으므로 듣기 평가 시 문제를 들으며 마킹을 해야 합니다.

06 시험 시간 도중 교실을 나올 수 없으며, 부득이한 경우에만 감독관의 허락을 받아 조용히 퇴실할 수 있습니다. 단, 이러한 경우에는 성적 처리가 되지 않음에 유의해야 합니다.

07 시험 도중 질병으로 인한 화장실 이용 등으로 인하여 부득이하게 복도로 나갈 시 부정행위를 예방하기 위한 복도 감독관의 확인에 협조하여야 합니다.

08 시험 감독관의 지시를 따르지 않는 사람 및 부정행위자는 당해 시험의 정지, 무효, 또는 합격 취소 처분을 받을 수 있으며, 2년간 시험 응시 자격이 제한될 수 있습니다.

듣기(01번~30번)

점수: (　　　)점/**100**점

01	02	03	04	05	06	07	08	09	10
①	③	①	②	①	②	③	④	④	③
11	**12**	**13**	**14**	**15**	**16**	**17**	**18**	**19**	**20**
②	①	④	①	③	①	①	③	②	②
21	**22**	**23**	**24**	**25**	**26**	**27**	**28**	**29**	**30**
①	①	①	③	④	④	②	④	①	③

■ 정답 근거

01　맞는 대답 고르기

정 답　①

남자: 물이에요?
여자: ＿＿＿＿＿＿＿＿＿＿＿＿＿＿＿＿＿＿＿＿＿＿

❶ 네, 물이에요.
② 네, 물이 아니에요.
③ 아니요, 물이 좋아요.
④ 아니요, 물이 맛있어요.

해 설
물인지 물이 아닌지를 물었기 때문에 '네, 물이에요.' 또는 '아니요, 물이 아니에요.'라고 대답해야 합니다.

단 어
물, 좋다, 맛있다

说明
男的问了是不是水，所以女的应该回答"네, 물이에요(是的，是水)"或"아니요, 물이 아니에요(不是，不是水)"。

单词
水，好，好吃/可口/味道好

Explanation
The man asked if it was water or not, so the woman should answer, '네, 물이에요(Yes, it's water),' or '아니요, 물이 아니에요(No, it's not water).'

Words
water, good, delicious

02 맞는 대답 고르기

정답 ③

남자: 지갑이 비싸요?
여자: _____

① 네, 지갑이 좋아요.
② 네, 지갑을 샀어요.
❸ 아니요, 지갑이 싸요.
④ 아니요, 지갑에 있어요.

해 설

지갑이 비싼지를 물었기 때문에 '네, (지갑이) 비싸요.' 또는 '아니요, (지갑이) 싸요/안 비싸요.'라고 대답해야 합니다.

단 어

지갑, 사다, 싸다, 비싸다

说明

因为男的问了钱包贵不贵，所以女的应该回答"네, 지갑이 비싸요(是的，贵)"或"아니요, 지갑이 안 비싸요(不，不贵)"。

单词

钱包，买，便宜，贵/价格高

Explanation

The man asked if the wallet was expensive, so the woman should answer, '네, (지갑이) 비싸요(Yes, it's expensive),' or, '아니요, (지갑이) 싸요/안 비싸요(No, it's cheap/not expensive).'

Words

wallet, buy, cheap, expensive

03 맞는 대답 고르기

정답 ①

남자: 어디에 가요?
여자: _____

❶ 우체국에 가요.
② 친구하고 가요.
③ 다음 주에 가요.
④ 돈을 가지고 가요.

해 설

'어디'는 장소를 묻는 말입니다. '가다' 앞에서는 '(장소)+에'로 대답하는 것이 알맞습니다.

단 어

우체국, 가다, 가지(고) 가다

说明

"어디(哪里)"是询问地点的词语。所以在"가다(去/走)"前面用"장소(场所)+에"来回答。

单词

邮局，去，带着…去

Explanation

'어디(where)' is a word to ask for a place. It is appropriate to answer '장소(place)+에' in front of '가다(go).'

Words

post office, go, bring

04 맞는 대답 고르기

정답 ②

남자: 누구하고 여행을 가요?
여자: _____

① 내일 가요.
❷ 누나랑 가요.
③ 제주도로 가요.
④ 바다를 보러 가요.

해 설

'누구'하고 가는지를 물어봤기 때문에 사람과 관련된 대답이 나와야 합니다. '~하고'는 '~와/과', '~(이)랑'으로 바꾸어 쓸 수 있습니다.

단 어

여행, 가다, 보다

说明

因为男的向女的问了和谁一起去，所以回答应该是和人相关的。"~하고(和…)"也可替换成"~와/과"，"~(이)랑"。

单词

旅行，去，看

Explanation

The man asked the woman who she was going with, so an answer related to a person should come out. You can replace the word, '~하고(and/with ~)' with '~와/과' or '~(이)랑.'

Words

travel, go, watch

05 이어지는 말 고르기

남자: 민화 씨, 처음 뵙겠습니다.
여자: _____

❶ 네, 안녕하세요.
② 네, 내일 만나요.
③ 네, 안녕히 가세요.
④ 네, 처음 배웠습니다.

해설

남자와 여자가 처음 만난 상황입니다. '안녕하세요.' 또는 '반갑습니다.'가 알맞습니다.

단어

처음, 만나다, 반갑다, 배우다

说明

男的和女的第一次见面。所以 "안녕하세요(你好)" 或 "반갑습니다(见到你很高兴)" 是对的。

单词

第一次，见面，高兴，学/学习

Explanation

This is the situation in which a man and a woman have met for the first time. '안녕하세요(Hello),' or, '반갑습니다(Glad to meet you),' is appropriate.

Words

first time, meet, glad, learn

06 이어지는 말 고르기

남자: 준희 씨, 왜 이렇게 늦었어요?
여자: _____

① 고마워요.
❷ 죄송해요.
③ 괜찮아요.
④ 어서 오세요.

해설

여자가 늦었습니다. 여자는 '미안합니다.' 또는 '죄송합니다.'라고 말해야 합니다.

단어

늦다, 죄송하다, ('미안하다'는 말에 대한 답으로) 괜찮다

说明

女的迟到了。那她应该说 "미안합니다(不好意思)" 或 "죄송합니다(对不起)"。

单词

晚/迟到，对不起，(回答 "不好意思" 的时候) 没关系

Explanation

The woman is late. She should say '미안합니다(Sorry),' or '죄송합니다.'

Words

late, sorry, (in response to 'sorry') It's okay.

07 담화 장소 고르기

남자: 이 책은 얼마예요?
여자: 이 잡지는 삼천 원입니다.

① 약국
② 교실
❸ 서점
④ 식당

해설

책이나 잡지를 파는 곳은 '서점'입니다.

단어

책, 약국, 교실, 서점, 식당

说明

售卖书或杂志的地方是 "서점(书店)"。

单词

书，药店，教室，书店，食堂/饭店/餐厅

Explanation

A place where books or magazines are sold is a '서점(bookstore).'

Words

book, pharmacy, classroom, bookstore, restaurant

08 담화 장소 고르기

정답 ④

남자: 영화가 몇 시에 시작해요?
여자: 십 분 후에 시작하니까 지금 들어가야 해요.

① 운동장
② 미술관
③ 동물원
❹ 영화관

해설

영화를 보는 곳은 '영화관'입니다.

단어

영화, 운동장, 미술관, 동물원, 영화관

说明

看电影的地方是 "영화관(电影院)" 。

单词

电影，操场，美术馆，动物园，电影院

Explanation

A place where you watch movies is a '영화관(movie theater).'

Words

movie, playground, art museum, zoo, movie theater

09 담화 장소 고르기

정답 ④

남자: 명동에 가려면 어떻게 가야 해요?
여자: 다음 역에서 내려서 4호선으로 갈아타세요.

① 택시
② 버스
③ 비행기
❹ 지하철

해설

갈아탈 수 있는 것은 버스나 지하철입니다. 그런데 여자가 '~호선'이라고 한 것을 보아 여기는 '지하철'입니다.

단어

역, 갈아타다, 택시, 버스, 비행기, 지하철

说明

可以换乘的有公交车或地铁，但是女的说了 "~호선(…号线)" ，因此可以判断出这里是 "지하철(地铁)" 。

单词

站，换乘，出租车，公交车，飞机，地铁

Explanation

Public transportation from which people can transfer could be a bus or a subway. But judging from what the woman said, '~호선(line ~),' it is the '지하철(subway).'

Words

station, transfer, taxi, bus, airplane, subway

10 담화 장소 고르기

정답 ③

남자: 무엇을 도와드릴까요?
여자: 여권에 붙일 사진을 찍으러 왔어요.

① 공항
② 공원
❸ 사진관
④ 대사관

해설

사진을 찍는 곳은 '사진관'입니다.

단어

여권, 사진, 공항, 공원, 사진관, 대사관

说明

拍照的地方是 "사진관(照相馆)" 。

单词

护照，照片/相片，机场，公园，照相馆，大使馆

Explanation

A place where you take pictures is the '사진관(photo studio).'

Words

passport, photo, airport, park, photo studio, embassy

11 화제 고르기

남자: 이거 서점에서 샀어요?
여자: 아니요, 도서관에서 빌렸어요.

① 돈
❷ 책
③ 일
④ 잠

해설

'서점에서 사다', '도서관에서 빌리다'라는 말이 나왔습니다. 이것은 '책'에 대한 대화입니다.

단어

서점, 도서관, 일, 잠

说明

对话中出现了"서점에서 사다(在书店买)"，"도서관에서 빌리다(在图书馆借)"，所以这是有关"책(书)"的对话。

单词

书店，图书馆，工作，睡觉

Explanation

In the conversation, the phrases '서점에서 사다(buy at a bookstore)' and '도서관에서 빌리다(borrow from a library)' appeared. This is a conversation about a '책(book).'

Words

bookstore, library, work, sleep

12 화제 고르기

남자: 사진에 있는 사람은 누구예요?
여자: 이 사람은 형이고, 이 사람은 동생이에요.

해설

'형', '동생'이라는 말이 나왔습니다. 이것은 '가족'에 대한 대화입니다.

❶ 가족
② 친구
③ 선생님
④ 부모님

단어

형, 동생, 가족, 친구, 선생님, 부모님

说明

对话中出现了"형(哥哥)"，"동생(弟弟/妹妹)"，所以这是有关"가족(家庭/家人)"的对话。

单词

哥哥，弟弟/妹妹，家庭/家人，朋友，老师，父母

Explanation

The words '형(elder brother)' and '동생(younger brother)' appeared. This is a conversation about '가족(family).'

Words

elder brother, younger brother, family, friend, teacher, parents

13 화제 고르기

남자: 내일 비가 와요?
여자: 아니요, 맑고 조금 더워요.

① 계절
② 장소
③ 날짜
❹ 날씨

해설

'비가 오다', '맑다', '덥다'라는 말이 나왔습니다. 이것은 '날씨'에 대한 대화입니다.

단어

비, 맑다, 덥다, 계절, 날짜, 날씨

说明

对话中出现了"비가 오다(下雨)"，"맑다(晴朗)"，"덥다(热)"，所以这是有关"날씨(天气)"的对话。

单词

雨，晴朗，热，季节，日/日子/日期，天气

Explanation

The words '비가 오다(rainy),' '맑다(clear),' and '덥다(hot)' appeared. This is a conversation about '날씨(weather).'

Words

rain, clear, hot, season, date, weather

14　화제 고르기

정답　①

> 남자: 지영 씨는 새해에 뭘 할 거예요? 저는 매일 운동을 할 거예요.
> 여자: 저는 기타를 배우고 책을 많이 읽으려고 해요.

❶ 계획
② 운동
③ 약속
④ 주말

해설
'새해', '운동을 하다', '기타를 배우다', '책을 읽다'라는 말이 나왔습니다. 이것은 '새해 계획'에 대한 대화입니다.

단어
새해, 운동, 약속

说明
对话中出现了 "새해(新年)"，"운동을 하다(做运动)"，"기타를 배우다(学吉他)"，"책을 읽다(看书)"，这是有关 "새해 계획(新年计划)" 的对话。

单词
新年，运动，约会/约定

Explanation
The words '새해(New Year),' '운동을 하다(exercise),' '기타를 배우다(learn guitar),' and '책을 읽다(read (a) book(s))' appeared. This is a conversation about '새해 계획(a New Year's plan).'

Words
New Year's Day, exercise, appointment/promise

15　일치하는 그림 고르기

정답　③

> 남자: 미안해요. 차가 막혀서 늦었어요. 오래 기다렸어요?
> 여자: 아니에요. 괜찮아요. 뭐 먹을래요?

해설
'미안해요.', '늦었어요.', '오래 기다렸어요?'라는 남자의 말과 '뭐 먹을래요?'라는 여자의 말을 통해 두 사람이 식당에서 만나기로 약속을 했었음을 알 수 있습니다.

단어
미안하다, (차가) 막히다, 기다리다

说明
根据男的说 "미안해요(不好意思)"，"늦었어요(迟到了)"，"오래 기다렸어요(久等了吧)?"，女的说 "뭐 먹을래요(吃什么呢)?"，可以推测出他们已经约好在餐厅见面了。

单词
不好意思，堵车/塞车，等待

Explanation
Based on the words of a man, '미안해요(I'm sorry),' '늦었어요(I'm late),' and '오래 기다렸어요(Did you wait for a long time)?,' and the words of a woman, '뭐 먹을래요(What do you want to eat)?,' we can predict that the two promised to meet at the restaurant.

Words
sorry, there's traffic, waiting

16 일치하는 그림 고르기

남자: 지금 여기에 채소를 넣을까요?
여자: 아니요, 고기를 더 볶은 후에 넣어야 돼요.

해 설

'채소를 넣을까요?'라는 남자의 말과 '고기를 볶은 후'라는 여자의 말을 통해 여자가 남자에게 요리를 가르쳐 주고 있음을 알 수 있습니다.

단 어

채소, 볶다

说明

根据男的说"채소를 넣을까요(放蔬菜进去吗)?", 女的说"고기를 볶은 후(炒了肉之后)", 可以推测出女的正在教男的做菜。

单词

蔬菜, 炒

Explanation

Based on a man's words, '채소를 넣을까요(Should I add vegetables)?,' and a woman's words, '고기를 볶은 후(after stir-frying the meat),' we can predict that the woman is teaching the man to cook.

Words

vegetables, stir-fry

17 일치하는 내용 고르기

남자: 수빈 씨, 이번 주말에 여행을 가요?
여자: 네, 제주도에 가요. 금요일 밤 비행기를 탈 거예요.
남자: 잘 다녀오세요. 사진도 많이 찍고요.

해 설

❶ 여자는 금요일에 출발합니다.
② 남자는 주말에 여행을 갑니다.
　→ 여자가 주말에 여행을 갑니다.
③ 두 사람은 제주도에 있습니다.
　→ 두 사람 모두 제주도에 있지 않습니다. 여자가 제주도에 여행을 갈 겁니다.
④ 여자는 사진을 많이 찍었습니다.
　→ 여자는 아직 사진을 찍지 않았습니다. 남자가 여자에게 사진을 많이 찍으라고 했습니다.

단 어

주말, 여행, 출발하다, (사진을) 찍다

说明

❶ 女的星期五出发。
② 男的周末去旅行。
　→ 女的周末去旅行。
③ 两人在济州岛。
　→ 两人都不在济州岛。女的会去济州岛旅行。
④ 女的拍了很多照片。
　→ 女的还没有拍照。男的叫女的多拍一点照片。

单词

周末, 旅游, 出发, 拍照

Explanation

① The woman leaves on Friday.
② The man travels on weekends.
　→ The woman travels on weekends.
③ The two are in Jeju Island.
　→ Neither of them are in Jeju Island. The woman will travel to Jeju Island.
④ The woman took a lot of pictures.
　→ The woman hasn't taken a picture yet. The man told the woman to take a lot of pictures.

Words

weekend, trip, departure, take picture

18 일치하는 내용 고르기

남자: 어떻게 해 드릴까요?
여자: 조금만 다듬어 주시고 갈색으로 염색해 주세요.
남자: 파마도 해 드릴까요?
여자: 아니요, 파마는 다음에 할게요.

해설

① 여자는 파마를 할 겁니다.
　→ 여자는 파마를 다음에 할 겁니다.
② 여자는 미용실에서 일합니다.
　→ 남자가 미용실에서 일합니다.
❸ 여자는 갈색으로 염색할 겁니다.
④ 여자는 머리를 많이 자를 겁니다.
　→ 여자는 머리를 조금만 자를 겁니다.

단어

(머리를) 다듬다/자르다, 염색하다, 파마, 미용실

说明

① 女的要烫发。
　→ 女的下次再烫发。
② 女的在美发厅工作。
　→ 男的在美发厅工作。
❸ 女的要染成棕色。
④ 女的要剪很多头发。
　→ 女的会只剪一点点头发。

单词

修发/剪发，染发，烫发，美发厅

Explanation

① The woman will get a perm.
　→ The woman will get a perm next time.
② The woman works at a hair salon.
　→ The man works at a hair salon.
❸ The woman will dye her hair brown.
④ The woman will get her hair cut a lot.
　→ The woman will get her hair cut a little.

Words

trim/cut, dye, perm, hair salon

19 일치하는 내용 고르기

여자: 비자 기간이 곧 끝나서 대사관에 가야 해요.
남자: 비자를 연장할 거예요? 같이 갈까요?
여자: 고마워요. 그럼 다음 주 월요일에 갈까요?
남자: 좋아요. 월요일 수업이 끝난 후에 같이 가요.

해설

① 남자는 비자를 연장할 겁니다.
　→ 여자가 비자를 연장할 겁니다.
❷ 여자는 월요일에 대사관에 갈 겁니다.
③ 여자는 비자를 만들러 대사관에 갑니다.
　→ 여자는 비자를 연장하러 대사관에 갑니다.
④ 남자와 여자는 월요일에 수업이 없습니다.
　→ 남자는 월요일에 수업이 있습니다. 여자도 수업이 있는지는 알
　　수 없습니다.

단어

비자, 연장하다, 같이, 수업

说明

① 男的要延长签证。
　→ 女的要延长签证。
❷ 女的星期一会去大使馆。
③ 女的去大使馆办理签证。
　→ 女的去大使馆延长签证。
④ 男的和女的星期一没有课。
　→ 男的星期一有课。不知道女的是不是也没有课。

单词

签证，延长，一起，课

Explanation

① The man will extend his visa.
　→ The woman will extend her visa.
❷ The woman will go to the embassy on Monday.
③ The woman goes to the embassy to make a visa.
　→ The woman goes to the embassy to extend her visa.
④ The man and the woman don't have classes on Monday.
　→ The man has classes on Monday. Even the woman
　　doesn't know if she has classes.

Words

visa, extend, together, class

20 일치하는 내용 고르기

> 남자: 지영 씨, 파티 준비는 다 됐어요?
> 여자: 네, 술과 음식은 다 준비했고, 케이크는 준희 씨가 사 오기로 했어요.
> 남자: 그런데 생일 선물은 준비했어요? 저는 지금 가서 사려고 해요.
> 여자: 저도 아직 못 샀는데, 같이 갑시다.

해설

① 남자는 방금 케이크를 사 왔습니다.
   → 준희 씨가 케이크를 사 올 겁니다.
❷ 여자는 술과 음식을 준비했습니다.
③ 여자는 생일 선물을 미리 준비했습니다.
   → 여자는 아직 생일 선물을 못 샀습니다.
④ 남자는 혼자 생일 선물을 사러 갔습니다.
   → 남자는 여자와 같이 생일 선물을 사러 갈 겁니다.

단 어

술, 음식, 준비하다, 선물

说明

① 男的刚刚买来了蛋糕。
   → 준희会买蛋糕来。
❷ 女的准备了酒和食物。
③ 女的提前准备了生日礼物。
   → 女的还没买生日礼物。
④ 男的自己去买生日礼物了。
   → 男的和女的要一起去买生日礼物。

单词

酒，食物，准备，礼物

Explanation

① The man just bought a cake.
   → Junhee will buy a cake.
❷ The woman prepared alcohol and food.
③ The woman prepared a birthday present in advance.
   → The woman hasn't bought a birthday present yet.
④ The man bought a birthday gift alone.
   → The man will buy a birthday present with the woman.

Words

alcohol, food, prepare, present

21 일치하는 내용 고르기

> 여자: 여보세요? 부장님, 제가 오늘 몸이 안 좋아서 회사에 못 갈 것 같아요.
> 남자: 아, 그렇군요. 약은 먹었어요?
> 여자: 네, 어제 병원과 약국에 갔다 왔어요.
> 남자: 다행이네요. 오늘은 푹 쉬세요. 내일 아침에 다시 전화해 주세요.

해설

❶ 여자는 약을 먹었습니다.
② 남자는 어제 병원에 갔습니다.
   → 여자가 어제 병원과 약국에 갔습니다.
③ 남자는 오늘 집에서 쉴 겁니다.
   → 여자가 오늘 집에서 쉴 겁니다. 남자가 여자에게 오늘 집에서 쉬라고 했습니다.
④ 여자는 오늘 회사에 늦게 갈 겁니다.
   → 여자는 오늘 회사에 안 갈 겁니다.

단 어

몸(= 컨디션)이 안 좋다, 병원, 약국, 쉬다, 회사

说明

❶ 女的吃了药。
② 男的昨天去了医院。
   → 女的昨天去了医院和药店。
③ 男的今天会在家休息。
   → 女的今天会在家休息。男的叫女的今天在家休息。
④ 女的今天会晚点去公司。
   → 女的今天不去公司。

单词

身体不舒服/状态不好，医院，药店，休息，公司

Explanation

❶ The woman took medicine.
② The man went to the hospital yesterday.
   → The woman went to the hospital and pharmacy yesterday.
③ The man will rest at home today.
   → The woman will rest at home today. The man told the woman to rest at home today.
④ The woman will go to work late today.
   → The woman will not go to work today.

Words

feel under the weather, hospital, pharmacy, rest, company

22 중심 생각 고르기

정답 ①

여자: 어제 인터넷에서 이 옷을 샀는데 어때요?

남자: 저는 직접 보고 고르는 게 좋더라고요.

여자: 하지만 인터넷으로 사면 훨씬 싸요. 시간도 절약되고요.

남자: 그래요? 그래도 저는 화면으로 보는 건 믿을 수가 없어서요.

해설

여자는 인터넷 쇼핑이 싸고 시간을 절약할 수 있다는 장점이 있다고 했습니다.

단어

(시간이나 돈이) 절약되다, 믿다, 인터넷 쇼핑, 장점

说明

女的认为网上购物有既便宜又能节省时间的优点。

单词

(时间或金钱)节约, 相信, 网购, 长处/优点

Explanation

The woman said that Internet shopping is cheap and has the advantage of saving time.

Words

save (time or money), believe, Internet shopping, advantage

23 중심 생각 고르기

정답 ①

남자: 무엇을 도와드릴까요?

여자: 어제 이 옷을 샀는데 바꿀 수 있을까요?

남자: 옷에 무슨 문제가 있나요?

여자: 좀 큰 것 같아요. 다른 사이즈로 보여 주세요.

해설

여자는 어제 산 옷이 크기 때문에 다른 사이즈, 즉 더 작은 옷을 보여 달라고 했습니다.

단어

바꾸다(= 교환하다), 다른, 문제가 있다, 환불받다

说明

女的因为昨天买的衣服太大了, 要求店员把别的尺寸, 也就是小点的衣服给她看看。

单词

换(=交换/换货), 别的/其他的, 有问题, 退款

Explanation

The woman asked to show her other sizes, that is, smaller clothes, because the clothes she bought yesterday were large.

Words

change(= exchange), another, have a problem, get a refund

24 중심 생각 고르기

정답 ③

남자: 어디가 불편해서 오셨어요?

여자: 감기에 걸려서요. 그런데 일을 해서 약을 먹고 졸리지 않았으면 좋겠어요.

남자: 그럼 조금 약한 약으로 드릴까요?

여자: 네, 그렇게 해 주세요. 중요한 회의가 있거든요.

해설

여자는 일을 해야 하기 때문에 졸리지 않은 약한 약을 먹고 싶다고 했습니다.

단어

불편하다, 감기에 걸리다, 졸리다, 중요하다, 회의

说明

女的因为要工作, 所以想吃药效弱的防犯困的药。

单词

不方便/不舒服, 感冒, 犯困/困, 重要, 会议

Explanation

The woman said that she wanted to take medicine that wouldn't make her sleepy because she had to work.

Words

uncomfortable, catch a cold, sleepy, important, meeting

[25~26]

여자: 오늘도 반곡 전시관을 이용해 주셔서 감사합니다. 저희 전시관에서는 여러 화가들의 작품을 감상하실 수 있습니다. 전시관은 월요일부터 토요일, 아침 열 시부터 오후 여섯 시까지 이용하실 수 있습니다. 이제 삼십 분 후에는 문을 닫을 예정이오니 그때까지 관람을 마쳐 주시기 바랍니다. 안녕히 가십시오. 감사합니다.

25 화자의 의도/목적 고르기

정답 ④

해설

여자는 전시관 이용 시간을 안내한 후, 곧 문을 닫을 거란 말을 하고 있습니다.

단어

전시관, 감상하다, 관람, 일정, 문을 닫다(= 영업을 종료하다)

说明

女的说在她告知完展览馆使用时间后，即将闭馆。

单词

展览馆，欣赏/观赏，观看/参观，日程，关门(=终止营业)

Explanation

The woman is saying that it will close soon after informing the exhibition hall's operating hours.

Words

exhibition hall, appreciate, watch, schedule, close (up)

26 일치하는 내용 고르기

정답 ④

해설

① 일요일에도 관람할 수 있습니다.
　→ 전시관은 월요일부터 토요일까지 문을 엽니다. 일요일에는 관람할 수 없습니다.
② 토요일에는 오전 9시에 문을 엽니다.
　→ 토요일에도 오전 10시에 문을 엽니다.
③ 6시 30분까지 작품을 볼 수 있습니다.
　→ 오후 6시까지 작품을 볼 수 있습니다.
❹ 화가 여러 명의 작품이 전시되어 있습니다.

단어

화가, 작품, 문을 열다(= 영업을 시작하다)

说明

① 星期天也可以参观。
　→ 展览馆星期一至星期六开门。星期天不能参观。
② 星期六上午9点开门。
　→ 星期六也是上午10点开门。
③ 6点30分前可以观看作品。
　→ 到下午6点前可以观看作品。
❹ 正在展示多名画家的作品。

单词

画家，作品，开门(=开始营业)

Explanation

① You can also watch it on Sundays.
　→ An exhibition hall is open from Monday to Saturday. You can't watch it on Sundays.
② It opens at 9 a.m. on Saturdays.
　→ It opens at 10 a.m. on Saturdays, too.
③ You can see the work until 6:30 p.m.
　→ You can see the work until 6 p.m.
❹ Works by several artists are on display.

Words

painter, work, open (the door)

남자: 요즘 저는 인터넷 동영상을 보면서 집에서 운동을 해요.
여자: 아, 홈트레이닝을 하시는군요? 어때요? 재미있어요?
남자: 아니요. 혼자 운동을 하니까 좀 지루해요.
여자: 그럼 저하고 같이 할까요? 저도 운동을 하고 싶거든요.
남자: 정말요? 그럼 내일 저녁부터 할까요? 일곱 시 어때요?
여자: 좋아요. 그럼 그때 만나요.

27 화제 고르기

정답 ②

해설

두 사람은 인터넷 동영상을 보면서 집에서 운동하는 홈트레이닝에 대해 이야기하고 있습니다.

단어

재미있다, 지루하다, 초대

说明

两人一边看着网上的视频一边在讨论着关于在家做运动。

单词

有趣/有意思，无聊/厌烦，邀请/招待

Explanation

The two people are talking about home training exercises while watching Internet videos.

Words

fun, boring, invitation

28 일치하는 내용 고르기

정답 ④

해설

① 남자는 내일부터 운동을 시작합니다.
　→ 남자는 요즘 운동을 하고 있습니다.
② 남자는 요즘 친구와 같이 운동합니다.
　→ 남자는 인터넷 동영상을 보면서 혼자 운동합니다.
③ 여자는 인터넷을 보면서 운동했습니다.
　→ 여자는 그동안 운동을 하지 않았습니다.
❹ 여자와 남자는 내일 저녁에 만날 겁니다.

단어

시작하다, 만나다, 같이, 혼자

说明

① 男的从明天开始运动。
　→ 男的最近有在做运动。
② 男的最近和朋友一起运动。
　→ 男的看网上的视频自己做运动。
③ 女的看网上的视频做运动。
　→ 女的这段时间没有做运动。
❹ 女的和男的明天晚上会见面。

单词

开始，见面，一起，独自/一人

Explanation

① The man will start exercising tomorrow.
　→ The man is exercising these days.
② The man exercises with his friend these days.
　→ The man exercises alone while watching Internet videos.
③ The woman exercised while watching videos on the Internet.
　→ The woman hasn't exercised in the meantime.
❹ The woman and the man will meet tomorrow evening.

Words

start, meet, together, alone

[29~30]

> 여자: 이번 올림픽에서 금메달을 따셨는데요, 정말 축하드립니다. 소감이 어떠신지요?
> 남자: 정말 기쁩니다. 모두 이제까지 도와주고 가르쳐 주신 코치님 덕분입니다.
> 여자: 그동안 얼마나 훈련을 하셨나요? 또 어떤 점이 가장 어려웠나요?
> 남자: 저는 올림픽을 위해서 지난 4년간 매일 여섯 시간씩 훈련을 했어요. 특히, 겨울에 훈련하는 것이 가장 힘들었어요.
> 여자: 아, 그랬군요. 앞으로 어떤 계획이 있나요?
> 남자: 앞으로도 계속 노력해서 다음 올림픽에서도 좋은 성적을 거두고 싶습니다.

29 의도/목적/이유 고르기

정답 ①

해설

남자는 다음 올림픽에서도 좋은 성적을 거두기 위해서 계속 노력하겠다고 했습니다.

단어

올림픽, 금메달, 훈련, 성적을 거두다

说明

男的说为了能再次在下次奥运会上取得好成绩，会继续努力。

单词

奥运会，金牌，训练，取得成绩

Explanation

The man said he would continue to make efforts to perform well in the next Olympics.

Words

the Olympics, gold medal, training, perform

30 일치하는 내용 고르기

정답 ③

해설

① 남자는 겨울에는 훈련하지 않았습니다.
　→ 남자는 겨울에 훈련하는 것이 힘들었다고 했습니다.
② 남자는 6년 동안 올림픽을 준비했습니다.
　→ 남자는 4년 동안 올림픽을 준비했습니다.
❸ 남자는 코치님의 도움을 많이 받았습니다.
④ 남자는 이번 올림픽에서 메달을 못 땄습니다.
　→ 남자는 이번 올림픽에서 금메달을 땄습니다.

단어

힘들다, 메달을 따다

说明

① 男的在冬天没有训练。
　→ 男的说在冬天训练很困难。
② 男的准备奥运会6年了。
　→ 男的准备奥运会4年了。
❸ 男的得到了很教练的帮助。
④ 男的在这次奥运会中没有摘得奖牌。
　→ 男的在这次奥运会上摘取了金牌。

单词

吃力/累/困难，摘取奖牌

Explanation

① The man did not train in the winter.
　→ The man said it was difficult to train in the winter.
② The man has been preparing for the Olympics for six years.
　→ The man has been preparing for the Olympics for four years.
❸ The man received a lot of help from a coach.
④ The man didn't win a medal at this Olympics.
　→ The man won a gold medal at this Olympics.

Words

tired/hard/difficult, win a medal

31	32	33	34	35	36	37	38	39	40
①	③	③	①	④	④	①	①	①	②
41	**42**	**43**	**44**	**45**	**46**	**47**	**48**	**49**	**50**
④	④	④	④	①	①	②	②	②	①
51	**52**	**53**	**54**	**55**	**56**	**57**	**58**	**59**	**60**
②	③	①	④	③	②	③	②	③	①
61	**62**	**63**	**64**	**65**	**66**	**67**	**68**	**69**	**70**
③	③	④	①	③	①	②	②	④	③

▨ 정답 근거

31　화제 고르기　　　　　　　　　　　　　　　정 답　①

눈이 큽니다. 하지만 코가 작습니다.

❶ 얼굴
② 성격
③ 직업
④ 공부

해 설
'눈'과 '코'는 '얼굴'에 있습니다.

단 어
눈, 코, 얼굴, 성격, 직업, 공부

说明
"눈(眼睛)"和"코(鼻子)"在"얼굴(脸)"上。

单词
眼睛，鼻子，脸，性格，职业，学习

Explanation
'눈(Eyes)' and '코(nose)' are on the '얼굴(face).'

Words
eye(s), nose, face, personality, occupation, study

32　화제 고르기　　　　　　　　　　　　　　　정 답　③

금요일에 제주도에 가려고 합니다. 친구와 같이 갑니다.

① 주소
② 도시
❸ 여행
④ 주말

해 설
친구와 같이 제주도로 '여행'을 가려고 합니다.

단 어
도시, 여행

说明
要跟朋友一起去济州岛"여행(旅游)"。

单词
都市/城市，旅行/旅游

Explanation
I'm going on a '여행(trip)' to Jeju Island with my friend.

Words
city, travel/trip

33 화제 고르기

사과가 있습니다. 그리고 배도 있습니다.

① 요일
② 날짜
❸ 과일
④ 운동

해 설

'사과'와 '배'는 모두 '과일'입니다.

단 어

사과, 배, 요일, 과일, 운동

说明

"사과(苹果)"和"배(梨)"都是"과일(水果)"。

单词

苹果, 梨, 星期, 水果, 运动

Explanation

'사과(Apples)' and '배(pears)' are both '과일(fruits).'

Words

apple, pear, day, fruit, exercise

34 빈칸에 알맞은 말 고르기

집 근처에 지하철역이 없습니다. 그래서 버스를 (탑니다).

❶ 탑니다
② 삽니다
③ 잡니다
④ 내립니다

해 설

버스를 '타다', 버스에서 '내리다'라고 이어지는 것이 알맞습니다.

단 어

근처, 사다, 자다, ~을 타다

说明

"타다(坐)"公车, 所以"내리다(下)"公车是对的。

单词

附近, 买, 睡觉, …乘坐

Explanation

It is appropriate to use '타다(get on)' the bus and '내리다(get off)' the bus.

Words

nearby, buy, sleep, get on/off ~

35 빈칸에 알맞은 말 고르기

교실이 (어둡습니다). 그래서 불을 켭니다.

① 가깝습니다
② 시원합니다
③ 따뜻합니다
❹ 어둡습니다

해 설

불을 끄면 어둡습니다. 불을 켜면 밝습니다. '어둡기' 때문에 불을 켠다고 이어지는 것이 알맞습니다.

단 어

교실, 가깝다, 시원하다, 따뜻하다, 어둡다

说明

关灯的话黑, 开灯的话明亮。所以因为"어둡기(黑)"所以开灯是对的。

单词

教室, 近, 凉爽/爽快/痛快, 温暖/暖和/热情, 黑暗

Explanation

It's dark when you turn off the light. It's bright when you turn on the light. It is appropriate to turn on the light because of the '어둡기(darkness).'

Words

classroom, close, cool, warm, dark

36 빈칸에 알맞은 말 고르기

정 답 ④

오랜만에 노래방에 갑니다. 친구와 같이 **노래를** (부릅니다).

① 먹습니다
② 마십니다
③ 말합니다
❹ 부릅니다

해 설

노래를 '부르다', 노래를 '하다'라고 이어지는 것이 알맞습니다.

단 어

노래, 먹다, 마시다

说明

"부르다(唱)" 歌，所以 "하다" 歌是对的。

单词

练歌，吃，喝

Explanation

It is appropriate to '부르다(sing)' a song or '하다' a song.

Words

song, eat, drink

---

37 빈칸에 알맞은 말 고르기

정 답 ①

저는 **영화를** 좋아합니다. 그래서 영화를 (자주) 봅니다.

❶ 자주
② 거의
③ 벌써
④ 아주

해 설

영화를 좋아하기 때문에 '자주' 본다고 하는 것이 알맞습니다.

단 어

자주, 거의, 벌써, 아주

说明

因为喜欢看电影所以 "자주(经常)" 看是对的。

单词

经常，几乎，已经，非常

Explanation

It is appropriate to say '자주(often)' because I like movies.

Words

often, almost, already, very

---

38 빈칸에 알맞은 말 고르기

정 답 ①

(편의점)에서 아르바이트를 합니다. **밤부터 새벽까지** 일합니다.

❶ 편의점
② 여행사
③ 우체국
④ 대사관

해 설

밤부터 새벽까지 일하는 곳이기 때문에 '편의점'이라는 것을 알 수 있습니다.

단 어

밤, 새벽, 편의점, 여행사, 우체국

说明

因为是 "편의점(便利店)"，所以说从晚上工作到凌晨是正确的。

单词

晚上/夜晚，凌晨，便利店，旅行社，邮局

Explanation

Since it is '편의점(a convenience store),' it is appropriate to say that I work from night to dawn.

Words

night, dawn, convenience store, travel agency, post office

39 빈칸에 알맞은 말 고르기

동생은 키가 **큽니다**. 우리 형(도) 키가 **큽니다**.

❶ 도
② 에
③ 에서
④ 에게

해설

동생과 형 모두 키가 큽니다. 형'도' 크다고 하는 것이 알맞습니다.
❶ ~도: 이미 있는 것에 다른 것을 더하거나 둘 이상을 나열함을 나타내는 조사
② ~에: 앞말이 어떤 장소나 자리 또는 시간이나 때를 나타내는 조사
③ ~에서: 앞말이 행동이 이루어지고 있는 장소임을 나타내는 조사
④ ~에게: 어떤 물건의 소속이나 위치를 나타내는 조사

단어

(키가) 크다

说明

弟弟和哥哥个子都很高。哥哥 "도(也)" 很高是对的。
❶ ~도: 表示对已有事物的添加或列举两种以上的事物的助词。
② ~에: 接在表示场所、方位或时间名词后的助词。
③ ~에서: 表示活动进行的场所的助词。
④ ~에게: 表示限定物品归属、位置等的范围的助词。

单词

(个子)高

Explanation

Both my younger brother and elder brother are tall. It's appropriate to say that my elder brother is tall 'too.'
❶ ~도: A preposition indicating adding to something that already exists or listing two or more.
② ~에: A preposition indicating some places or time.
③ ~에서: A preposition indicating that the preceding sentence is the place where the action is taking place.
④ ~에게: A preposition indicating the affiliation or location of something.

Words

tall

40 일치하지 않는 내용 고르기

〉지영
유빈 씨, 지금 우리집 인터넷이 안 되는데 좀 도와줄 수 있어요? 듣고 있는 수업이 끝나면 **저에게 전화해** 주세요.

해설

① 유빈 씨는 지금 수업을 듣고 있습니다.
❷ 유빈 씨는 지영 씨와 지금 같이 있습니다.
  → 유빈 씨는 학교에 있고, 지영 씨는 집에 있습니다.
③ 지영 씨는 지금 인터넷을 쓸 수 없습니다.
④ 지영 씨가 유빈 씨에게 문자를 보냈습니다.

단어

도와주다, 전화하다

说明

① 유빈现在正在上课。
❷ 유빈和지영现在在一起。
  → 유빈在学校，지영在家。
③ 지영现在不能上网。
④ 지영给유빈发了短信。

单词

帮助，打电话

Explanation

① Yubin is taking a class now.
❷ Yubin is with Jiyoung right now.
  → Yubin is at school, and Jiyoung is at home.
③ Jiyoung can't use the Internet right now.
④ Jiyoung sent a text message to Yubin.

Words

help, call/phone

41 일치하지 않는 내용 고르기

정답 ④

> **사랑은 비를 타고**
> 혜화역 4번 출구 50m 직진
> 2020○년 12월 1일 ~ 12월 31일
> 16:00 / 19:00 (화요일은 쉬어요)
> 35,000원

해 설

① 이 표는 삼만 오천 원입니다.
② 주말에도 연극 공연이 있습니다.
③ 혜화역 근처에서 볼 수 있습니다.
❹ 여섯 시와 아홉 시에 시작합니다.
　→ 오후 네 시(16시)와 오후 일곱 시(19시)에 시작합니다.

단 어

출구, 직진, 표, 연극, 공연

说明

① 这个票是3万5千韩元。
② 周末也有表演。
③ 可以在혜화역(惠化站)附近看到。
❹ 在6点和9点开始。
　→ 在下午4点(16时)和下午7点(19时)开始。

单词

出口，直走/前进，票，戏剧/话剧，演出/表演

Explanation

① This ticket costs 35,000 won.
② There are also theater performances on weekends.
③ You can see it near Hyehwa Station.
❹ It starts at 6 o'clock and 9 o'clock.
　→ It starts at 4 p.m.(16 p.m.) and 7 p.m.(19 p.m.).

Words

exit, straight, ticket, theater, performance

42 일치하지 않는 내용 고르기

정답 ④

> **기타 연습, 함께 해요~!!**
> • 시간: 매주 화요일 저녁 5시
> • 장소: 주민센터 2층

해 설

① 같이 기타를 칩니다.
② 모임은 저녁에 있습니다.
③ 주민센터에서 연습합니다.
❹ 일주일에 다섯 번 모입니다.
　→ 매주 화요일 즉, 일주일에 한 번 모입니다.

단 어

연습, 매주, 기타를 치다, 모임, 모이다

说明

① 一起弹吉他。
② 晚上有聚会。
③ 在社区居民中心练习。
❹ 一周5次聚会。
　→ 每周星期二也就是说，一周一次聚会。

单词

练习，每周，弹吉他，聚会/组织，聚集/汇集

Explanation

① We play the guitar together.
② A meeting is in the evening.
③ We practice at the community center.
❹ We gather five times a week.
　→ We gather every Tuesday, that is, once a week.

Words

practice, every week, play the guitar, meeting, gather

43 일치하는 내용 고르기

어제 비자를 신청하기 위해서 대사관에 갔습니다. 대사관에서 친구를 만났습니다. 저는 깜짝 놀랐습니다. 대사관에서 나와서 친구와 같이 밥을 먹었습니다.

해설

① 대사관에서 밥을 먹었습니다.
  → 대사관에서 나와서 밥을 먹었습니다.
② 오늘 비자를 연장하러 갑니다.
  → 어제 비자를 신청하러 갔습니다.
③ 친구와 같이 대사관에 갔습니다.
  → 대사관에서 친구를 만났습니다.
❹ 어제 대사관에 친구가 있었습니다.

단어

비자, 신청하다, 대사관, 놀라다, ~에서 나오다

说明

① 我在大使馆里吃了饭。
  → 我从大使馆里出来吃了饭。
② 我今天去延长签证。
  → 我昨天去申请签证了。
③ 我和朋友一起去了大使馆。
  → 我在大使馆遇到了朋友。
❹ 昨天朋友在大使馆。

单词

签证，申请，大使馆，被吓到/受惊/震惊，从…出来

Explanation

① I had a meal at the embassy.
  → I came out of the embassy and had a meal.
② I'm going to extend my visa today.
  → I went to apply for a visa yesterday.
③ I went to the embassy with my friend.
  → I met a friend at the embassy.
❹ My friend was at the embassy yesterday.

Words

visa, apply, embassy, surprise, come out of ~

---

44 일치하는 내용 고르기

저는 테니스를 좋아합니다. 그래서 테니스 동호회에 가입했습니다. 동호회 모임은 수요일과 금요일에 있습니다. 같이 테니스를 치고 밥도 먹습니다.

해설

① 동호회에서 테니스만 칩니다.
  → 동호회에서 테니스를 치고 밥도 먹습니다.
② 저는 목요일에 동호회에 갑니다.
  → 동호회 모임은 수요일과 금요일에 있습니다.
③ 저는 동호회에 가입하려고 합니다.
  → 저는 동호회에 가입했습니다.
❹ 동호회는 일주일에 두 번 모입니다.

단어

동호회, 가입하다, 테니스를 치다

说明

① 在爱好者协会只打网球。
  → 在爱好者协会打网球，也吃饭。
② 我星期四去爱好者协会。
  → 爱好者协会聚会只在星期三和星期五有。
③ 我想加入爱好者协会。
  → 我已经加入了爱好者协会。
❹ 爱好者协会一周进行两次聚会。

单词

爱好者协会，加入，打网球

Explanation

① I only play tennis in the tennis club.
  → I play tennis and have meals in the tennis club.
② I go to the tennis club on Thursday.
  → The club meeting is on Wednesday and Friday.
③ I'm going to join a club.
  → I joined a club.
❹ Clubs gather twice a week.

Words

club, join, play tennis

45 일치하는 내용 고르기

친구가 미국으로 유학을 갔습니다. 저는 친구에게 메일을 자주 씁니다. 우체국에서 편지를 보내면 느려서 메일로 연락합니다.

해설

❶ 지금 친구는 미국에 있습니다.
② 친구에게 가끔 메일을 보냅니다.
　→ 친구에게 자주 메일을 보냅니다.
③ 저는 친구와 같이 유학 중입니다.
　→ 친구가 미국으로 유학을 갔습니다.
④ 우체국에서 편지를 보내면 빠릅니다.
　→ 우체국에서 편지를 보내면 느립니다. 메일로 연락하는 것이 빠릅니다.

단 어

유학, 느리다, 연락하다, 빠르다

说明

❶ 现在朋友在美国。
② 偶尔给朋友发邮件。
　→ 经常给朋友发邮件。
③ 我和朋友一起在留学。
　→ 朋友去美国留学了。
④ 在邮局寄信很快。
　→ 在邮局寄信很慢。通过发邮件联系很快。

单词

留学，慢，联系/联络，快/早

Explanation

❶ My friend is in the US right now.
② I sometimes send an e-mail to my friend.
　→ I often write and send e-mails to my friends.
③ I'm studying abroad with my friend.
　→ My friend went to the US to study.
④ It's fast if you send a letter from the post office.
　→ If you send a letter from the post office, it's slow. It's faster to contact by e-mail.

Words

study abroad, slow, contact, fast

---

46 중심 내용 고르기

옛날에는 버스로 학교에 갔습니다. 그런데 요즘은 자전거를 타고 학교에 갑니다. 자전거를 타면 교통비를 절약하고 운동도 할 수 있습니다.

해설

자전거를 타면 교통비를 절약하고 운동도 할 수 있기 때문에 장점이 많다는 것이 중심 생각입니다.

단 어

교통비, 절약하다, 요즘, 옛날

说明

本文的中心思想是骑自行车的好处是既能节省交通费，又可以做运动。

单词

交通费，节约/节省，最近，以前

Explanation

The main idea is that riding a bicycle has many advantages because you can exercise and save on transportation costs.

Words

transportation cost, save, these days, in the past

47 중심 내용 고르기

쇼핑을 한 지 오래되어서 새 옷이 하나도 없습니다. 오늘 언니와 나가서 바지도 사고, 블라우스도 사려고 합니다. 싸고 좋은 옷이 있었으면 좋겠습니다.

해설

오랫동안 쇼핑을 하지 않았습니다. 그래서 오늘 백화점에 가서 옷을 사려고 한다는 것이 중심 생각입니다.

단어

오래되다, 새, 옷, 백화점

说明

本文的中心思想是我很久没有购物了，所以今天想去百货店买衣服。

单词

(时间过去)久/久远，新，衣服，百货商店

Explanation

I haven't been shopping for a long time. So the main idea is about going to the department store and buying clothes today.

Words

old, new, clothes, department store

48 중심 내용 고르기

제 룸메이트는 한국어를 잘해서 제가 모르는 것을 잘 가르쳐 줍니다. 제가 아플 때 병원도 같이 가 주었습니다. 요리도 정말 맛있게 합니다. 계속 같이 살고 싶습니다.

해설

룸메이트는 나에게 모르는 것을 가르쳐 주고, 내가 아플 때 나를 도와주고, 요리도 잘하는 좋은 사람이라는 것이 중심 생각입니다.

단어

모르다, 요리

说明

本文的中心思想是室友是一个热心教我不会的东西，在我生病的时候给予帮助，还做得一手好菜的很好的人。

单词

不知道，料理/烹饪/菜/做菜

Explanation

The main idea is that my roommate is a good person who teaches me what I don't know, helps me when I'm sick, and cooks well.

Words

don't know, cook

작년 여름에 가족들과 전주로 휴가를 갔습니다. 전주는 비빔밥과 한옥마을로 유명합니다. 그래서 우리는 비빔밥을 먹고 나서 한옥마을을 구경했습니다. 한옥마을에는 예쁜 한국 전통집이 많았습니다. 너무 많이 (㉠ 걸어서) 다리가 조금 아팠지만 정말 즐거웠습니다.

49 빈칸에 알맞은 말 고르기

정답 ②

해설

'-어서/아서'는 원인과 결과를 이어 줄 때 쓰는 말입니다. '다리가 아팠다[결과]'는 말 앞에 '많이 걸어서[원인]'가 들어가는 게 알맞습니다.

단어

휴가, 즐겁다, 다리, 걷다

说明

"-아서/어서"是连接原因和结果的时候用的。"다리가 아팠다(腿疼[结果])"前应该填"많이 걸어서(走太多路[原因])"。

单词

休假/假期，愉快/开心，腿，走

Explanation

'-어서/아서' is a word used to connect causes and effects. It is appropriate to put '많이 걸어서(walk hard[cause])' before the word '다리가 아팠다(legs hurt[result]).'

Words

vacation, have fun, leg, walk

50 일치하는 내용 고르기

정답 ①

해설

❶ 전주는 비빔밥으로 유명한 곳입니다.
② 여름에 가족들과 전주로 놀러 가려 합니다.
　→ 작년 여름에 가족들과 전주로 놀러 갔습니다.
③ 한옥마을을 구경한 후 비빔밥을 먹었습니다.
　→ 비빔밥을 먹은 후 한옥마을을 구경했습니다.
④ 한옥마을에는 비빔밥을 파는 식당이 많습니다.
　→ 한옥마을에는 예쁜 한국 전통집이 많았습니다.

단어

유명하다, 구경하다, 전통, 많다

说明

❶ 全州以拌饭而闻名。
② 夏天我打算和家人一起去全州玩。
　→ 我去年夏天和家人一起去全州玩了。
③ 参观了韩屋村之后吃了拌饭。
　→ 吃了拌饭之后参观了韩屋村。
④ 韩屋村里卖拌饭的餐厅很多。
　→ 韩屋村里有很多漂亮的韩国传统房屋。

单词

有名/著名/出名，观看/参观/观光，传统，多

Explanation

❶ Jeonju is famous for bibimbap.
② I'm going to Jeonju with my family in the summer.
　→ Last summer, I went to Jeonju with my family.
③ After visiting Hanok Village, we ate bibimbap.
　→ After eating bibimbap, we looked around Hanok Village.
④ There are many restaurants selling bibimbap in Hanok Village.
　→ There were many pretty Korean traditional houses in Hanok Village.

Words

famous, see the sight, tradition, many

[51~52]

> 보통 자동차에는 기름이나 가스를 넣습니다. 그런데 요즘은 전기로 가는 자동차가 나왔습니다. 전기 자동차는 아주 조용할 뿐만 아니라 다른 차에 비해서 경제적입니다. (㉠ 그리고) 환경에도 좋습니다. 그래서 요즘 전기 자동차가 인기가 많습니다.

51　빈칸에 알맞은 말 고르기

정답 ②

해설

㉠ 앞(조용하고 경제적이다)에 나온 전기 자동차의 장점이 ㉠ 뒤(환경에 좋다)에서도 계속 이어집니다. 비슷한 내용을 단순히 나열할 때는 '그리고'를 사용하는 것이 알맞습니다.

단어

자동차, 전기, 조용하다, 경제적, 인기

说明

㉠前面（安静且划算）出现的电动汽车的优点可以继续接连㉠后面（环保）的内容。单纯罗列相似的内容时用"그리고（还有）"。

单词

小汽车，电，安静，经济上的/经济划算，人气

Explanation

The advantages of electric vehicles which are before ㉠(quiet and economical) continue even after ㉠(good for the environment). When simply listing similar content, it is appropriate to use '그리고(and).'

Words

car, electricity, quiet, economic, popularity

52　화제 고르기

정답 ③

해설

전기차는 조용하고, 경제적이며, 환경에 좋다고 했습니다. 이것은 모두 전기차의 장점입니다.

단어

역사, 원리, 위험성

说明

这篇文章在说电动汽车安静，经济划算，又环保。这些都是电动汽车的优点。

单词

历史，原理，危险性

Explanation

The speaker says electric cars are quiet, economical, and good for the environment. These are all the advantages of electric cars.

Words

history, principles, danger

저는 1년 전부터 식당에서 아르바이트를 했습니다. 그런데 다음 주부터 회사에 다니게 되었습니다. 그래서 사장님께 아르바이트를 (㉠ 그만두겠다고) 했습니다. 사장님이 아쉬워할 것이라고 생각했는데 오히려 기뻐하셨습니다. 제가 입사 시험에 합격해서 정말 기쁘다고 하셨습니다. 사장님은 저를 위해서 송별회도 열어 주셨습니다.

53　빈칸에 알맞은 말 고르기

정답　①

해설

회사에 다니게 되었습니다. 사장님께 아르바이트를 이제 하지 못한다고 말해야 합니다. 그러므로 ㉠에는 아르바이트를 '그만두다'라는 말이 들어가는 게 알맞습니다.

단어

식당, 아르바이트, 회사에 다니다, 사장님, 그만두다, 송별회를 열다

说明

我去公司上班了。我应该和老板说现在不能继续做兼职了。因此应在㉠处填入 "아르바이트를 '그만두다'（"辞掉"兼职工作）"。

单词

饭堂/餐厅，兼职，去公司上班，老板，辞职，送别会/欢送会

Explanation

I'm going to work for a new company. I have to tell the president that I can't work part-time anymore. Therefore, it is appropriate to put the word '그만두다(quit)' a part-time job in ㉠.

Words

restaurant, part-time job, work for a company, president, quit, hold a farewell party

54　일치하는 내용 고르기

정답　④

해설

① 저는 입사 시험에 떨어졌습니다.
　→ 입사 시험에 합격했습니다.
② 사장님은 저 때문에 아쉬워합니다.
　→ 사장님은 저 때문에 기뻐하셨습니다.
③ 저는 아르바이트를 그만둬서 기쁩니다.
　→ 저는 아르바이트를 그만둡니다. 그렇지만 사장님은 제가 입사 시험에 합격해서 기뻐하셨습니다.
❹ 일 년 전에 아르바이트를 시작했습니다.

단어

입사 시험, 시험에 떨어지다, 시험에 합격하다, 아쉬워하다, 기쁘다

说明

① 我入职考试没有及格。
　→ 我入职考试及格了。
② 老板为我感到可惜。
　→ 老板为我感到很开心。
③ 我辞职了兼职工作很开心。
　→ 我辞职兼职工作，但是老板因为我入职考试及格感到很高兴。
❹ 我1年前开始了做兼职。

单词

入职考试，考试不及格/落榜，考试及格，感到遗憾/感到可惜，高兴

Explanation

① I failed the entrance exam.
　→ I passed the entrance exam.
② The president is disappointed because of me.
　→ The president was happy because of me.
③ I'm glad to quit my part-time job.
　→ I quit my part-time job. However, the president was happy that I passed the entrance exam.
❹ I started my part-time job a year ago.

Words

entrance exam, fail the exam, pass the exam, be disappointed, be delighted

[55~56]

> 4월 5일은 식목일입니다. 식목일은 나무를 심는 날입니다. 옛날에는 식목일에 많은 사람들이 나무를 심었습니다. 산에 가서 심기도 하고 마당이나 집 앞에 심기도 했습니다. 그런데 요즘은 나무를 심는 사람이 거의 없습니다. 그 대신 여기저기에서 (㉠ 환경 보호를 위한) 이벤트를 합니다. 하루 동안 비닐 봉투를 사용하지 않는 가게도 있고, 친환경 제품을 싸게 팔기도 합니다.

55 빈칸에 알맞은 말 고르기

해설

㉠ 뒤에 '비닐 봉투를 사용하지 않고, 친환경 제품을 판다'는 내용이 나옵니다. 이것은 환경을 위한 일입니다. 그러므로 ㉠에는 '환경 보호를 위한' 이벤트라는 말이 들어가는 게 알맞습니다.

단어

나무, 심다

说明

㉠后出现了 "비닐 봉투를 사용하지 않고, 친환경 제품을 판다(不使用塑料袋，卖环保产品)" 的内容。这是为了环境而做的事。所以㉠应该填入 "환경 보호를 위한(为了环境保护)的活动"。

单词

树，种植

Explanation

After ㉠, there is content that states, 'They don't use plastic bags and sell eco-friendly products.' Therefore, it is appropriate to include the word 'for environmental protection.'

Words

tree, plant

56 일치하는 내용 고르기

해설

① 식목일에는 비닐 봉투를 싸게 팝니다.
　→ 식목일에는 비닐 봉투를 안 쓰는 가게가 있습니다.
❷ 옛날에는 식목일에 나무를 많이 심었습니다.
③ 요즘에는 식목일에 산에 가는 사람이 많습니다.
　→ 옛날에는 식목일에 산에 가서 나무를 심는 사람이 많았지만, 요즘은 거의 없습니다.
④ 식목일에는 친환경 제품을 무료로 나누어 줍니다.
　→ 식목일에는 친환경 제품을 싸게 파는 이벤트를 하기도 합니다. 무료로 나누어 준다는 내용은 나오지 않았습니다.

단어

비닐 봉투, 무료

说明

① 植树节的时候塑料袋卖得很便宜。
　→ 植树节的时候有不用塑料袋的商店。
❷ 以前植树节种很多树。
③ 最近植树节上山的人很多。
　→ 以前植树节到山上植树的人很多，但最近几乎没有。
④ 植树节免费分发环保产品。
　→ 植树节的时候环保产品是有优惠活动。没有提到免费分发的内容。

单词

塑料袋，免费/无偿

Explanation

① Plastic bags are sold cheaply on Arbor Day.
　→ There are stores that don't use plastic bags on Arbor Day.
❷ Many trees were planted on Arbor Day in the past.
③ Many people go to the mountain on Arbor Day these days.
　→ There were many people who went to the mountains and planted trees on Arbor Day in the past, but there are few people these days.
④ Eco-friendly products are distributed free of charge on Arbor Day.
　→ There is also an event to sell eco-friendly products cheaply on Arbor Day. There was no content that stated products were distributed free of charge.

Words

plastic bag, free of charge

PART 03 제1회 정답 및 해설

정답 ③

> (라) 어젯밤에 변기가 막혀서 물이 안 내려갑니다.
> (가) 그래서 화장실을 사용할 수 없습니다.
> (다) 게다가 냄새도 많이 나서 너무 불편합니다.
> (나) 오늘 꼭 관리실에 연락을 해야겠습니다.

해설

'그래서', '게다가', '～도' 등을 통해서 순서를 바르게 나열할 수 있습니다.

단어

화장실, 사용하다, 관리실, 냄새, 변기, 막히다

说明

根据"그래서(所以)"、"게다가(而且)"、"～도(…也)"等词可以排列出顺序。
(라) 昨晚因为马桶堵了，所以水下不去。
(가) 所以不能使用洗手间。
(다) 而且气味也很重，所以很不舒服。
(나) 我今天一定要联系门卫室。

单词

洗手间，使用，门卫室/管理办公室，气味，马桶，堵

Explanation

By using '그래서(so),' '게다가(in addition),' and '～도(also),' you can list the order correctly.
(라) The toilet was clogged last night, so the water won't go down.
(가) That's why I can't use the bathroom.
(다) In addition, it smells a lot, so it's very uncomfortable.
(나) I must contact the management office today.

Words

toilet, use, management office, smell, toilet, be clogged

정답 ②

> (가) 옛날에 산에서 아주 빨간 열매를 봤습니다.
> (다) 사람들은 그것이 악마의 열매라고 생각했습니다.
> (라) 그래서 그 열매를 불에 태웠는데 향이 좋았습니다.
> (나) 그렇게 사람들은 커피를 발견하게 되었습니다.

해설

'그것이', '그래서', '그렇게' 등을 통해서 순서를 바르게 나열할 수 있습니다.

단어

빨갛다, 열매, 발견하다, (불에) 태우다, 향

说明

根据"그것이(那个)"、"그래서(所以)"、"그렇게(那样)"等词可以排列出顺序。
(가) 以前人们在山上看到非常红的果实。
(다) 人们曾经认为那是恶魔果实。
(라) 所以把果实用火烘烤后发现香气很好。
(나) 人们就是那样发现了咖啡。

单词

红，果实，发现，(用火)烧/烤，香/香味

Explanation

By using '그것이(it),' '그래서(so),' and '그렇게(such),' you can list the order correctly.
(가) A long time ago, people saw a very red fruit in the mountain.
(다) People thought it was the fruit of the devil.
(라) So, people burned the fruit and it smelled good.
(나) That's how people discovered coffee.

Words

red, fruit, discover, burn (on fire), smell

[59~60]

> 저는 영화관에서 영화 보는 것을 좋아했습니다. 그런데 요즘은 영화관에 가지 않습니다. 집에서도 영화를 볼 수 있기 때문입니다. (ⓒ 집에 큰 텔레비전과 좋은 스피커가 있습니다.) 그래서 영화관에 가지 않아도 실감나게 영화를 볼 수 있습니다. 날씨가 안 좋을 때도 편하게 영화를 볼 수 있어서 참 좋습니다.

59 문장이 들어갈 위치 고르기

정답 ③

해설

큰 텔레비전과 좋은 스피커가 있으면 실감나게 영화를 볼 수 있습니다. ⓒ 뒤에 영화관에 가지 않아도 영화를 실감나게 볼 수 있다는 내용이 나옵니다. 그러므로 그 앞에 '우리 집에 큰 텔레비전과 좋은 스피커가 있다'는 내용이 들어가는 게 알맞습니다.

단어

텔레비전, 스피커, 영화관, 실감나다

说明

如果有电视和好的音响就可以身临其境似的看到电影。ⓒ后出现的内容是不去电影院也可以身临其境似的看到电影，所以ⓒ的内容应该是"우리 집에 큰 텔레비전과 좋은 스피커가 있다(我们家有大的电视和好的音响)"。

单词

电视，音响，电影院，有真实感

Explanation

If you have a big TV and a good speaker, you can watch a movie realistically. After ⓒ, it says that I can watch the movie realistically without going to the movie theater. Therefore, it is appropriate to include the content, '우리 집에 큰 텔레비전과 좋은 스피커가 있다(I have a big TV and a good speaker in my house),' in front of it.

Words

TV, speaker, movie theater, realistic

60 일치하는 내용 고르기

정답 ①

해설

❶ 집에서 영화를 보니까 편합니다.
② 요즘 영화관에 많이 가고 있습니다.
　→ 요즘은 영화관에 가지 않습니다.
③ 날씨가 안 좋을 때만 집에서 영화를 봅니다.
　→ 요즘 영화관에 가지 않습니다. 날씨가 안 좋을 때도 집에서 영화를 봅니다.
④ 영화를 실감나게 보려면 꼭 영화관에 가야 합니다.
　→ 집에서도 실감나게 영화를 볼 수 있습니다.

단어

편하다, (날씨가) 안 좋다

说明

❶ 在家看电影很舒服。
② 我最近经常去电影院。
　→ 我最近不去电影院。
③ 只有天气不好的时候才在家看电影。
　→ 最近不去电影院。天气不好的时候也在家看电影。
④ 要想真实地观看电影，一定要去电影院。
　→ 在家里也能看真实的电影。

单词

方便/舒服，(天气)不好

Explanation

❶ It's comfortable to watch a movie at home.
② I'm going to the movies a lot these days.
　→ I don't go to the movies these days.
③ I only watch movies at home when the weather is bad.
　→ I don't go to the movies these days. I watch movies at home even when the weather is bad.
④ You should go to the movie theater to see the movie realistically.
　→ You can watch movies realistically at home.

Words

comfortable, bad weather

[61~62]

예전에는 택시를 잡기가 힘들었습니다. 택시를 잡으려면 오래 기다려야 할 때가 많았습니다. 그런데 요즘은 **스마트폰 앱으로 택시를 예약할 수 있습니다**. 앱으로 (㉠ 원하는) **시간과 위치를 정하면** 택시가 그 시간에 그 장소로 옵니다. 택시를 기다리지 않아도 되니까 정말 편합니다. 택시를 예약하는 데 돈이 들지 않고, 택시비도 일반 택시와 똑같습니다.

61 빈칸에 알맞은 말 고르기
정답 ③

해설
동사(V)가 명사(N)를 수식할 때, 현재형의 경우에는 'V+-는 N'의 형태로 씁니다. '원하다'는 동사이므로 명사 '시간' 앞에는 '-는'이 결합된 '원하는'이 들어가는 게 알맞습니다.

단어
예약하다, (시간과 위치를) 정하다, 똑같다, 원하다

说明
动词(V)修饰名词(N)时，现在时的情况用"V+-는 N"的形式。因为"원하다(想要)"是动词，所以在名词"시간(钟点)"前和"-는"结合形成的"원하는"是对的。

单词
预约，(时间和位置)定/决定，相同/一样，期望/想要

Explanation
When the verb(V) modifies a noun(N), in the case of the present tense, the form, 'V+-는 N', is appropriate. Since '원하다(want)' is a verb, it is appropriate to put '원하는,' which is a combination of '-는,' in front of a noun, '시간(time).'

Words
reserve, set (time and location), be the same, want

62 일치하는 내용 고르기
정답 ③

해설
① 택시를 예약할 때 돈을 내야 합니다.
  → 택시를 예약할 때는 돈이 들지 않습니다.
② 요즘은 택시 잡기가 더 힘들어졌습니다.
  → 요즘은 앱이 있어서 택시를 예약하기가 편합니다.
❸ 스마트폰 앱으로 택시를 예약할 수 있습니다.
④ 앱으로 예약하는 택시는 택시비가 좀 비쌉니다.
  → 앱으로 예약할 때도 택시비는 일반 택시와 똑같습니다.

단어
돈이 들다, 돈을 내다

说明
① 预约出租车的时候要付费。
  → 预约出租车的时候不花钱。
② 最近打出租车变得更难了。
  → 最近有App预约出租车很方便。
❸ 通过手机App可以预约出租车。
④ 通过App预约的出租车打车费更贵。
  → 通过App预约的出租车和普通的出租车是一样的。

单词
花钱，出钱/给钱/付费

Explanation
① You have to pay when you book a taxi.
  → It doesn't cost money to book a taxi.
② These days, it has become more difficult to catch a taxi.
  → These days, there is an app, so it's easy to book a taxi.
❸ You can book a taxi through the smartphone app.
④ Making a reservation through the app is a little expensive.
  → When making a reservation through the app, the taxi fare is the same as that of a regular taxi.

Words
it costs money, pay for it

[63~64]

보낸 사람: sidaeauto@daehan.net
받는 사람: goodcar@hankuk.com
제목: '시대자동차'를 이용해 주신 여러분께
안녕하세요? 최근 시대자동차가 고장 나는 경우가 많아졌습니다. 알아보니 공장에서 자동차를 만드는 과정에 문제가 있었습니다. 시대자동차 이용자들께서는 전화 1455−0070으로 연락해 주시면 저희 엔지니어가 바로 가서 문제를 해결해 드리겠습니다. 불편을 드려 정말 죄송합니다.

63 필자의 의도/목적 고르기

 정답 ④

해설

'시대자동차'에서 고객들에게 최근 만들어진 자동차에 생긴 문제를 알려 주기 위해서 이 글을 썼습니다.

단어

고장 나다, 공장, 해결하다, 요청하다, 구입하다, 팔다, 알리다

说明

写这篇文章的目的是 "시대자동차(时代汽车)" 为告知顾客们最近制造的汽车产生的问题。

单词

坏/出故障, 工厂, 解决, 邀请/请求, 购入/购买, 卖, 告知/宣告

Explanation

The notice from '시대자동차(Sidae Autocompany)' gives information so that the customers can learn about the problems that have recently occurred in their cars.

Words

broken, factory, solve, request, purchase, sell, inform

64 일치하는 내용 고르기

정답 ①

해설

❶ 엔지니어가 방문해서 자동차를 고쳐 줍니다.
② 자동차에 문제가 있어서 사고가 많이 났습니다.
→ 자동차가 고장 나는 경우가 많아졌습니다. 사고에 대한 내용은 나오지 않습니다.
③ 자동차에 문제가 있으면 이메일을 보내야 합니다.
→ 자동차에 문제가 있으면 전화를 하면 됩니다.
④ 자동차 공장에 문제가 있어서 차를 살 수 없습니다.
→ 자동차 공장에서 자동차를 만드는 과정에 문제가 있었습니다. 차를 살 수 없다는 내용은 나오지 않습니다.

단어

방문하다, 고치다, 사고

说明

❶ 工程师来访维修汽车。
② 因为汽车有问题所以经常发生事故。
→ 汽车发生故障的情况变多了。没有提到有关事故的内容。
③ 汽车有问题的话得发邮件。
→ 汽车有问题的打电话就行。
④ 因为汽车工厂有问题所以买不了汽车。
→ 在汽车工厂制造汽车的过程中发生过问题。没有提到有关不能买车的内容。

单词

来访/拜访, 改正/修/修改, 事故

Explanation

❶ An engineer visits and fixes the car.
② There were a lot of accidents because there was a problem.
→ Cars are more likely to break down. There is no information about the accident.
③ If there is a problem with the car, you have to send an e-mail.
→ If you have a problem with your car, call Sidae Autocompany.
④ You can't buy a car because there is a problem with the car factory.
→ There was a problem in the process of making cars at the car factory. It doesn't say that you can't buy a car.

Words

visit, fix, accident

지구가 따뜻해지면서 바다의 표면이 올라가고 있습니다. 원인은 두 가지가 있습니다. 하나는 추운 지역의 **얼음이** (㉠ 녹은 후에) **바다로 흐르기** 때문입니다. 그리고 다른 하나는 바다의 물이 많아지기 때문입니다. 바닷물의 온도가 올라가면 바닷물의 양이 늘어나게 되고, 해수면도 올라가는 것입니다.

65 빈칸에 알맞은 말 고르기

정답 ③

해설

얼음이 녹으면 물이 됩니다. 그 물은 바다로 흐릅니다. 그러므로 ㉠에는 앞말의 내용(추운 지역의 얼음이 녹다)이 뒷말의 내용(바다로 흘러 들어가다)보다 시간적으로 먼저일 때 쓰는 말인 '-(으)ㄴ 후에'가 결합된 '녹은 후에'가 들어가는 게 알맞습니다.

단 어

춥다, 얼음, 녹다, 바다, 흐르다

说明

冰融化就变成水。那些水流入大海。所以㉠前面的的内容(冷的地区冰融化)比后面的内容(流入大海)时间上要早一点，所以填入"-(으)ㄴ 후에"结合成的"녹은 후에(熔化后)"是正确的。

单词

冷，冰，融化，大海，流

Explanation

When ice melts, it becomes water. The water flows into the sea. Therefore, in the position of ㉠, it is appropriate to include '녹은 후에(after melting),' which is a combination of '-(으)ㄴ 후에,' which is a word used when the content of the preceding sentence(the ice melts in a cold area) precedes the content of the latter sentence(flowing into the sea) in time.

Words

cold, ice, melt, sea, flow

66 일치하는 내용 고르기

정답 ①

해설

❶ 지구가 따뜻해지면 바닷물이 많아집니다.
② 지구가 따뜻해질수록 바닷물은 차갑습니다.
　→ 지구가 따뜻해지면 바닷물의 온도는 올라갑니다.
③ 바다의 표면이 올라가서 지구가 따뜻해집니다.
　→ 지구가 따뜻해져서 바다의 표면이 올라갑니다.
④ 바다의 표면이 올라가는 원인은 아직 모릅니다.
　→ 바다의 표면이 올라가는 원인은 두 가지가 있습니다.

단 어

지구, 따뜻해지다, 바닷물(= 바다의 물), 표면, (값이나 수치가) 올라가다, 원인, 차갑다

说明

❶ 地球变暖的话海水就会变多。
② 地球越变暖海水越凉。
　→ 地球变暖的话海水的温度会上升。
③ 大海的表面上升地球就会变暖。
　→ 地球变暖导致大海的表面上升。
④ 大海的表面上升的原因还不知道。
　→ 大海的表面上升的原因有两个。

单词

地球，变暖，海水(海里的水)，表面，上/上升，原因，冷淡/冷漠/凉

Explanation

❶ When the Earth warms up, seawater increases.
② The warmer the Earth gets, the colder the seawater gets.
　→ When the Earth gets warmer, the temperature of the seawater rises.
③ The surface of the sea rises and the earth warms up.
　→ The Earth warms up and the surface of the sea rises.
④ We don't know why the surface of the sea rises yet.
　→ There are two reasons why the surface of the sea rises.

Words

Earth, warm up, seawater(= water of the sea), surface, rise(= go up), cause, cold

[67~68]

김국현 선생님은 많은 소설을 쓴 유명한 작가입니다. 그런데 김 선생님은 그림을 그리는 것도 아주 좋아해서, 죽기 전에 많은 그림을 남겼습니다. 선생님이 죽은 후에 그분의 집은 박물관이 되었습니다. 그곳에 가면 그분이 쓰던 물건들을 볼 수 있을 뿐만 아니라 그분이 그린 그림도 감상할 수 있습니다. (㉠ 그 분에 대해 알고 싶은) 사람들은 꼭 한번 가 보시기 바랍니다.

67   빈칸에 알맞은 말 고르기 · 정답 ②

해설

㉠ 앞에 '그곳(박물관)에 가면 그분이 쓰던 물건과 그분이 그린 그림이 있다'는 내용이 나옵니다. 그러므로 그곳에 가면 그분에 대해 알 수 있습니다.

단어

(물건을) 쓰다, 그림, 그리다, 죽다, 박물관, 알다

说明

㉠前的内容是去 "그곳(박물관)에 가면 그분이 쓰던 물건과 그분이 그린 그림이 있다(那个地方(博物馆)的话有那位用过的物品和那位画的画)"。所以去那个地方的话可以知道关于那位。

单词

(物品)用，画/图画，画，死，博物馆，知道

Explanation

In front of ㉠, there is a content that says, '그곳(박물관)에 가면 그분이 쓰던 물건과 그분이 그린 그림이 있다(If you go to the museum, there are objects he used and paintings he drew).' Therefore, if you go there, you can know about him.

Words

use, drawing/picture, draw, die, museum, know

68   일치하는 내용 고르기 · 정답 ②

해설

① 김국현 선생님은 유명한 화가였습니다.
   → 김국현 선생님은 유명한 작가였습니다.
❷ 김국현 선생님은 소설을 많이 썼습니다.
③ 김 선생님의 돈으로 박물관을 샀습니다.
   → 김 선생님의 집이 박물관이 되었습니다.
④ 김 선생님이 죽고 나서 집을 팔았습니다.
   → 김 선생님이 살던 집을 박물관으로 쓰고 있습니다.

단어

소설, (글을) 쓰다, 작가

说明

① 김국현老师曾经是有名的画家。
   → 김국현老师曾经是有名的作家。
❷ 김국현老师写了很多小说。
③ 用金老师的钱买了博物馆。
   → 金老师的家变成了博物馆。
④ 金老师去世之后卖了房子了。
   → 金老师住过的房子用作博物馆。

单词

小说，(字/文章)写，作家

Explanation

① Kim Kook-hyun was a famous painter.
   → Kim Kook-hyun was a famous writer.
❷ Kim Kook-hyun wrote a lot of novels.
③ Mr. Kim bought a museum with his money.
   → Kim's house has become a museum.
④ After Mr. Kim died, his house was sold.
   → The house where Mr. Kim lived is used as a museum.

Words

novel, write, writer

이 동네에 처음 **이사를 왔을 때** 이웃들에게 떡을 돌렸습니다. 떡집에서 떡을 사서 떡을 주면서 인사했습니다. 이웃들은 모두 반갑게 인사하며 환영해 줬습니다. 이웃들과 금방 친해져서 정말 좋았습니다. 특히 **옆집 아주머니는** (㉠ 맛있는 걸 만들 때마다) 저에게 조금씩 갖다줍니다. 요리를 잘 못해서 집밥이 그리울 때가 있는데, **아주머니 덕분에 위로를 받는 것 같습니다.**

69 빈칸에 알맞은 말 고르기

정답 ④

해설

㉠ 뒤에 '요리를 잘 못해서 집밥이 그리울 때 아주머니 덕분에 위로를 받는다'는 내용이 나옵니다. 옆집 아주머니가 '맛있는 음식을 만들 때마다' 갖다주신다는 것을 알 수 있습니다.

단어

요리, 위로, 옆집, 갖다주다

说明

㉠后出现的内容是 "요리를 잘 못해서 집밥이 그리울 때 아주머니 덕분에 위로를 받는다(因为我不太会做菜所以想念家常饭的时候托阿姨的福得到了安慰)"。可以知道邻居家阿姨 "맛있는 음식을 만들 때마다(每次做好吃的食物的时候都拿过来给我)"。

单词

料理/烹饪/菜/做菜，安慰/慰藉，隔壁/邻居，拿给/带给

Explanation

After ㉠, there is a content that says '요리를 잘 못해서 집밥이 그리울 때 아주머니 덕분에 위로를 받는다(I'm not good at cooking, so when I miss home-cooked meals, I'm comforted by the lady next door).' We can assume that she brings me delicious food '맛있는 음식을 만들 때마다 (every time she makes it).'

Words

cook(ing), comforting, next door, bring

70 일치하는 내용 고르기

정답 ③

해설

① 이웃들과 자주 만나고 있습니다.
→ 이웃들과 금방 친해졌습니다. 그러나 자주 만나는지는 알 수 없습니다.
② 이 동네에 이사 온 지 오래되었습니다.
→ 나오지 않은 내용입니다.
❸ 이사를 와서 이웃들과 인사를 했습니다.
④ 이웃들에게 직접 만든 떡을 주었습니다.
→ 이웃들에게 떡집에서 산 떡을 주었습니다.

단어

이사, 이웃, 인사, 떡

说明

① 我经常和邻居见面。
→ 刚和邻居亲近起来。但不知道有没有经常见面。
② 我搬来这个小区很久了。
→ 没有出现这个内容。
❸ 我搬来之后和邻居们打招呼问好了。
④ 我给了邻居自己亲手做的糕点。
→ 我给了邻居在糕饼店买的糕点。

单词

搬家，邻居，打招呼/问候，糕/打糕

Explanation

① I meet my neighbors often.
→ I quickly got close to my neighbors. However, I don't know if I meet them often.
② It's been a long time since I moved to this neighborhood.
→ The content didn't appear.
❸ I moved and greeted my neighbors.
④ I gave my neighbors homemade rice cakes.
→ I gave my neighbors rice cakes that I bought from a rice cake shop.

Words

moving, neighborhood, greeting, tteok(= rice cake)

정답 및 해설

제2회

듣기(01번~30번)

점수: (   )점/**100**점

01	02	03	04	05	06	07	08	09	10
④	②	①	④	②	①	③	④	②	①
11	**12**	**13**	**14**	**15**	**16**	**17**	**18**	**19**	**20**
①	④	③	①	②	④	②	②	④	②
21	**22**	**23**	**24**	**25**	**26**	**27**	**28**	**29**	**30**
③	①	④	①	②	④	③	①	②	④

  정답 근거

01   맞는 대답 고르기

정 답 ④

남자: 우표가 <u>많아요?</u>
여자: _____

① 네, 우표예요.
② 네, 우표를 붙여요.
③ 아니요, 우표가 있어요.
❹ 아니요, 우표가 적어요.

해 설
우표가 많은지 물었기 때문에 "네, 우표가 많아요." 또는 "아니요, 우표가 적어요."라고 대답해야 합니다.

단 어
우표, 많다, 붙이다, 적다

说明
因为男的问邮票多不多，所以女的应该回答"네, 우표가 많아요(是的，邮票很多)"或者回答"아니요, 우표가 적어요(不，邮票少)"。

单词
邮票，多，贴，少

Explanation
The man asked if there are many stamps, so the woman should reply "네, 우표가 많아요(Yes, there are many stamps)," or "아니요, 우표가 적어요(No, there are few stamps)."

Words
stamp, many, stick/attach, few

02 맞는 대답 고르기

여자: 산이 높아요?
남자: _____

① 네, 산이에요.
❷ 네, 산이 높아요.
③ 아니요, 산이 없어요.
④ 아니요, 산을 좋아해요.

해 설

산이 높은지를 물었기 때문에 "네, 산이 높아요." 또는 "아니요, 산이 안 높아요."라고 대답해야 합니다.

단 어

산, 높다, 없다

说明

因为女的问山高不高，所以男的应该回答"네, 산이 높아요(是的，山很高)"或者回答"아니요, 산이 안 높아요(不，山不高)"。

单词

山，高，没有

Explanation

The woman asked about the height of the mountain, so the man should answer "네, 산이 높아요(Yes, it is high)," or "아니요, 산이 안 높아요(No, it is not high)."

Words

mountain, high, none

03 맞는 대답 고르기

남자: 우리 어디에서 영화를 봐요?
여자: _____

❶ 영화관에서 봐요.
② 내일 영화를 봐요.
③ 무서운 영화를 봐요.
④ 친구랑 영화를 봐요.

해 설

'어디'는 장소를 묻는 말이고, '에서'는 행동이 이루어지고 있는 장소 앞에 쓰는 말입니다. '(장소)+에서 영화를 봐요.'로 대답해야 합니다.

단 어

어디, 보다, 내일, 무섭다

说明

"어디(场所)"是询问地点，"에서"用在发生动作的地点之前。可以用"장소(场所)+에서 영화를 봐요(看电影)"来回答。

单词

哪里，看，明天，害怕/恐怖

Explanation

"어디(Where)" asks about a location, and "에서(at)" is used before a location where an action occurs. Respond with "장소(place)+에서 영화를 봐요(watching a movie)."

Words

where, watch, tomorrow, scary

04 맞는 대답 고르기

여자: 어제 누가 왔어요?
남자: _____

① 혼자 왔어요.
② 산에 왔어요.
③ 오전에 왔어요.
❹ 동생이 왔어요.

해 설

'누가'는 '누구가'가 줄어든 말로, 정해지지 않은 어떤 사람을 가리킬 때 쓰는 말입니다. '누가' 왔는지 물었기 때문에 '(사람)+이/가 왔어요.'로 대답해야 합니다.

단 어

어제, 누가

说明

"누가(谁)"是"누구가(谁)"的缩写，是指没有确定的某个人。因为问的是"누가(谁)"来了，所以应该用"사람(人名)+이/가 왔어요(来了)"来回答。

单词

昨天，谁，单独

Explanation

"누가(Who)" is a shortened form of "누구가(who is)," for referring to an unspecified person. When asked who came, respond with "사람(person)+이/가 왔어요(came)."

Words

yesterday, who

05 이어지는 말 고르기

정답 ②

> 남자: 여권을 보여 주세요.
> 여자: _____

① 괜찮아요.
❷ 여기 있어요.
③ 다음에 봐요.
④ 오랜만이에요.

해 설

남자가 여자에게 여권을 보여 달라고 한 상황입니다. "여기 있어요.", "네, 알겠습니다." 또는 "잠시만요."가 알맞습니다.

단 어

여권, 보이다, 오랜만이다

说明

这是男的要求女的出示护照的场景。女的可以说"여기 있어요(在这里)", "네, 알겠습니다(好的, 明白)"或者说"잠시만요(请稍等)"。

单词

护照, 出示/给看, 好久不见

Explanation

In a scenario where a man asks a woman to show her passport, suitable responses include "여기 있어요(Here it is)," "네, 알겠습니다(Yes, I understand)," or "잠시만요(Just a moment)."

Words

passport, show, it's been for long time

06 이어지는 말 고르기

정답 ①

> 여자: 남자 친구가 생겼어요.
> 남자: _____

❶ 축하해요.
② 어떡해요.
③ 미안해요.
④ 반가워요.

해 설

여자에게 남자 친구가 생겼습니다. "축하해요." 또는 "잘 됐네요."가 알맞습니다.

단 어

남자 친구, 축하하다

说明

得的有了男朋友, 可以对女的说"축하해요(恭喜你)", 或者 "잘 됐네요(太好了)"。

单词

男朋友, 祝贺

Explanation

The woman has a boyfriend. Appropriate responses would be "축하해요(Congratulations)," or "잘 됐네요(That's great)."

Words

boyfriend, congratulate

07 담화 장소 고르기

정답 ③

> 여자: 수업 시작하겠습니다. 숙제했어요?
> 남자: 네. 했습니다. 선생님.

① 식당
② 은행
❸ 학교
④ 백화점

해 설

선생님이 수업을 하고 숙제 검사를 하는 곳은 '학교'입니다.

단 어

수업, 숙제, 은행, 학교

说明

老师上课、检查作业的地方是"학교(学校)"。

单词

上课, 作业, 银行, 学校

Explanation

The place for teaching and checking homework by a teacher is "학교(school)."

Words

class, homework, bank, school

08 담화 장소 고르기

남자: 혹시 이거 광화문 가나요?
여자: 아니요, 이거 말고 724번 버스를 타셔야 돼요.

① 여행사
② 체육관
③ 아파트
❹ 정거장

해설

버스를 타는 곳은 '정거장'입니다.

단어

여행사, 체육관, 아파트, 정거장

说明

坐公共汽车的地方是"정거장(车站)"。

单词

旅行社，体育馆，公寓，车站

Explanation

The place where you board a bus is "정거장(bus stop)."

Words

travel agency, gym, apartment, bus stop

---

09 담화 장소 고르기

정답 ②

여자: 공연이 언제 시작돼요?
남자: 30분 후에 시작합니다.

① 마트
❷ 극장
③ 노래방
④ 세탁소

해설

공연을 하는 곳은 '극장'입니다.

단어

공연, 극장, 노래방

说明

演出的地方是"극장(剧场)"。

单词

演出，剧场，练歌房/歌厅

Explanation

The place where performances take place is the "극장
(theater)."

Words

performance, theater, karaoke

---

10 담화 장소 고르기

정답 ①

남자: 여기는 자전거 타기에 참 좋아요.
여자: 네, 나무가 많아서 공기도 깨끗하고요.

❶ 공원
② 경찰서
③ 미용실
④ 박물관

해설

자전거 타기에 좋고 나무도 많은 곳은 '공원'입니다.

단어

자전거, 타다, 나무, 공기, 깨끗하다, 공원, 경찰서

说明

适合骑自行车，树也多的地方是"공원(公园)"。

单词

自行车，骑，树，空气，清新，公园，警察局

Explanation

The place where you can ride a bicycle and threre are lots
of trees is "공원(park)."

Words

bicycle, ride, tree, air, clean, park, police station

38 PART 03 | 정답 및 해설

11 화제 고르기

정답 ①

남자: 여기에 살아요?
여자: 네, 얼마 전에 **이사 왔어요.**

❶ 집
② 색깔
③ 선물
④ 식물

해설

'살다', '이사'라는 말이 나왔습니다. 이것은 '집'에 대한 대화입니다.

단어

살다(= 거주하다), 이사, 집, 식물

说明

对话中出现了"살다(过生活)"、"이사(搬家)"等词，所以这是关于"집(家)"的对话。

单词

过生活(=居住)，搬家，家，植物

Explanation

The words "살다(live)" and "이사(move)" were mentioned. This is a conversation about a "집(home)."

Words

live(= reside), move, home, plant

12 화제 고르기

정답 ④

여자: 은행이 카페 옆에 있어요?
남자: 아니요, **카페 앞에 있어요.**

① 날씨
② 약속
③ 소개
❹ 위치

해설

'옆/앞에 있다'는 말이 나왔습니다. 이것은 '위치'에 대한 대화입니다.

단어

카페, 소개, 위치, 약속

说明

对话中出现了"옆/앞에 있다(在旁边/在上面)"，所以这是关于"위치(位置)"的对话。

单词

咖啡厅，介绍，位置，约会/约定

Explanation

The phrase "옆/앞에 있다(be next to/in front of)" was mentioned. This is a conversation about "위치(location)."

Words

cafe, introduce, location, appointment/promise

13 화제 고르기

정답 ③

남자: 인주 씨는 **무슨 일을 해요?**
여자: 저는 구두를 만들고 고치는 일을 해요.

① 걱정
② 버릇
❸ 직업
④ 점수

해설

'일을 하다'라는 말이 나왔습니다. 이것은 '직업'에 대한 대화입니다.

단어

구두, 만들다, 직업

说明

对话中出现了"일을 하다(工作)"，所以这是关于"직업(职业)"的对话。

单词

皮鞋，制作，职业

Explanation

The phrase "일을 하다(work)" was mentioned. This is a conversation about "직업(occupation)."

Words

shoes, make, occupation

14 화제 고르기

> 여자: 다른 색도 보고 싶은데요.
> 남자: 그럼 저기 빨간색 기타는 어떠세요?

❶ 악기
② 과목
③ 수첩
④ 가구

해설

'기타'라는 말이 나왔습니다. 이것은 '악기'에 대한 대화입니다.

단어

색(깔), 기타, 악기, 과목, 수첩

说明

对话中出现了"기타(吉他)"，所以这是关于"악기(乐器)"的对话。

单词

颜色，吉他，乐器，科目，手册

Explanation

The word "기타(guitar)" was mentioned. This is a conversation about "악기(musical instruments)."

Words

color, guitar, musical instrument, subject, notebook

15 일치하는 그림 고르기

> 여자: 이쪽은 제 친구 제니예요.
> 남자: 저는 송지성입니다. 반갑습니다.

해설

"제 친구 ~예요."라는 여자의 말과 "반갑습니다."라는 남자의 말을 통해 여자가 남자에게 친구를 소개해주고 있음을 알 수 있습니다.

단어

(말하는 사람에게 가까이 있는 사람이나 사람들을 가리킬 때) 이쪽, 반갑다

说明

女的说"제 친구 ~예요（这边是我的朋友~）"，男等说"반갑습니다（很高兴见到你）"，从女的的话中可以看出女在给男的介绍朋友。

单词

这(边)，高兴

Explanation

From the woman's words "제 친구 ~예요(This is my friend ~)" and the man's response "반갑습니다(Nice to meet you)," we can predict that the woman is introducing her friend to the man.

Words

this (person), nice to meet you

16 일치하는 그림 고르기

정답 ④

남자: 택배 왔습니다. 어느 쪽에 놔 드릴까요?
여자: 저기 화분 옆에 놔 주시겠어요?

해설

"택배 왔습니다."라는 남자의 말과 "저기 놔 주시겠어요?"라는 여자의 말을 통해 남자가 여자에게 택배를 가져왔음을 알 수 있습니다.

단어

택배, 어느 쪽, 놓다, 화분

说明

男的说 "택배 왔습니다(您的快递到了)"，女的等说 "저기 놔 주시겠어요(您可以放在那边吗)？"，从女的的话中可以看出男的给女的拿来了快递。

单词

快递，哪边，放，花盆

Explanation

From the man's words "택배 왔습니다(The package has arrived)," and the woman's response "저기 놔 주시겠어요 (Could you please leave it over there)," we can predict that the man has brought a package to the woman.

Words

delivery, which side, put, flower pot

17 일치하는 내용 고르기

정답 ②

여자: 선우 씨, 어제 뭐 했어요?
남자: 친구랑 도서관에서 공부했어요. 점심 먹고 집에 가서 쉬었고요. 효승 씨는요?
여자: 저는 오전에 미술관에 갔다가, 오후엔 집에서 책을 읽었어요.

해설

① 여자는 오전에 책을 읽었습니다.
　→ 여자는 오전에 미술관에 갔습니다.
❷ 남자는 친구와 공부를 했습니다.
③ 여자는 오후에 도서관에 갔습니다.
　→ 여자는 오후에 집에서 책을 읽었습니다.
④ 남자는 오후에 미술관을 다녀왔습니다.
　→ 남자는 오후에 집에서 쉬었습니다.

단어

도서관, 미술관, 책, 읽다, 다녀오다

说明

① 女的上午看书了。
　→ 女的上午去美术馆了。
❷ 男的跟朋友一起学习了。
③ 女的下午去图书馆了。
　→ 女的下午在家看书了。
④ 男的下午去了美术馆。
　→ 男的下午在家休息了。

单词

图书馆，美术馆，书，看，去了一趟回来

Explanation

① The woman read a book in the morning.
　→ The woman visited an art gallery in the morning.
❷ The man studied with a friend.
③ The woman went to the library in the afternoon.
　→ The woman spent her afternoon reading a book at home.
④ The man went to an art gallery in the afternoon.
　→ The man relaxed at home in the afternoon.

Words

library, art gallery, book, read, visit

18 일치하는 내용 고르기

남자: 수빈 씨, 내일 야구장에 갈까요?
여자: 내일 비가 온다니까 다음에 가는 게 어때요?
남자: 그럼 수영하러 갈까요? 수업 끝나면 학교에서 바로 가요.
여자: 좋아요. 내일 강당 앞에서 봐요.

해설

① 남자는 지금 야구장에 있습니다.
  → 남자는 내일 야구장에 가자고 했습니다.
❷ 여자는 내일 수영장에 갈 겁니다.
③ 여자는 강당에서 남자를 만났습니다.
  → 여자는 내일 강당 앞에서 남자를 만날 겁니다.
④ 남자는 학교에서 수업 준비 중입니다.
  → 남자는 내일 학교 수업이 끝나면 여자와 수영을 하러 갈 겁니다.

단어

야구장, 비, 수영, 강당

说明

① 男的现在在棒球场。
  → 男的说明天一起去棒球场。
❷ 女的明天要去游泳馆。
③ 女的在讲堂见到了男的。
  → 女的明天要在讲堂前和男的见面。
④ 男的正在学校准备课。
  → 男的明天放学后要和女的去游泳。

单词

棒球场，雨，游泳，讲堂

Explanation

① The man is currently at the baseball field.
  → The man suggested going to the baseball field tomorrow.
❷ The woman plans to visit the swimming pool tomorrow.
③ The woman met the man at the auditorium.
  → The woman will meet the man in front of the auditorium tomorrow.
④ The man is preparing for a class at school.
  → After his school classes end tomorrow, the man will join the woman for swimming.

Words

baseball field, rain, swimming, auditorium

19 일치하는 내용 고르기

남자: 내일이 아내 생일인데 어떤 꽃을 선물하는 게 좋을까요?
여자: 혹시 아내가 좋아하는 꽃이 뭔지 아세요?
남자: 꽃은 잘 모르겠어요. 그런데 노란색을 좋아해요.
여자: 그럼 이 꽃바구니 어떨까요? 요즘 많이 사 가세요.

해설

① 여자와 남자는 부부입니다.
  → 여자는 꽃 가게 주인이고, 남자는 손님입니다.
② 여자는 노란색을 좋아합니다.
  → 남자의 아내가 노란색을 좋아합니다.
③ 남자는 아직 결혼을 하지 않았습니다.
  → 남자는 이미 결혼을 했습니다.
❹ 남자는 아내가 어떤 꽃을 좋아하는지 모릅니다.

단어

아내, 생일, 꽃, 꽃바구니, 부부, 결혼, 주인, 이미

说明

① 男的和女的是夫妻。
  → 女的是花店的主人，男的是客人。
② 女的喜欢黄色。
  → 男的的妻子喜欢黄色。
③ 男的还没有结婚。
  → 男的已经结婚了。
❹ 男的不知道妻子喜欢什么花。

单词

妻子，生日，花，花篮，夫妻，结婚，主人，已经

Explanation

① The woman and the man are married.
  → The woman is a florist, and the man is her customer.
② The woman likes yellow.
  → The man's wife has a preference for yellow.
③ The man is not married yet.
  → The man is already married.
❹ The man is unaware of his wife's flower preference.

Words

wife, birthday, flower, flower basket, couple, marriage, owner, already

20　일치하는 내용 고르기

여자: 이번 축제에 유명 가수가 온대요.
남자: 정말요? 그럼 우리도 내일 일찍 가야 앉을 수 있겠네요.
여자: 맞아요. 사람이 많이 와서 복잡할 거예요. 집에서 나갈 때 전화할게요.
남자: 네, 아침부터 가서 기다려야겠어요. 시간이 나면 다른 프로그램도 구경하고요.

해설

① 남자는 유명한 가수입니다.
　→ 남자는 축제에 오는 유명한 가수를 보러 갈 겁니다.
❷ 여자는 축제에 일찍 갈 겁니다.
③ 여자는 지금 집에서 나왔습니다.
　→ 여자는 내일 집에서 나갈 때 남자에게 전화를 할 겁니다.
④ 남자는 축제에 관심이 없습니다.
　→ 남자는 축제에 관심이 많습니다. 유명한 가수를 보러 아침 일찍 여자와 축제에 가기로 했고, 시간이 나면 다른 프로그램도 구경하려 합니다.

단어

축제, 유명, 일찍, 복잡하다, 시간이 나다, 프로그램

说明

① 男的是著名歌手。
　→ 男的要去看前来参加庆典的著名歌手。
❷ 女的要早点去参加庆典。
③ 女的现在从家里出来了。
　→ 女的明天从家里出去的时候会给男的打电话。
④ 男的对庆典不感兴趣。
　→ 男的对庆典很感兴趣。为了看著名歌手，决定一大早和女的一起去参加庆典，如果有时间还想看其他节目。

单词

庆典，著名/有名，早，混杂，有空，节目

Explanation

① The man is renowned as a singer.
　→ The man plans to attend the festival to watch a famous singer perform.
❷ The woman intends to arrive at the festival early.
③ The woman has left her house now.
　→ When the woman leaves her house tomorrow, she will phone the man.
④ The man is uninterested in the festival.
　→ The man is very interested in the festival. He agreed to arrive early with the woman to see a famous singer, and they hope to enjoy other programs if they have time.

Words

festival, famous, early, crowded, have time, program

21　일치하는 내용 고르기

남자: 지영 씨는 취미가 뭐예요?
여자: 저는 책 모으는 게 취미예요. 그래서 집에 책이 정말 많아요.
남자: 평소에 책을 많이 읽겠네요. 아, 그럼 내일 저랑 책 사러 갈래요?
여자: 솔직히 책을 자주 읽지는 않아요. 하지만 서점에 가는 건 좋아요.

해설

① 남자는 서점에서 일합니다.
　→ 남자는 내일 여자와 서점에 갈 겁니다.
② 여자의 취미는 독서입니다.
　→ 여자의 취미는 책 모으기입니다. 책을 자주 읽지는 않습니다.
❸ 여자의 집에는 책이 많습니다.
④ 남자는 평소에 책을 많이 봅니다.
　→ 나오지 않은 내용입니다.

단어

책, 모으다, 서점, 독서

说明

① 男的在书店工作。
　→ 男的明天要和女的去书店。
② 女的的兴趣是读书。
　→ 女的的兴趣是收集书，不经常读书。
❸ 女的家里有很多书。
④ 男的平时看很多书。
　→ 没有出现这个内容。

单词

书，收集，书店，读书

Explanation

① The man works at a bookstore.
　→ The man will visit the bookstore with the woman tomorrow.
② The woman's hobby is reading.
　→ The woman's hobby is collecting books. However, she does not read books often.
❸ There's a large number of books in the woman's house.
④ The man is an avid reader.
　→ The content didn't appear.

Words

book, collect, bookstore, reading

22 중심 생각 고르기

남자: 여보, 우리도 운동하는 모임을 좀 알아보고 거기서 운동할까요?

여자: 그러면 모임 시간에 맞춰서 운동해야 하잖아요. 불편할 것 같아요.

남자: 하지만 사람들과 함께 한다면 더 재미있고 꾸준히 운동할 수 있을 거예요.

여자: 저는 제가 운동하고 싶을 때 운동하는 게 더 좋아요.

해 설

여자는 자신이 운동하고 싶을 때 운동하는 게 좋다고 했습니다.

단 어

모임, 알아보다, 가입하다, 꾸준히, 자유롭다

说明

女的说本人想运动的时候去运动比较好。

单词

聚会，了解，加入，坚持不懈，自由

Explanation

The woman prefers to exercise whenever she feels like she wants to exercise.

Words

gathering, find out, join, consistently, freely

23 중심 생각 고르기

남자: 효승 씨는 외국으로 여행을 간다면 어디로 가고 싶어요?

여자: 다 좋아요. 그런데 저는 같이 가는 사람이 더 중요한 것 같아요.

남자: 그래요? 그럼 어떤 사람과 여행하고 싶어요?

여자: 저하고 말이 잘 통하는 사람과 하고 싶어요.

해 설

여자는 말이 잘 통하는 사람과 여행을 하고 싶다고 했습니다.

단 어

외국, 말이 잘 통하다, 완벽히, 대화

说明

女的说想和聊得来的人去旅行。

单词

外国，聊得来，完美地，对话

Explanation

The woman wishes to travel with someone with whom she can communicate effectively.

Words

foreign, communicate well, perfectly, conversation

24 중심 생각 고르기

여자: 와, 저 식당 앞엔 사람이 정말 많네요. 우리 저기서 먹어요.

남자: 줄이 저렇게 길면 한참 기다려야 할 텐데 괜찮아요?

여자: 그럼요. 맛있으니까 사람들이 줄을 서 있겠지요.

남자: 저는 기다리는 게 정말 싫은데 다른 데 가면 안 될까요?

해 설

여자는 맛있으니까 사람들이 식당 앞에 줄을 서 있을 거라고 했습니다.

단 어

줄, 한참, 기다리다, 손님, 아깝다

说明

女的说因为好吃，人们会在餐厅前面排队。

单词

排队，好一阵，等待，客人，可惜

Explanation

The woman said that people are lining up in front of the restaurant because it's delicious.

Words

line, quite a while, wait, customer, worth it

[25~26]

> 여자: 잠시 안내 말씀드립니다. 잠시 후, 신랑 임준 군과 신부 서지영 양의 **결혼식이 시작됩니다.** 밖에 계시는 분들은 예식장 안으로 들어와 주시기 바랍니다. 결혼식은 약 40분 동안 진행됩니다. **음악이 시작되면 휴대폰은 잠시 꺼 주시고, 자리에 앉아 주시기 바랍니다.** 식사는 7층에 준비되어 있습니다. 감사합니다.

25 화자의 의도/목적 고르기

정답 ②

해설
여자는 결혼식이 시작되니 결혼식장 안으로 들어와 달라는 말을 하고 있습니다.

단어
신랑, 신부, 예식장, 음악, 식사

说明
女的说婚礼要开始了，让进婚礼礼堂。

单词
新郎，新娘，礼堂，音乐，吃饭

Explanation
The woman is asking people to come inside the wedding hall as the ceremony is about to start.

Words
groom, bride, ceremony hall, music, meal

26 일치하는 내용 고르기

정답 ④

해설
① 예식장은 7층에 있습니다.
　→ 식당이 7층에 있습니다.
② 결혼식은 한 시간 동안 진행됩니다.
　→ 결혼식은 약 40분 동안 진행됩니다.
③ 식당 안에서는 휴대폰을 꺼야 합니다.
　→ 예식장 안에서 음악이 시작되면 휴대폰을 잠시 꺼 달라고 했습니다.
❹ 음악이 시작될 때 자리에 앉으면 됩니다.

단어
진행되다, 휴대폰, 끄다

说明
① 礼堂在七楼。
　→ 餐厅在七楼。
② 婚礼进行一个小时。
　→ 婚礼大约进行40分钟。
③ 在餐厅里要关掉手机。
　→ 礼堂里音乐一开始，让暂时关掉手机。
❹ 音乐开始时坐在座位上就可以了。

单词
进行，手机，关掉

Explanation
① The ceremony hall is located on the 7th floor.
　→ The restaurant is located on the 7th floor.
② The wedding ceremony is expected to last for one hour.
　→ The wedding ceremony will last around 40 minutes.
③ Mobile phones should be switched off inside the restaurant.
　→ The woman asked the guests to turn off their mobile phones when the music begins in the ceremony hall.
❹ One should sit down as the music begins.

Words
proceed, mobile phone, turn off

[27~28]

> 여자: 여보세요, 이번 주 토요일과 일요일에 사용할 수 있는 교실 있나요?
> 남자: 몇 명이 오시는 거지요? 주말에는 큰 교실만 이용하실 수 있어요.
> 여자: 잠시만요. 저희 동아리 사람이 다 모이면…… 스무 명 정도예요.
> 남자: 그럼 큰 교실 두 개면 돼요. 교실 하나에 열두 명까지 들어갈 수 있어요. 이걸로 예약해 드릴까요?
> 여자: 아, 그래요? 네, 그럼 그렇게 해 주세요.

27 화제 고르기

정답 ③

해설
두 사람은 여자의 동아리에서 사용할 교실을 예약하는 것에 대해 이야기하고 있습니다.

단어
이용하다, 모이다, 하나, 예약하다, 활동

说明
两个人在谈论要预约女的的社团要用的教室。

单词
利用，集合，一个，预约，活动

Explanation
The two are discussing reserving a classroom for the woman's club activities.

Words
use, gather, one, reserve, activity

28 일치하는 내용 고르기

정답 ①

해설
❶ 이번 주말에 동아리 모임이 있습니다.
② 여자는 큰 교실 한 개를 예약했습니다.
　 → 여자는 큰 교실 두 개를 예약했습니다.
③ 주말에는 큰 교실을 이용할 수 없습니다.
　 → 주말에는 큰 교실만 이용할 수 있습니다.
④ 큰 교실은 20명까지 들어갈 수 있습니다.
　 → 큰 교실 하나에는 12명까지 들어갈 수 있습니다.

단어
토요일, 일요일, 들어가다

说明
❶ 这个周末有社团活动。
② 女的预约了一个大教室。
　 → 女的预约了两个大教室。
③ 周末不能用大教室。
　 → 周末只能用大教室。
④ 大教室最多可以容纳20人。
　 → 一个大教室最多可以容纳12个人。

单词
星期六，星期日/星期天，进去

Explanation
❶ The club meeting is planned for this weekend.
② The woman reserved one large classroom.
　 → The woman has booked two large classrooms.
③ Large classrooms are unavailable on weekends.
　 → Only large classrooms can be used on weekends.
④ One large classroom can accommodate up to 20 people.
　 → Each large classroom can accommodate up to 12 people.

Words
Saturday, Sunday, enter

[29~30]

여자: 김준수 선생님, 올해도 책을 쓰셨지요? 어떤 책인가요?

남자: 제가 의사가 된 지 10년이 됐는데요. 그동안 동물들과 있었던 특별한 일들을 쓴 겁니다. 이 일을 하면서 느끼는 즐거움을 사람들에게 알려 주고 싶어서요.

여자: 그렇군요. 책에 있는 그림도 직접 그리셨다고요.

남자: 네, 5년 전부터 취미로 그림을 배우고 있어요. 시간이 날 때마다 병원의 동물들을 그리고 있고요.

여자: 그럼 특히 기억나는 동물이나 경험도 있으세요?

남자: 작년에 고양이 한 마리를 병원 앞에서 만났어요. 다친 곳은 없었지만 밥을 먹지 못해 계속 울고 있었지요. 그리고 지금은 그 고양이가 저희 병원에 살고 있어요.

29 의도/목적/이유 고르기   정답 ②

해 설

남자는 동물을 치료하며 느끼는 즐거움을 사람들에게 알려 주고 싶어서 책을 썼다고 했습니다.

단 어

의사, 동물, 특별하다, 즐거움, 알리다, 직접, 기억나다, 다치다, 기쁘다

说明

男的说想把治疗动物的快乐告诉人们，所以写了书。

单词

医生，动物，特别，快乐，告知/宣传，亲自，记得，受伤，开心

Explanation

The man wrote a book to share his joy of treating animals with others.

Words

doctor, animal, special, joy, inform, by oneself(= in person), remember, get hurt, be happy

30 일치하는 내용 고르기   정답 ④

해 설

① 남자는 작년부터 책을 썼습니다.
  → 나오지 않은 내용입니다.
② 남자는 5년 전에 의사가 되었습니다.
  → 남자는 10년 전에 의사가 되었습니다.
③ 남자는 어릴 때 그림을 배운 적이 있습니다.
  → 남자는 5년 전부터 취미로 그림을 배우고 있습니다.
❹ 남자는 병원에서 고양이를 기르고 있습니다.

단 어

작년, 고양이, 기르다

说明

① 男的从去年开始写书。
  → 没有出现这个内容。
② 男的5年前当了医生。
  → 男的10年前当了医生。
③ 男的小时候学过画画。
  → 男的从5年前开始当作爱好学画画。
❹ 男的在医院里养着猫。

单词

去年，猫，养

Explanation

① The man started writing a book last year.
  → The content didn't appear.
② The man became a doctor five years ago.
  → The man became a doctor ten years ago.
③ The man took up drawing lessons when the man was young.
  → For the past five years, the man has been learning drawing as a hobby.
❹ The cat is being cared for by the man at the hospital.

Words

last year, cat, raise

31	32	33	34	35	36	37	38	39	40
③	①	④	①	①	④	①	③	③	①
41	**42**	**43**	**44**	**45**	**46**	**47**	**48**	**49**	**50**
④	①	③	③	②	④	①	②	②	②
51	**52**	**53**	**54**	**55**	**56**	**57**	**58**	**59**	**60**
②	④	①	④	③	①	②	①	①	②
61	**62**	**63**	**64**	**65**	**66**	**67**	**68**	**69**	**70**
②	④	③	①	①	③	③	④	③	②

　　　　　　　　　　　　　　　　　　　　　　　　　　　　　　　▨ 정답 근거

31　화제 고르기　　　　　　　　　　　　　정답　③

저는 스물다섯 살입니다. 동생은 스무 살입니다.

① 달력
② 취미
❸ 나이
④ 계획

해설

'스물다섯 살', '스무 살'은 모두 '나이'입니다.

단어

달력, 취미, 나이, 계획

说明

"스물다섯 살(二十五岁)"、"스무 살(二十岁)"都是指 "나이(年龄)"。

单词

月历，爱好，年龄，计划

Explanation

'스물다섯 살(25 years old)' and '스무 살(20 years old)' are '나 이(ages).'

Words

calendar, hobby, age, plan

32　화제 고르기　　　　　　　　　　　　　정답　①

배가 아픕니다. 약국에 가려고 합니다.

❶ 병
② 맛
③ 값
④ 일

해설

배가 아파서 약국에 가는 것은 '병' 때문입니다.

단어

배, 아프다, 약국, 병, 맛, 값

说明

肚子疼去药店是因为"병(病)"。

单词

肚子，疼/痛，药店，病，味道，价格

Explanation

The speaker goes to the pharmacy with a stomachache because of '병(a disease/sickness).'

Words

stomach, ache/sick, pharmacy, disease/sickness, taste, price

33 화제 고르기

토요일에 언니를 만납니다. 일요일은 집에서 쉽니다.

① 가족
② 방학
③ 생일
❹ 주말

해설

'토요일'과 '일요일'을 '주말'이라고 합니다.

단어

방학, 주말

说明

"토요일(星期六)"和"일요일(星期日)"是"주말(周末)"。

单词

放假，周末

Explanation

'토요일(Saturday)' and '일요일(Sunday)' are called '주말(the weekend).'

Words

vacation, weekend

34 빈칸에 알맞은 말 고르기

도서관에 갑니다. (책)을 빌립니다.

❶ 책
② 옷
③ 돈
④ 물

해설

도서관에서는 '책'을 빌릴 수 있습니다.

단어

도서관, 빌리다

说明

在图书馆可以借"책(书)"。

单词

图书馆，借

Explanation

You can borrow '책(a book)' from the library.

Words

library, borrow

35 빈칸에 알맞은 말 고르기

백화점에 갑니다. 옷과 가방을 (삽니다).

❶ 삽니다
② 씁니다
③ 줍니다
④ 옵니다

해설

백화점에 가면 옷과 가방을 살 수 있습니다. 옷과 가방을 '삽니다'가 알맞습니다.

단어

백화점, 사다, 주다

说明

去商场可以买"옷(衣服)"和"가방(包)"。所以"옷과 가방을 '삽니다(买)'"是对的。

单词

商场，买，给

Explanation

You can buy bags and clothes in the department store. It is correct to use '삽니다(buy)' when you buy bags and clothes.

Words

department store, buy, give

36 빈칸에 알맞은 말 고르기

방이 (더럽습니다). 청소를 합니다.

① 비쌉니다
② 덥습니다
③ 넓습니다
❹ 더럽습니다

해 설

방이 더러울 때 청소를 합니다. 방이 '더럽습니다'가 알맞습니다.

단 어

비싸다, 덥다, 더럽다

说明

房间脏的时候会打扫卫生。所以 "방이 '더럽습니다(脏)'" 是对的。

单词

贵/价格高，热，脏

Explanation

You clean the room when it is messy. The room is '더럽습니다(messy).'

Words

expensive, hot, messy

37 빈칸에 알맞은 말 고르기

친구가 늦게 옵니다. (아직) 못 만났습니다.

❶ 아직
② 항상
③ 아까
④ 가장

해 설

친구가 늦게 와서 만나지 못했습니다. 어떤 일이 이루어지지 않은 상태를 말할 때 '아직'을 씁니다.

단 어

늦다, 아직, 항상, 아까, 가장

说明

朋友来得晚，所以没见到。在说某件事没有完成的时候，会用 "아직(尚/还)"。

单词

晚，尚/还，经常，刚才，最/非常

Explanation

The speaker hasn't met his friend because his friend is late. When something is not done, '아직(yet)' is used to describe the situation.

Words

late, yet, always, just/right before, most

38　빈칸에 알맞은 말 고르기

> 이것은 **친구**(의) **가방**입니다.

① 만
② 가
❸ 의
④ 도

해 설

친구가 가방을 가지고 있습니다. 소유를 나타낼 때 '~의'를 씁니다.
① ~만: 다른 것은 제외하고 어느 것을 한정함을 나타내는 조사
② ~가: 어떤 상태나 상황에 놓인 대상이나 동작의 주체를 나타내는 조사
❸ ~의: 앞의 말이 뒤의 말에 대하여 소유, 소속, 소재, 관계, 기원, 주체의 관계를 가짐을 나타내는 조사
④ ~도: 이미 있는 어떤 것에 다른 것을 더하거나 포함함을 나타내는 조사

단 어

친구, 가방

说明

朋友有包。表示所属或拥有时用 "~의(···的)"。
① ~만：表示除其他以外，只限制某一点的助词。
② ~가：表示某种状态、状况的对象或行为主体的助词 。
❸ ~의： 前一体词是后一体词所表示的所有、所属、素材、起源、主体关系的助词。
④ ~도： 表示对已有事物的添加或包含的助词 。

单词

朋友，包

Explanation

The friend has a bag. When describing possession, '~의(of ~/~'s)' is used.
① ~만: A postpositional particle used when limiting the field to one thing, excluding all the others.
② ~가: A postpositional particle referring to a subject under a certain state or situation, or the subject of an act.
❸ ~의: A postpositional particle used to indicate that the referent of the following word is owned by, belongs to, is related to, originates from, or is the object of what the preceding word indicates.
④ ~도: A postpositional particle used to indicate an addition or inclusion of another thing to something that already exists.

Words

friend, bag

39　빈칸에 알맞은 말 고르기

> **동생**이 **부탁**을 **합니다**. 그래서 동생을 (도와줍니다).

① 배웁니다
② 좋아합니다
❸ 도와줍니다
④ 기다립니다

해 설

동생이 한 부탁을 들어줄 겁니다. 동생을 '도와줍니다'가 알맞습니다.

단 어

부탁, 배우다, 도와주다, 기다리다

说明

说话人会答应弟弟(或妹妹)的请求，所以 "도와줍니다(帮助)" 是对的。

单词

请求，学/学习，帮助，等待

Explanation

The speaker will do what his/her little brother/sister asked for. '도와줍니다(Help)' is correct.

Words

ask, learn, help, wait

40 일치하지 않는 내용 고르기

> **빈방 있습니다~!!**
> • 보증금 1,000만 원 / 월세 40만 원
> • 지하철역 걸어서 5분
> • 연락처: 010-1234-5678

해설

❶ 연락은 이메일로 합니다.
  → 연락은 전화로 합니다. 연락처에 전화번호가 있습니다.
② 이 집은 교통이 아주 편리합니다.
③ 처음에 천만 원을 맡겨야 합니다.
④ 한 달에 사십만 원을 내야 합니다.

단어

빈방, 보증금, 월세, 이메일, 교통, 편리하다

说明

❶ 用电子邮件联系。
  → 用电话联系。联系方式里有电话号码。
② 这个房子交通非常便利。
③ 首付要交一千万韩元。
④ 一个月要交四十万韩元。

单词

空房/闲房，押金，月租，电子邮件，交通，便利

Explanation

❶ The person(advertiser) wants to be contacted by email.
  → The person(advertiser) wants to be contacted by phone call. There is a phone number on the contact information.
② This house is conveniently located.
③ The deposit is 10,000,000 won.
④ Monthly rent is 400,000 won.

Words

vacant room, deposit, monthly rent, email, transportation/traffic, convenient

---

41 일치하지 않는 내용 고르기

> **강수지**
> 사장님, 제가 오늘 많이 아파요.
> 그래서 병원에 가야 합니다.
> 점심을 먹고 나서 회사에 가겠습니다.

해설

① 수지 씨는 지금 몸이 안 좋습니다.
② 수지 씨는 오늘 병원에 가려고 합니다.
③ 수지 씨는 오늘 오후에 출근을 할 겁니다.
❹ 수지 씨는 오늘 사장님과 밥을 먹을 겁니다.
  → 수지 씨는 오늘 점심을 먹고 회사에 갈 거라고 사장님에게 문자 메시지를 보냈습니다.

단어

사장, 병원, 출근

说明

① 수지现在身体不舒服。
② 수지今天打算去医院。
③ 수지今天下午会去上班。
❹ 수지今天要和总经理一起吃饭。
  → 수지给总经理发信息说今天吃完午饭以后要去公司。

单词

总经理，医院，上班

Explanation

① Suzy doesn't feel good now.
② Suzy is going to the hospital today.
③ Suzy will go to work in the afternoon.
❹ Suzy will eat with her boss.
  → Suzy texts her boss that she will go to work after eating lunch.

Words

boss, hospital, go to work

42 일치하지 않는 내용 고르기

〈특별 수업 안내〉
방은혜 선생님의 재미있는 한국 문화
• 기 간: 20○○년 7월 15일 ～ 9월 14일
  (매주 수요일 19:00 ～ 21:00)
• 신 청: www.sidaekorean.com
• 참가비: 50,000원

해 설

❶ 무료로 들을 수 있습니다.
  → 수업을 들으려면 50,000원을 내야 합니다.
② 홈페이지에서 신청합니다.
③ 수요일마다 수업을 합니다.
④ 2개월 동안 수업을 듣습니다.

단 어

문화, 기간, 신청, 참가비, 무료, 홈페이지, ～마다, ～ 동안

说明

❶ 可以免费听。
  → 如果想听课，需要付5万韩元。
② 在网页上申请。
③ 每周三上课。
④ 上2个月的课。

单词

文化，期间，申请，参加费用，免费/无偿，网页，每…，…期间/…时间

Explanation

❶ The class is free.
  → The class entry fee is 50,000 won.
② You can enroll in the class on the website.
③ The class happens every Wednesday.
④ The class is for 2 months.

Words

culture, period, apply/enrollment, entry fee, free of charge, homepage/website, every ～, for ～

---

43 일치하는 내용 고르기

저는 다음 주에 고향으로 돌아갑니다. 그래서 옷이 많은 친구에게 옷장을 주려고 합니다. 옷장은 크지 않지만 깨끗합니다.

해 설

① 저는 옷이 많습니다.
  → 친구가 옷이 많습니다.
② 저는 고향에 돌아왔습니다.
  → 저는 고향으로 돌아갈 겁니다.
❸ 옷장은 깨끗하지만 작습니다.
④ 저는 옷장을 친구에게 팔았습니다.
  → 저는 옷장을 친구에게 주려고 합니다.

단 어

고향, 옷장, 돌아오다, 돌아가다, 깨끗하다, 팔다

说明

① 我有很多衣服。
  → 朋友有很多衣服。
② 我回老家了。
  → 我要回老家。
❸ 衣柜虽然干净，但很小。
④ 我把衣柜卖给了朋友。
  → 我打算把衣柜送给朋友。

单词

故乡/老家/家乡，衣柜，回来，回去，干净，卖

Explanation

① I have many clothes.
  → My friend has many clothes.
② I came back to my hometown.
  → I will go back to my hometown.
❸ The closet is clean but small.
④ I sold my closet to my friend.
  → I will give my closet to my friend.

Words

hometown, closet, come back, go back, clean, sell

44 일치하는 내용 고르기

> 오늘은 어머니의 생신입니다. 어머니는 빵보다 떡을 더 좋아합니다. 그래서 저는 동생과 함께 떡케이크를 만들었습니다.

해설

① 저는 떡케이크를 샀습니다.
  → 저는 떡케이크를 만들었습니다.
② 저는 혼자 요리를 했습니다.
  → 저는 동생과 함께 떡케이크를 만들었습니다.
❸ 어머니의 생일은 오늘입니다.
④ 어머니는 빵을 떡보다 좋아합니다.
  → 어머니는 떡을 빵보다 좋아합니다.

단 어

생신, 빵, 떡, 요리

说明

① 我买了打糕蛋糕。
  → 我做了打糕蛋糕。
② 我自己做了料理。
  → 我和弟弟(或妹妹)一起做了打糕蛋糕。
❸ 妈妈的生日是今天。
④ 比起打糕，妈妈更喜欢面包。
  → 比起面包，妈妈更喜欢打糕。

单词

寿辰("생일"的敬称)，面包，糕/打糕，料理/烹饪/菜/做菜

Explanation

① I bought a rice cake.
  → I made a rice cake.
② I cooked by myself.
  → I made a rice cake with my younger brother.
❸ It's my mom's birthday today.
④ My mother likes bread more than rice cake.
  → My mother likes rice cake more than bread.

Words

birthday, bread, tteok(= rice cake), cook(ing)

45 일치하는 내용 고르기

> 명절날 한복을 입고 경복궁에 가면 무료로 입장할 수 있습니다. 친구와 저는 설날에 한복을 입고 경복궁에 갔습니다. 구경도 하고 사진도 많이 찍었습니다.

해설

① 저는 가족들과 경복궁에 놀러 갔습니다.
  → 저는 친구와 경복궁에 놀러 갔습니다.
❷ 저는 경복궁에서 사진을 많이 찍었습니다.
③ 친구는 경복궁에서 한복 구경을 했습니다.
  → 친구와 저는 한복을 입고 경복궁 구경을 했습니다.
④ 설날에는 누구나 경복궁에 공짜로 들어갈 수 있습니다.
  → 설날에는 한복을 입으면 경복궁에 공짜로 들어갈 수 있습니다.

단 어

명절, 한복, 경복궁, 무료(= 공짜), 입장, 설날

说明

① 我和家人一起去景福宫玩了。
  → 我和朋友一起去景福宫玩了。
❷ 我在景福宫拍了很多照片。
③ 朋友在景福宫看了韩服。
  → 朋友和我穿着韩服参观了景福宫。
④ 新年的时候任何人都可以免费进入景福宫。
  → 新年的时候如果穿着韩服就可以免费进入景福宫。

单词

节日，韩服，景福宫，免费/无偿，入场/进场，新年/正月初一

Explanation

① I went to Gyeongbok Palace with my family.
  → I went to Gyeongbok Palace with my friend.
❷ I took a lot of pictures at Gyeongbok Palace.
③ My friend checked out the Hanbok at Gyeongbok Palace.
  → My friend and I wore Hanbok and toured Gyeongbok Palace.
④ Anyone can enter Gyeongbok Palace for free on Lunar New Year.
  → Anyone wearing Hanbok can enter Gyeongbok Palace for free on Lunar New Year.

Words

holiday, hanbok, Gyeongbok Palace, free of charge, entrance, Korean new year's day(= Lunar New Year)

46 중심 내용 고르기

> 저는 한국어를 배우고 있습니다. 우리 선생님은 항상 웃고 아주 친절합니다. 어려운 문법도 아주 쉽고 재미있게 설명해 줘서 좋습니다.

해설

우리 한국어 선생님은 항상 웃고, 친절하고, 잘 가르쳐 줘서 좋다는 것이 중심 생각입니다.

단어

웃다, 친절하다, 문법, 설명하다

说明

本文的中心思想是我的韩国语老师经常面带笑容，很亲切，而且教得也很好，所以我很喜欢。

单词

笑，亲切，语法，说明

Explanation

The main idea is that my Korean teacher always smiles, teaches well and is kind.

Words

smile, kind, grammar, explain

---

47 중심 내용 고르기

> 제 꿈은 요리사입니다. 좋은 재료와 정성으로 요리를 해서 사람들에게 주고 싶습니다. 사람들이 제가 만든 음식을 먹고 행복해졌으면 좋겠습니다.

해설

좋은 요리를 해서 사람들을 행복하게 해 주는 훌륭한 요리사가 되고 싶다는 것이 중심 생각입니다.

단어

꿈, 요리사, 재료, 정성, 훌륭하다, 중요하다

说明

本文的中心思想是我想成为一位做得一手好菜，能给人们带来幸福的优秀的厨师。

单词

梦/梦想，厨师，材料，真心/真诚，优秀，重要

Explanation

The main idea is that I want to become an excellent chef who makes people happy with my cooking.

Words

dream, chef, ingredient, sincerity, excellent, important

---

48 중심 내용 고르기

> 저는 내일 친구와 박물관에 갑니다. 친구는 박물관에 가서 역사를 공부합니다. 친구는 평소에도 역사책과 역사 드라마를 많이 봅니다.

해설

친구가 역사에 관심이 아주 많아서 박물관에도 가고, 역사책과 역사 드라마를 본다는 것이 중심 생각입니다.

단어

박물관, 역사, 평소, 관심, 비디오

说明

本文的中心思想是因为朋友对历史很感兴趣，所以又去博物馆，又看历史书和历史剧。

单词

博物馆，历史，平时，关心/关注/兴趣，视频/影像

Explanation

The main idea is that my friend is extremely interested in history, so the friend goes to history museums, reads history books and watches historical dramas.

Words

museum, history, usual(ly), interest/attention, video

> 저는 부산으로 혼자 여행을 자주 갑니다. 부산에는 예쁜 경치와 맛있는 음식이 많습니다. 도착해서 자전거를 빌려서 타고 다니면서 여기저기를 구경합니다. 물론 혼자 여행하는 것은 외롭습니다. 하지만 (㉠ 좋은 점도) 있습니다. 여행하는 동안 모든 것을 제가 하고 싶은 대로 할 수 있습니다.

49 빈칸에 알맞은 말 고르기

정답 ②

해설

'하지만'은 내용이 서로 반대인 두 개의 문장을 이어 줄 때 쓰는 말입니다. '하지만' 앞에는 혼자 여행을 하는 것의 안 좋은 점에 대한 내용이 나오므로, '하지만' 뒤인 ㉠에는 '좋은 점'이라는 말이 들어가는 게 알맞습니다.

단 어

혼자, 자주, 경치, 자전거, 타다, 여기저기, 외롭다, 어색하다

说明

"하지만(但是/可是)"是内容相反的两个句子连在一起时使用的词。在"하지만"的前面出现的是独自旅行的缺点，所以"하지만"后面的㉠位置应填入"좋은 점(优点)"。

单词

独自/一人，常常，景色，自行车，骑(自行车)，到处，孤单/寂寞，尴尬

Explanation

'하지만(But)' is the word connecting two contrasting sentences. There is a bad thing about traveling alone before '하지만.' So after '하지만,' there should be a good thing about traveling alone.

Words

alone, often, scenery, bicycle, ride, here and there, lonely, awkward

50 일치하는 내용 고르기

정답 ②

해설

① 저는 부산에 처음 가 봅니다.
  → 저는 부산으로 여행을 자주 갑니다.
❷ 부산은 구경할 것이 많습니다.
③ 저는 외로울 때 여행을 갑니다.
  → 혼자 여행을 하는 것은 외롭습니다.
④ 저는 자전거를 타고 부산에 갑니다.
  → 저는 부산에 가서 자전거를 빌렸습니다.

단 어

처음, 구경하다

说明

① 我第一次去釜山。
  → 我常去釜山旅行。
❷ 釜山有很多值得一看的东西。
③ 我寂寞的时候就去旅行。
  → 独自旅行很孤单寂寞。
④ 我骑自行车去釜山。
  → 我到釜山以后借了自行车。

单词

第一次，观看/参观/观光

Explanation

① It's my first time to visit Busan.
  → I often visit Busan.
❷ There are many things to see in Busan.
③ I take a trip when I am lonely.
  → Travelling alone is lonely.
④ I ride a bicycle to Busan.
  → I borrowed a bicycle in Busan.

Words

first time, see the sight

[51~52]

예전에는 수업을 받으려면 항상 교실로 가야 했습니다. 그런데 이제는 수업을 받기 위해 꼭 (㉠ 교실에 가지 않아도) 됩니다. 인터넷이 연결된 컴퓨터나 휴대 전화가 있으면 어디서나 수업을 들을 수 있기 때문입니다. 미리 수업 영상을 받아 두었다가 듣는 방법도 있습니다. 앞으로는 더 좋고 다양한 프로그램이 만들어질 것입니다.

51 빈칸에 알맞은 말 고르기

정답 ②

해설

'그런데'는 앞의 내용과 반대되는 내용을 이야기할 때 쓰는 말입니다. '그런데' 앞은 예전 이야기이고, '그런데' 뒤는 요즘 이야기입니다. 예전에는 수업을 들으려면 교실로 가야만 했지만, 요즘은 어디서나 수업을 들을 수 있다는 내용이므로 ㉠에는 '교실에 가지 않아도'라는 말이 들어가는 게 알맞습니다.

단어

예전, 수업, 항상, 교실, 어디서나, 다양하다

说明

"그런데(可是/不过/然而)"是后一句与前一句内容相反的时候使用的词。在本文中"그런데"前面的是以前的事情，"그런데"后面的是最近的事情。本文内容是说以前要去教室才能听课，现在无论在哪儿都可以听课，所以 ㉠应该填"교실에 가지 않아도(不去教室也)"。

单词

以前，课，经常，教室，随处，多种多样

Explanation

'그런데(By the way)' is used when you say something opposite to the previous sentence. The story before '그런데' is from the past, and the story after '그런데' is about nowadays. We had to go to a classroom to have class before. However, we can have class anywhere nowadays. So in ㉠, '교실에 가지 않아도(even without going to class)' would be appropriate.

Words

before, class, always, classroom, anywhere, various

52 화제 고르기

정답 ④

해설

요즘은 인터넷을 이용해 어디서나 수업을 들을 수 있어 편하다는 이야기를 하고 있습니다.

단어

환경, 이유, 언어, 활용

说明

本文主要内容为最近通过网络随处都可以听课，所以很方便。

单词

环境，理由，语言，充分利用

Explanation

The speaker says it is convenient to take a class anywhere using the Internet.

Words

environment, reason, language, use

[53~54]

요즘 너무 바빠서 (㉠ 운동하러 갈) 시간이 없습니다. 그래서 집에서 운동을 하기로 했습니다. 지금은 친구가 준 영상을 보면서 운동을 합니다. 화면 속의 선생님이 친절하게 가르쳐 주는 것을 그대로 따라 하면 됩니다. 영상을 보면서 운동을 하니까 시간을 절약할 수 있어서 정말 좋습니다.

53 빈칸에 알맞은 말 고르기　　　　　　정 답　①

해 설

요즘 너무 바쁩니다. 그래서 운동을 하러 갈 시간이 없어서 집에서 운동을 하기로 했습니다. 집에서 운동을 하니까 시간을 절약할 수 있다고 했습니다.

단 어

영상, 화면, 속, 그대로, 따라하다, 절약하다

说明

最近太忙了。所以说因为没有时间出去运动，所以决定在家运动。在家运动可以节省时间。

单词

视频，画面，里面/内，原原本本地，跟着做，节约/节省

Explanation

I'm so busy these days. So I decide to work out at home because I have no time to go to gym. Working out at home saves time.

Words

video, screen, in, as it is, copy/follow, save

54 일치하는 내용 고르기　　　　　　정 답　④

해 설

① 친구와 함께 운동을 하기로 했습니다.

　→ 친구가 준 영상을 보면서 운동을 합니다.

② 선생님과 직접 만나서 운동을 합니다.

　→ 영상 속에 있는 선생님을 보면서 운동을 합니다.

③ 요즘 시간이 없어서 운동을 못 합니다.

　→ 요즘 시간이 없어서 영상을 보며 운동을 합니다.

❹ 영상 덕분에 시간을 아낄 수 있습니다.

단 어

함께, 요즘, 시간이 없다

说明

① 我决定和朋友一起做运动。

　→ 我看着朋友给的视频做运动。

② 我和老师直接面对面做运动。

　→ 我看着视频里的老师做运动。

③ 最近没有时间，所以不能做运动。

　→ 最近没有时间，所以看着视频做运动。

❹ 因为看着视频做运动，所以节省了很多时间。

单词

一起，最近，没时间

Explanation

① I decide to work out with my friend.

　→ I work out watching a video sent by my friend.

② I work out with an trainer in person.

　→ I work out watching a trainer's video.

③ I don't have time to work out recently.

　→ I don't have time recently, so I work out while watching a video.

❹ Videos save time.

Words

together, recently, have no time

[55~56]

　제 아들은 개를 정말 좋아합니다. 계속 저에게 개를 키우자고 합니다. 하지만 아파트에서는 개를 키우기 어렵습니다. 이웃들이 개를 싫어할 수도 있습니다. 개를 키우려면 마당이 있는 집으로 가야 합니다. (㉠ 그래서) 우리 가족은 시골로 이사를 가기로 했습니다. 시골에서 개도 키우고 농사도 지으려고 합니다.

55 빈칸에 알맞은 말 고르기

정답 ③

해설

㉠의 앞에 이유[시골로 이사를 가는 이유]가 있고, ㉠의 뒤에는 결과[시골로 이사를 가기로 함]가 있습니다. 이유와 결과를 연결할 때는 '그래서'를 씁니다.

단어

계속, 마당, 이사, 키우다, 농사(를) 짓다

说明

㉠的前面是原因[시골로 이사를 가는 이유(搬去乡下的原因)], ㉠后面是结果[시골로 이사를 가기로 함(决定搬去乡下)]。连接原因和结果时，用"그래서(所以)"。

单词

不停地，院子，搬家，养，务农

Explanation

There is a reason [시골로 이사를 가는 이유(why my family is moving to a rural area)] before ㉠. After ㉠, there is the result [시골로 이사를 가기로 함(we decide to move to a rural area).] When linking the reason with the result, you can use '그래서 (so).'

Words

continuously, garden, move, raise, farm

56 일치하는 내용 고르기

정답 ①

해설

❶ 시골에서 살기로 했습니다.
② 아들은 아파트를 좋아합니다.
　→ 아들은 개를 좋아합니다.
③ 이웃을 싫어해서 이사를 갑니다.
　→ 개를 키우면 이웃들이 싫어할 수도 있습니다. 개를 키우기 위해서 이사를 갑니다.
④ 아파트에서 개를 키우려고 합니다.
　→ 시골로 이사를 가서 개를 키우려고 합니다.

단어

시골, 아파트, 이웃

说明

❶ 我决定在乡下生活。
② 儿子喜欢公寓。
　→ 儿子喜欢狗。
③ 因为不喜欢邻居，所以搬家。
　→ 养狗的话邻居们可能会不喜欢。为了养狗而搬去乡下。
④ 打算在公寓养狗。
　→ 搬去乡下以后，在乡下养狗。

单词

乡下，公寓，邻居

Explanation

❶ I decide to live in a rural place.
② My son likes apartments.
　→ My son likes dogs.
③ I move because I don't like the neighbors.
　→ The neighbors would hate it if I have a dog. I move in order to get a dog.
④ I decide to have a dog in my apartment.
　→ I move to a rural area and get a dog.

Words

rural area, apartment, neighbor

(나) 학교에 가려면 지하철이나 버스를 타야 합니다.
(가) 그런데 저는 지하철보다 버스를 좋아합니다.
(라) 버스를 타면 창문으로 밖을 볼 수 있기 때문입니다.
(다) 바깥 구경을 하면서 학교에 가면 기분이 좋습니다.

해설

'그런데', '~보다', '-기 때문입니다' 등을 통해서 순서를 바르게 나열할 수 있습니다.

단어

지하철, 버스, 밖(= 바깥), 창문

(나) 去学校的话需要乘地铁或公交车。
(가) 但是比起地铁，我更喜欢坐公交车。
(라) 因为坐公交车可以看窗外。
(다) 边看着窗外的风景边去学校的话心情会很好。

说明

根据"그런데(可是/不过/然而)"、"~보다(比…)"、"-기 때문입니다(因为…)"可以排列顺序。

单词

地铁，公交车，外面，窗户

(나) I have to take the subway or bus to go to school.
(가) But I prefer the bus to the subway.
(라) Because I can look out the window in the bus.
(다) Looking out the window while going to school feels good.

Explanation

By using '그런데(but(= by the way)),' '~보다(more than ~),' and '-기 때문입니다(due to ~),' you can list the order correctly.

Words

subway, bus, outside, window

(나) 물건을 사려면 대형 마트나 시장에 가야 합니다.
(가) 두 장소 모두 장점과 단점이 있습니다.
(라) 대형 마트는 주차가 편리하지만 물건 값을 깎을 수 없습니다.
(다) 그런데 시장은 값을 깎을 수는 있지만 불편한 점이 많습니다.

해설

'두 장소', '그런데' 등을 통해서 순서를 바르게 나열할 수 있습니다.

단어

장점, 단점, 대형 마트, 시장, 주차, 값, 깎다

(나) 买东西的话要去大超市或市场。
(가) 两个地方各有利弊。
(라) 大超市虽然停车方便，但不能砍价。
(다) 不过，市场虽然可以砍价，但有很多不便之处。

说明

根据"두 장소(两个场所)"、"그런데(可是/不过/然而)"等词可以排列顺序。

单词

优点，缺点，大超市，市场，停车，价钱，砍(价)

(나) If you want to buy something, you need to go to a supermarket or market.
(가) The two places both have advantages and disadvantages.
(라) At a supermarket, parking is convenient, but you can't bargain down the price.
(다) However, you can bargain down the price in a market, but there are many inconveniences.

Explanation

By using '두 장소(two places)' and '그런데(however(= by the way)),' you can list the order correctly.

Words

advantage, disadvantage, supermarket, market, parking, price, bargain down

[59~60]

다이어트를 하는 방법은 두 가지가 있습니다. 첫 번째는 음식을 천천히 먹는 것입니다. (㉠ 오래 씹어 먹으면 배부름을 빨리 느껴서 음식을 조금만 먹게 됩니다.) 그런데 다시 음식을 많이 먹으면 도로 살이 찝니다. 이것을 요요 현상이라고 합니다. 두 번째는 운동을 하는 것입니다. 운동을 꾸준히 하면 몸에 지방이 조금만 쌓이게 됩니다. 그러므로 다이어트를 하려면 운동을 하는 것이 가장 좋습니다.

59 문장이 들어갈 위치 고르기

정답 ①

해설

음식을 천천히 먹으면 음식을 조금만 먹게 됩니다. ㉠ 앞에 음식을 천천히 먹는다는 내용이 나오므로, 그 뒤로 '음식을 조금만 먹게 된다'는 내용이 이어지는 게 알맞습니다.

단어

다이어트, 천천히, 도로, 살이 찌다, 운동, 쌓이다

说明

吃东西如果细嚼慢咽的话就会吃得少一点。㉠前出现的内容是 "음식을 천천히 먹는다(吃东西细嚼慢咽)"，所以㉠的内容应该是 "음식을 조금만 먹게 된다(吃得少)"。

单词

减肥，慢慢地，又/重新，发胖，运动，堆积

Explanation

When you eat food slowly, you can only eat a small amount. Before ㉠, there is a sentence about eating slowly. So, the sentence, '음식을 조금만 먹게 된다(You are going to eat only a small amount of food),' should follow the sentence.

Words

(be on a) diet, slowly, again, gain weight, workout, accumulate

60 일치하는 내용 고르기

정답 ②

해설

① 음식을 천천히 먹으면 살이 찝니다.
  → 음식을 많이 먹으면 살이 찝니다.
❷ 운동을 하면 몸에 지방이 덜 쌓입니다.
③ 음식을 조금 먹으면 요요 현상이 일어납니다.
  → 음식을 조금 먹다가 다시 많이 먹으면 요요 현상이 일어납니다.
④ 다이어트에는 음식을 조절하는 것이 제일 좋습니다.
  → 다이어트에는 운동을 하는 것이 제일 좋습니다.

단어

지방, 일어나다, 조절

说明

① 如果细嚼慢咽的话会发胖。
  → 如果吃得多的话会发胖。
❷ 如果做运动的话，身体的脂肪会堆积得少一些。
③ 如果吃得少的话就会反弹。
  → 如果减少食量以后又增加食量的话会反弹。
④ 减肥最好的方法是调节饮食。
  → 减肥最好的方法是做运动。

单词

脂肪，出现/发生，调节

Explanation

① You gain weight if you eat food slowly.
  → You gain weight if you eat a lot.
❷ Working out helps your body to accumulate less fat.
③ Eating less causes the yo-yo syndrome.
  → Eating little and then eating a lot again causes the yo-yo syndrome.
④ It is best to control what you eat when on a diet.
  → It is best to work out when on a diet.

Words

fat, cause, control

계절이 바뀌는 시기가 되면, 하루 중에도 온도 차이가 크게 나서 감기에 걸리기 쉽습니다. 특히 여름에서 가을이 될 때, 아침은 쌀쌀하고 낮은 따뜻할 때가 많습니다. 그래서 이 시기에는 조금 (㉠ 귀찮더라도) 건강을 위해서 겉옷을 꼭 챙겨서 나가야 합니다. 특히, 두꺼운 외투 한 벌보다는 얇은 옷을 여러 개 입고 나가서 더울 때는 벗고 추울 때는 입는 게 좋습니다.

61 빈칸에 알맞은 말 고르기　　　　　정답 ②

해설

옷을 따로 챙겨서 나가는 것은 귀찮은 일입니다. '귀찮다'를 넣는 것이 알맞습니다.

단어

시기, 온도, 차이, 감기에 걸리다, 쌀쌀하다, 따뜻하다, 챙기다, 얇다, 외투, 벗다

说明

多备一件衣服出门是件麻烦的事。所以填 "귀찮다(麻烦)" 是正确的。

单词

时期，温度，差异/差别，感冒，冷飕飕，温暖/暖和/热情，带/拿，薄，外套，脱

Explanation

Taking extra clothes when going out is annoying. '귀찮다(to feel annoyed)' is appropriate.

Words

season, temperature, difference, get a cold, chilly, warm, take, thin, coat, take off

62 일치하는 내용 고르기　　　　　정답 ④

해설

① 여름이 되면 아침에 기온이 올라갑니다.
　→ 이런 내용은 나오지 않습니다.
② 가을이 되면 아침보다 낮이 더 춥습니다.
　→ 가을이 되면 아침보다 낮이 더 따뜻할 때가 많습니다.
③ 감기에 걸리면 옷을 겹쳐 입어야 합니다.
　→ 감기에 걸리지 않으려면 겉옷을 챙겨 입어야 합니다. 얇은 옷을 여러 벌 겹쳐 입는 게 좋습니다.
❹ 계절이 바뀔 때면 감기에 걸리기 쉽습니다.

단어

추워지다, 감기, 바뀌다, 기온

说明

① 到了夏天，早晨的气温就会升高。
　→ 没有此内容。
② 到了秋天，白天比早晨还要冷。
　→ 到了秋天，大部分时候是白天比早晨要暖和。
③ 如果感冒了，就要多穿几件衣服。
　→ 如果不想感冒，就得穿好外套。多穿几件薄衣服比较好。
❹ 换季的时候容易感冒。

单词

变冷，感冒，变化/改变，气温

Explanation

① In summer, the temperature rises in the morning.
　→ This information isn't mentioned.
② In fall, the daytime is chillier than the morning.
　→ In fall, the daytime is often warmer than the morning.
③ When you get a cold, you should put on layers of clothes.
　→ You have to put on outerwear not to get a cold. It's good to wear many thin layers of clothing.
❹ It is easy to get a cold during the change of seasons.

Words

getting cold, cold, change, temperature

[63~64]

> **[제목] 동호회 행사 안내**
> 메리 크리스마스~!
> 미술 동호회 회원 여러분, 추운 겨울 항상 건강하고 행복하시길 빕니다.
> 우리 동호회에서 그동안 함께 그린 그림을 가지고 **전시회를 열려고 합니다.**
> 가장 좋아하는 자신의 작품 두 개를 동호회 회장에게 보내 주세요.
> • 제출 일시: 20○○년 12월 15일까지
> • 전시회 일시: 20○○년 12월 24~25일 (10:00~21:00)
> • 전시회 장소: 삼청동 한국 체육관

63 필자의 의도/목적 고르기

해설

미술 동호회의 전시회 일정과 장소를 알리기 위해서 이 글을 썼습니다.

단어

미술, 동호회, 회원, 자신, 작품, 회장, 제출, 일시, 전시회

说明

写这篇文章的目的是为了宣传美术爱好者协会展览会的日程和场所。

单词

美术，爱好者协会，会员，自己，作品，会长，提交，日期，展览会/展示会

Explanation

The notice gives information about the exhibition schedule and venue of the art club.

Words

art, club, member, one's own, piece, head, submit, date and time, exhibition

64 일치하는 내용 고르기

해설

❶ 전시회는 이틀 동안 진행됩니다.
② 유명한 화가의 그림을 전시합니다.
　→ 동호회 회원들의 그림을 전시합니다.
③ 전시회는 오후에만 볼 수 있습니다.
　→ 전시회는 오전 10시부터 오후 9시까지 볼 수 있습니다.
④ 회원들은 그림을 하나씩 보내면 됩니다.
　→ 회원들은 그림을 두 개씩 보내야 합니다.

단어

유명하다, 화가, 오후

说明

❶ 展览会进行两天。
② 展示著名画家的画。
　→ 展示协会会员的画。
③ 展览只能在下午观看。
　→ 展览从上午10点到晚上9点可以观看。
④ 会员们每人提交一副画就可以。
　→ 会员们每人需要提交两幅画。

单词

有名/著名/出名，画家，下午

Explanation

❶ The exhibition lasts for two days.
② Paintings from famous artists are displayed.
　→ Painting from club members are displayed.
③ The exhibition is only open in the afternoon.
　→ The exhibition is open from 10 a.m. to 9 p.m.
④ The members should submit one of their paintings.
　→ The members should submit two of their paintings.

Words

famous, painter, afternoon

[65~66]

학교가 (㉠ 필요없다고) 생각하는 사람들이 있습니다. 그런 사람들은 대부분 집에서 혼자 공부하거나 학원에서 공부하는 것을 더 좋아합니다. 하지만 학교에서는 공부만 하는 것이 아닙니다. 우리는 학교에 가서 함께 살아가는 방법을 배웁니다. 서로 돕는 법을 배우고, 바르게 경쟁하는 법도 배웁니다. 그래서 공부를 하는 방법에 여러 가지가 있지만, 우리는 꼭 학교에 다녀야 합니다.

65 빈칸에 알맞은 말 고르기

정답 ①

해설

'하지만' 뒤에는 학교가 필요한 이유가 나오고 그 앞에는 반대되는 내용이 나와야 하므로, ㉠에는 학교가 '필요없다'는 말이 들어가는 게 알맞습니다.

단어

살아가다, 돕다, 바르다, 경쟁하다, 다니다

说明

"하지만(但是/可是)"后面出现的是需要有学校的理由，前面应该出现与之相反的内容，所以㉠应该填"필요없다(没必要)"。

单词

过日子，帮助，正确/合理，竞争，上(学)

Explanation

There should be a reason why schools are necessary after '하지만(but)' and there should be a reason why schools are unnecessary before '하지만.' So in ㉠, '필요없다(no need)' would be appropriate.

Words

live, help, right, compete, go to

66 일치하는 내용 고르기

정답 ③

해설

① 경쟁에서 이기기 위해 공부해야 합니다.
　→ 바르게 경쟁하는 법을 학교에서 배웁니다.
② 학교 교육이 가장 좋은 학습 방법입니다.
　→ 학습 방법은 여러 가지가 있습니다.
❸ 학교에서는 다양한 것을 배울 수 있습니다.
④ 학원에서는 서로 돕고 사는 법을 가르칩니다.
　→ 학교에서는 서로 돕고 사는 법을 가르칩니다.

단어

이기다, 교육, 배우다

说明

① 为了在竞争中取胜，必须要学习。
　→ 在学校学习正确竞争的方法。
② 学校教育是最好的学习方法。
　→ 学习方法有很多种。
❸ 在学校能学习到很多东西。
④ 在补习班会教互助生活的方法。
　→ 在学校会教互助生活的方法。

单词

胜/赢，教育，学/学习

Explanation

① To win the competition, we have to study.
　→ We learn how to compete properly in school.
② School education is the best learning method.
　→ There are various learning methods.
❸ We can learn various things in school.
④ Institutes teach how to help each other and live together.
　→ Schools teach how to help each other and live together.

Words

win, education, learn

요즘 밤에 잠을 자지 못해서 고민하는 사람이 많습니다. 잠을 잘 자기 위해 지켜야 하는 몇 가지 규칙이 있습니다. 먼저 커피나 홍차 같은 음료를 마시면 안 됩니다. 만약 (㉠ 너무 마시고 싶으면) 저녁에 마시지 말고 아침에 마셔야 합니다. 그리고 자기 전에 따뜻한 물로 샤워를 하면 도움이 됩니다. 또 가벼운 운동을 하는 것은 좋지만, 심한 운동은 피하는 것이 좋습니다.

67 빈칸에 알맞은 말 고르기　　정답 ③

해설

㉠ 앞에는 커피나 홍차를 마시면 안 된다는 내용이 나옵니다. ㉠ 뒤에는 아침에 마시라는 내용이 나옵니다. 그러므로 ㉠에는 '너무 마시고 싶으면'이 들어가는 것이 알맞습니다.

단어

규칙, 마시다, 홍차, 만약, 샤워, 가볍다, 심하다, 피하다

说明

㉠前是不能喝咖啡或红茶的内容，㉠后是让早晨喝的内容。所以㉠的位置应该是 "너무 마시고 싶으면(如果特别想喝的话)"。

单词

规则，喝，红茶，如果，冲澡，轻微(运动)，剧烈(运动)，避免

Explanation

Before ㉠, it says you shouldn't drink coffee or black tea. After ㉠, it says you should drink them in the morning. So in ㉠, '너무 마시고 싶으면(if you really want to drink them)' would be appropriate.

Words

rule, drink, black tea, if, shower, light, excessive, avoid

68 일치하는 내용 고르기　　정답 ④

해설

① 운동을 많이 할수록 깊이 잘 수 있습니다.
　→ 가벼운 운동은 좋지만 심한 운동은 안 좋습니다.
② 고민이 많아서 잠을 못 자는 사람이 많습니다.
　→ 잠을 못 자서 고민하는 사람이 많습니다.
③ 따뜻한 물로 씻으면 잠을 깊이 잘 수 없습니다.
　→ 자기 전에 따뜻한 물로 씻으면 잠을 잘 자는 데 도움이 됩니다.
❹ 밤에 잘 자려면 홍차는 마시지 않는 게 좋습니다.

단어

깊이, 고민, 씻다

说明

① 运动做得越多，睡得越香。
　→ 轻微的运动对身体好，剧烈运动对身体不好。
② 很多人因为烦恼太多而失眠。
　→ 很多人因为没睡好觉而苦恼。
③ 洗热水澡的话，会睡得不香。
　→ 睡前洗热水澡有助于睡眠。
❹ 晚上要想睡得好，最好不要喝红茶。

单词

深，苦恼，洗

Explanation

① The more you work out, the deeper you sleep.
　→ Light exercise is good but excessive exercise is bad.
② There are many people who can't sleep because they have many worries.
　→ There are many people who are worried because they can't sleep.
③ You can't sleep deeply if you bathe in hot water.
　→ Bathing in hot water before going to bed helps you sleep well.
❹ It is good not to drink black tea in order to sleep well at night.

Words

deeply, worry, wash/shower/bathe

[69~70]

저는 청소하는 것을 좋아합니다. 청소를 하고 나서 깨끗한 방을 보면 제 마음까지 깨끗해지는 기분입니다. 그런데 제 동생은 청소하는 것을 정말 싫어합니다. 동생은 청소하는 것이 귀찮고 힘들다고 합니다. 동생에게 청소를 하고 나서 느끼는 기분을 꼭 가르쳐 주고 싶습니다. 동생이 (㉠ 그 기분을 느끼고 나면) 동생도 청소하는 것을 좋아하게 될 것 같습니다. 그리고 더 깨끗하고 쉽게 청소하는 방법도 가르쳐 줄 겁니다.

69   빈칸에 알맞은 말 고르기

정답 ③

해설

㉠ 앞에는 동생에게 청소 후의 기분을 가르쳐 주고 싶다는 내용이 나옵니다. ㉠ 뒤에는 동생도 청소하는 것을 좋아하게 될 거라는 내용이 나옵니다. 그러므로 ㉠에는 '청소 후의 기분을 느끼고 나면'이 들어가는 것이 알맞습니다.

단 어

청소, ~까지, 느끼다, 귀찮다, 힘들다

说明

㉠前面的内容是想让弟弟(或妹妹)知道打扫卫生以后的心情，㉠后面的内容是认为弟弟(或妹妹)也会喜欢上打扫卫生。因此，㉠应该填"청소 후의 기분을 느끼고 나면(感受打扫卫生以后的心情的话)"。

单词

打扫卫生，连…也，感受/感到，麻烦，吃力/累/困难

Explanation

It says I want to teach my little brother/sister how it feels after cleaning before ㉠. After ㉠, it says he/she would like cleaning. So, in ㉠, '청소 후의 기분을 느끼면(When he/she is aware of the feeling after cleaning after cleaning)' would be appropriate.

Words

cleaning, until ~, feel, annoying, tired/hard/difficult

70   일치하는 내용 고르기

정답 ②

해설

① 동생은 이제 청소를 좋아하게 되었습니다.
  → 동생은 아직 청소를 좋아하지 않습니다.
❷ 나는 청소를 하고 나면 기분이 좋아집니다.
③ 나와 동생은 청소하는 것을 귀찮아합니다.
  → 나는 청소하는 것을 좋아하고, 동생은 귀찮아합니다.
④ 동생이 쉽게 청소하는 법을 가르쳐 줬습니다.
  → 나는 동생에게 쉽고 깨끗하게 청소하는 법을 가르쳐 줄 겁니다.

단 어

이제, 쉽다

说明

① 弟弟(或妹妹)现在喜欢上打扫卫生了。
  → 弟弟(或妹妹)现在还不喜欢打扫卫生。
❷ 我打扫完卫生以后心情会变好。
③ 我和弟弟(或妹妹)嫌打扫卫生很麻烦。
  → 我喜欢打扫卫生，弟弟(或妹妹)嫌麻烦。
④ 弟弟(或妹妹)教我如何打扫卫生。
  → 我要教弟弟(或妹妹)如何简单而又干净地打扫卫生。

单词

现在/如今，简单

Explanation

① My little brother/sister now likes cleaning.
  → My little brother/sister still doesn't like cleaning yet.
❷ I feel good after cleaning.
③ I and my little brother/sister think cleaning is annoying.
  → I like to clean but my little brother/sister thinks it is annoying.
④ My little brother/sister teaches me how to clean easily.
  → I will teach my brother/sister how to clean easily and spotlessly.

Words

now, easy

정답 및 해설

듣기(01번~30번)

점수: (　　　)점 / **100**점

01	02	03	04	05	06	07	08	09	10
④	①	④	①	②	②	③	③	④	③
11	**12**	**13**	**14**	**15**	**16**	**17**	**18**	**19**	**20**
②	③	①	③	④	③	④	②	②	①
21	**22**	**23**	**24**	**25**	**26**	**27**	**28**	**29**	**30**
①	③	①	③	③	④	④	②	④	③

██ 정답 근거

01 맞는 대답 고르기

정답 ④

남자: 의자가 편해요?
여자: ＿＿＿＿＿＿＿＿＿＿＿＿＿＿＿＿＿＿＿＿＿

① 네, 의자예요.
② 아니요, 의자가 없어요.
③ 아니요, 의자가 편해요.
❹ 아니요, 의자가 안 편해요.

해설

의자가 편한지를 물었기 때문에 '네, (의자가) 편해요.' 또는 '아니요, (의자가) 안 편해요.'라고 대답해야 합니다.

단어

의자, 편하다

说明

因为男的问了椅子舒服吗，所以女的应该回答"네, (의자가) 편해요(是的，舒服)"或"아니요, (의자가) 안 편해요(不, 不舒服)"。

单词

椅子，方便/舒服

Explanation

The man asked if the chair was comfortable, so the woman should answer, '네, (의자가) 편해요(Yes, the chair is comfortable),' or, '아니요, (의자가) 안 편해요(No, the chair is not comfortable).'

Words

chair, comfortable

02 맞는 대답 고르기

남자: 책을 읽어요?
여자: _____

❶ 네, 책을 읽어요.
② 네, 책이 많아요.
③ 아니요, 책이 없어요.
④ 아니요, 책이 아니에요.

해설

책을 읽었는지를 물었기 때문에 '네, (책을) 읽어요.' 또는 '아니요, (책을) 안 읽어요.'라고 대답해야 합니다.

단어

책, 읽다

说明

因为男的问了看书了吗，所以女的应该回答"네, (책을) 읽어요(是的，看书)"或"아니요, (책을) 안 읽어요(不，不看书)"。

单词

书，看/读

Explanation

The man asked her whether she read a book, so the woman should answer '네, (책을) 읽어요(Yes, I read (a book)),', or, '아니요, (책을) 안 읽어요(No, I don't read (a book)).'

Words

book, read

03 맞는 대답 고르기

남자: 언제 학교에 가요?
여자: _____

① 버스를 타고 가요.
② 친구랑 같이 가요.
③ 수업을 들으러 가요.
❹ 아침 여덟 시에 가요.

해설

'언제'는 시간을 묻는 말입니다. '~시에 가요.' 또는 '아침/오후/밤에 가요.'라고 대답하는 것이 알맞습니다.

단어

언제, 수업을 듣다

说明

"언제(什么时候)"是问时间的疑问词。所以应该回答"~시에 가요(数字+几点去)"或者"아침/오후/밤에 가요(早上/下午/晚上去)"。

单词

什么时候，听课

Explanation

'언제(When)' is for asking for time. It is appropriate to answer '~시에 가요(go at ~ o'clock),' or '아침/오후/밤에 가요(go in the morning/go in the afternoon/go at night).'

Words

when, take a class

04 맞는 대답 고르기

남자: 지금 뭐 해요?
여자: _____

❶ 숙제를 해요.
② 커피숍에서 해요.
③ 친구와 같이 해요.
④ 룸메이트가 도와줘요.

해설

'뭐'는 무엇인지 모르는 일이나 대상에 대해 묻는 말입니다. 구체적인 '행동'과 관련된 대답이 나와야 합니다.

단어

지금, 숙제

说明

"뭐(什么)"是对不知道的事情或对某个对象提问的疑问词。回答应该是和具体的"행동(行动)"相关的。

单词

现在，作业

Explanation

'뭐(What)' is for a question about something or an object that you don't know. An answer related to a specific '행동(action)' should appear.

Words

now, homework

05 이어지는 말 고르기

> 남자: 도와주셔서 감사합니다.
> 여자: _____

① 죄송합니다.
❷ 별말씀을요.
③ 반갑습니다.
④ 실례합니다.

해설
여자가 남자를 도와준 상황입니다. '감사합니다/고맙습니다.'에 대한 대답은 '별말씀을요/천만에요.'가 알맞습니다.

단어
돕다, 감사하다, 실례하다

说明
这是女的在帮男的。"감사합니다/고맙습니다(谢谢)"的回答应该是"별말씀을요/천만에요(哪儿的话/不客气)"。

单词
帮助，谢谢，失礼

Explanation
The woman helped the man. The answer to, '감사합니다/고맙습니다(Thanks),' is, '별말씀을요/천만에요(No problem/You're welcome).'

Words
help, thank you, excuse me

06 이어지는 말 고르기

> 남자: 여보세요? 김 선생님 계십니까?
> 여자: _____

① 네, 괜찮습니다.
❷ 네, 바꿔 드릴게요.
③ 네, 다음에 만나요.
④ 네, 이쪽으로 오세요.

해설
남자가 전화를 해서 김 선생님을 찾고 있습니다. '(전화를) 바꿔 주겠다'는 대답이 알맞습니다.

단어
(전화상에서) 여보세요, 계시다

说明
男的正在打电话找金老师。所以回答是"(전화를) 바꿔 주겠다(转接电话)"。

单词
(打电话时)喂，在

Explanation
The man is calling and looking for Mr. Kim. The answer, '(전화를) 바꿔 주겠다(I'll put him on the phone)' is appropriate.

Words
(on the phone) hello, someone is here

07 담화 장소 고르기

> 남자: 이 편지는 비행기로 보내실 거예요?
> 여자: 아니요. 배로 보내 주세요.

① 공항
② 항구
❸ 우체국
④ 세탁소

해설
편지를 보내는 곳은 '우체국'입니다.

단어
편지, 배, 보내다, 항구, 세탁소, 우체국

说明
寄信的地方是"우체국(邮局)"。

单词
信，船，寄，港口，洗衣店，邮局

Explanation
The place where people send letters is a '우체국(post office).'

Words
letter, ship, send, port, laundry, post office

08 담화 장소 고르기

정답 ③

남자: 어디가 아프세요?
여자: 배가 아파요. 소화제 좀 주세요.

① 공원
② 시장
❸ 약국
④ 식당

해설

소화제를 파는 곳은 '약국'입니다.

단어

아프다, 소화제, 시장, 약국, 음식점

说明

卖消化药的地方是"약국(药店)"。

单词

疼/痛，消化药，市场，药店，餐馆

Explanation

The place where digestive medicine is sold is a '약국 (pharmacy).'

Words

ache/sick, digestive medicine, market, pharmacy, restaurant

09 담화 장소 고르기

정답 ④

남자: 머리를 어떻게 해 드릴까요?
여자: 조금만 다듬고 빨간색으로 염색해 주세요.

① 꽃집
② 병원
③ 미술관
❹ 미용실

해설

머리를 다듬고 염색을 할 수 있는 곳은 '미용실'입니다.
• 파마(하다), 염색(하다), 자르다, 다듬다

단어

(머리를) 하다, 미용실, 꽃집

说明

可以做头发和染发的地方是"미용실(美发厅)"。
• 烫发，染发，剪发，做头发

单词

做头发，美发厅，花店

Explanation

The place where you can trim and dye your hair is a '미용실 (hair salon).'
• (get) a perm, dye, cut, trim

Words

do hair, hair salon, flower shop

10 담화 장소 고르기

정답 ③

남자: 저 치즈 케이크로 주시겠어요?
여자: 네, 케이크에 초는 몇 개 넣어드릴까요?

① 회사
② 학교
❸ 빵집
④ 학원

해설

케이크를 살 수 있는 곳은 '빵집'입니다.

단어

케이크, 초, 학교, 빵집

说明

可以买蛋糕的地方是"빵집(面包店)"。

单词

蛋糕，蜡烛，学校，面包店

Explanation

The place where you can buy cake is a '빵집(bakery).'

Words

cake, candle, school, bakery

11 화제 고르기

남자: 지현 씨는 **농구**를 좋아해요?
여자: 아니요. 저는 **배구**가 좋아요.

① 나라
❷ 운동
③ 기분
④ 공부

해 설

'농구', '배구'라는 말이 나왔습니다. 이것은 '운동'에 대한 대화입니다.

단 어

농구, 배구, 좋아하다, 기분

说明

出现了 "농구(篮球)"、"배구(排球)"。这是有关 "운동(运动)" 的对话。

单词

篮球，排球，喜欢，心情

Explanation

The words '농구(basketball)' and '배구(volleyball)' appeared here. This is a conversation about '운동(exercise).'

Words

basketball, volleyball, like, feeling

12 화제 고르기

남자: **백화점**에서 무엇을 살 거예요?
여자: 신발과 옷을 **사려**고 해요.

① 위치
② 취미
❸ 쇼핑
④ 날짜

해 설

'백화점', '사다'라는 말이 나왔습니다. 이것은 '쇼핑'에 대한 대화입니다.

단 어

사다, 신발, 옷, 쇼핑

说明

出现了 "백화점(百货商店)"、"사다(买)"。这是有关 "쇼핑(购物)" 的对话。

单词

买，鞋子，衣服，购物

Explanation

The words '백화점(department store)' and '사다(buy)' appeared here. This is a conversation about '쇼핑(shopping).'

Words

buy, shoes, clothes, shopping

13 화제 고르기

남자: 이 음식은 **매울** 것 같아요.
여자: 안 매워요. 조금 **짜고 달아요**.

❶ 맛
② 꿈
③ 물
④ 술

해 설

'맵다', '짜다', '달다'라는 말이 나왔습니다. 이것은 '맛'에 대한 대화입니다.
• 달다, 짜다, 시다, 쓰다, 맵다, 맛있다, 맛없다

단 어

달다, 맛, 꿈, 물, 술

说明

出现了 "맵다(辣)"、"짜다(咸)"、"달다(甜)"。这是有关 "맛(味道)" 的对话。
• 甜，咸，酸，味苦，辣，好吃，不好吃

单词

甜，味道，梦/梦想，水，酒

Explanation

The words '맵다(spicy),' '짜다(salty),' and '달다(sweet)' appeared here. This is a conversation about '맛(taste).'
• sweet, salty, sour, bitter, spicy, delicious, gross

Words

sweet, taste, dream, water, alcohol

14   화제 고르기

정답 ③

> 남자: 수미 씨는 어디에서 태어났어요?
> 여자: 저는 부산 사람이에요.

① 이름
② 계획
❸ 고향
④ 휴일

해설

'태어나다', 'ㅇㅇ 사람'이라는 말이 나왔습니다. 태어난 곳을 고향이라고 합니다. 고향이 ㅇㅇ이면 'ㅇㅇ 사람'이라고 합니다. 이것은 '고향'에 대한 대화입니다.

단 어

태어나다, 이름, 휴일

说明

这里出现了"태어나다(出生)"和"ㅇㅇ 사람(ㅇㅇ人)"两个字。你出生的地方叫做"고향(故乡)"。如果老家是ㅇㅇ，人们就会叫你"ㅇㅇ人"。这是有关"고향(家乡)"的对话。

单词

出生，名字，休息日/节假日

Explanation

The words '태어나다(born)' and 'ㅇㅇ 사람(ㅇㅇ person)' appeared here. The place where you were born is called '고향(hometown).' If your hometown is ㅇㅇ, people call you 'ㅇㅇ person.' This is a conversation about 'hometown.'

Words

born, name, holiday

15   일치하는 그림 고르기

정답 ④

> 여자: 비가 많이 오네요. 우산이 없는데 어떻게 하지요?
> 남자: 지하철역까지 저하고 같이 쓰고 가요.

해설

'우산이 없는데'라는 여자의 말과 '같이 쓰고 가요.'라는 남자의 말에서, 남자가 우산이 없는 여자에게 우산을 씌워주겠다고 말하고 있음을 알 수 있습니다.

단 어

(우산을) 쓰다

说明

根据女的说"우산이 없는데(我没有雨伞)"，男的说"같이 쓰고 가요(一起打伞走吧)"，可以推测出男的会为没有雨伞的女的撑伞。

单词

撑(伞)

Explanation

From the woman's words, '우산이 없는데(I don't have an umbrella),' and the man's words, '같이 쓰고 가요(Let's use it together),' you can see that the man is saying he will use an umbrella with a woman who doesn't have an umbrella.

Words

use (an umbrella)

16 일치하는 그림 고르기

> 남자: 잘 먹었습니다. **신용카드로 계산할게요.**
> 여자: 네, 만 육천 원입니다.

해 설

'잘 먹었습니다.', '계산할게요.'라는 말에서 남자가 식당 손님임을 알 수 있습니다. 즉, 남자는 음식을 먹고 여자에게 돈을 내려 하고 있습니다.

단 어

신용카드, 계산하다

说明

根据男的说"잘 먹었습니다(我吃饱了)"，"계산할게요(我来买单)"，可以推测出男的是饭店的客人。也就是说，男的吃完了并想给女的付钱。

单词

信用卡，结账/买单

Explanation

The sentences, '잘 먹었습니다(Thank you for the meal),' and '계산할게요(I'll pay for it),' indicate that the man is a restaurant customer. In other words, the man is trying to pay for the woman after eating food.

Words

credit card, calculate

17 일치하는 내용 고르기

> 남자: 리사 씨는 영화를 자주 봐요?
> 여자: 네. 저는 영화를 좋아해서 자주 보는 편이에요. 민수 씨는요?
> 남자: **저는 영화보다 책을 더 즐겨 봐요.** 그래서 영화를 잘 안 봐요.

해 설

① 여자는 책을 자주 봅니다.
  → 여자는 영화를 자주 보는 편입니다.
② 두 사람은 영화를 보고 있습니다.
  → 두 사람은 이야기를 나누고 있습니다.
③ 남자와 여자는 영화를 자주 봅니다.
  → 남자는 영화를 잘 안 봅니다.
❹ 남자는 영화보다 책을 더 좋아합니다.

단 어

자주, -는 편이다, 즐기다, 책

说明

① 女的经常看书。
  → 女的算是经常看电影。
② 两人正在看电影。
  → 两人正在聊天。
③ 男的和女的经常看电影。
  → 男的不怎么看电影。
❹ 男的比起看电影，更喜欢看书。

单词

经常，算是…，愉快，书

Explanation

① The woman often reads books.
  → The woman tends to watch movies often.
② The two people are watching a movie.
  → The two people are talking.
③ The man and a woman often watch movies.
  → The man doesn't watch movies much.
❹ The man likes books more than movies.

Words

often, rather(= tend to), enjoy, book

18 일치하는 내용 고르기

> 남자: 친구에게 작은 가방을 선물하고 싶은데요.
> 여자: 그럼 이건 어떠세요? 요즘 유행하는 디자인이에요.
> 남자: 좋네요. 그걸로 할게요. 얼마지요?
> 여자: 십칠만 원입니다.

해설

① 남자는 친구와 같이 왔습니다.
    → 남자는 친구와 같이 오지 않았습니다.
❷ 여자는 가방을 파는 직원입니다.
③ 남자는 자기 가방을 사려고 합니다.
    → 남자는 친구에게 줄 가방을 사려고 합니다.
④ 여자는 남자에게 가방을 선물합니다.
    → 여자는 남자에게 가방을 추천하고 있습니다.

단어

선물하다, 유행하다, 직원, 추천하다

说明

① 男的和朋友一起来了。
    → 男的没有和朋友一起来。
❷ 女的是卖包的职员。
③ 男的想买钱包给自己。
    → 男的想买钱包给朋友。
④ 女的想给男的送钱包作为礼物。
    → 女的在给男的推荐包。

单词

送作礼物，流行，职员，推荐

Explanation

① The man came with a friend.
    → The man didn't come with his friend.
❷ The woman is an employee who sells bags.
③ The man wants to buy a bag for himself.
    → The man is going to buy a bag for his friend.
④ The woman gives a bag as a gift to the man.
    → The woman is recommending a bag to the man.

Words

gift, popular, employee, recommend

19 일치하는 내용 고르기

> 여자: 유빈 씨는 지금도 아르바이트를 해요?
> 남자: 네. 하루에 다섯 시간씩 꾸준히 하고 있어요.
> 여자: 왜 그렇게 열심히 아르바이트를 해요? 무슨 계획이 있어요?
> 남자: 돈을 모아서 해외여행을 갈 거예요.

해설

① 여자는 꾸준히 돈을 모으고 있습니다.
    → 남자가 꾸준히 아르바이트를 해서 돈을 모으고 있습니다.
❷ 남자는 여행을 가기 위해 일을 합니다.
③ 여자와 남자는 같이 해외여행을 갈 겁니다.
    → 해외여행은 남자의 계획입니다.
④ 남자는 해외에서 아르바이트를 하고 있습니다.
    → 남자는 아르바이트를 해서 해외로 여행을 가려고 합니다.

단어

아르바이트, 꾸준히, 모으다, 해외여행

说明

① 女的不断地在攒钱。
    → 男的在不断努力做兼职攒钱。
❷ 男的为了去旅行而工作。
③ 女的和男的要一起去海外旅行。
    → 海外旅行是男的计划。
④ 男的在海外做兼职。
    → 男的做了兼职打算去海外旅行。

单词

兼职，坚持不懈地/勤奋地/不断地，集/统一/积攒，海外旅行

Explanation

① The woman is steadily saving money.
    → The man is steadily saving money by working part-time.
❷ The man works to travel.
③ The woman and a man will travel abroad together.
    → Traveling abroad is the man's plan.
④ The man is working part-time abroad.
    → The man has a part-time job and is planning to travel abroad.

Words

part-time job, consistently, collect, travel abroad

20 일치하는 내용 고르기

남자: 여기가 네 방이구나. 여기 걸려 있는 사진은 뭐야?
여자: 내가 고등학교 때 찍은 사진이야. 벌써 십 년이나 지났네.
남자: 옆에 있는 사람은 옛날 남자 친구야?
여자: 아니, 농구 선수야. 내가 이 선수 팬이었거든.

해설

❶ 여자의 방에는 사진이 걸려 있습니다.
② 여자는 고등학교 때 농구 선수였습니다.
   → 여자는 고등학교 때 농구 선수의 팬이었습니다.
③ 여자와 남자는 지금 남자의 방에 있습니다.
   → 여자와 남자는 지금 여자의 방에 있습니다.
④ 여자는 십 년 전에 남자 친구가 있었습니다.
   → 여자는 십 년 전에 농구 선수의 팬이었습니다.

단어

방, (사진이 벽에) 걸리다, 사진을 찍다, 농구 선수

说明

❶ 女的房间挂着相片。
② 女的在高中的时候是篮球选手。
   → 女的在高中的时候是篮球选手的粉丝。
③ 女的和男的现在在男的房间里。
   → 女的和男的现在在女的房间里。
④ 女的十年前有过男朋友。
   → 女的十年前是篮球选手的粉丝。

单词

房间，（相片在墙上）挂，拍照，篮球选手

Explanation

❶ There is a picture hanging in the woman's room.
② The woman was a basketball player in high school.
   → The woman was a fan of a basketball player in high school.
③ The woman and the man are in the man's room now.
   → The woman and the man are in the woman's room now.
④ The woman had a boyfriend 10 years ago.
   → The woman was a fan of a basketball player 10 years ago.

Words

room, hang (a photo on the wall), take a picture, basketball player

21 일치하는 내용 고르기

여자: 여기에 오니까 산책도 할 수 있고 동물도 볼 수 있어서 좋네요.
남자: 맞아요. 이쪽으로 가면 호랑이가 있고 저쪽으로 가면 원숭이가 있는데, 어디부터 갈까요?
여자: 마이클 씨는 여기에 대해 정말 잘 아시네요.
남자: 아, 저는 동물을 좋아해서 자주 오거든요. 여기가 동물들을 잘 돌보더라고요.

해설

❶ 남자는 동물에 관심이 많습니다.
② 여자는 동물원에 많이 와 봤습니다.
   → 남자가 동물원에 많이 와 봤습니다.
③ 남자는 여기에 오늘 처음 와 봅니다.
   → 남자는 여기에 자주 옵니다.
④ 여자는 동물원에 대해 잘 알고 있습니다.
   → 남자가 동물원에 잘 알고 있습니다.

단어

산책, 동물, 자주, 이쪽, 저쪽, 관심, 돌보다

说明

❶ 男的对动物很感兴趣。
② 女的来过很多次动物园。
   → 男的来过很多次动物园。
③ 男的今天第一次来这里。
   → 男的经常来这里。
④ 女的对动物园很了解。
   → 男的对动物园很了解。

单词

散步，动物，经常，这边，那边，关心/关注/兴趣，照顾

Explanation

❶ The man is very interested in animals.
② The woman has been to the zoo a lot.
   → The man has been to the zoo a lot.
③ It's the first time the man came here today.
   → The man comes here often.
④ The woman knows well about the zoo.
   → The man knows the zoo well.

Words

take a walk, animals, often, this way, that way, interest/attention, take care

22 중심 생각 고르기

남자: 비가 오는데 영화는 내일 보러 갈까요?
여자: 영화는 건물 안에서 보니까 상관없을 것 같아요.
남자: 하지만 우산을 들고 다니는 게 좀 귀찮고 불편해서요.
여자: 저는 비가 오는 날에는 사람이 적어서 더 좋아요.

해설

여자는 비가 와도 영화는 건물 안에서 보기 때문에 상관없다, 즉 문제가 없다고 했습니다.

단어

건물, 상관없다, 우산, 적다, 문제가 없다

说明

女的就算下雨，但因为电影是在大楼里面看的，所以没关系，也就是说了没有问题。

单词

建筑物/楼房，没有关联/没关系，雨伞，写/少，没问题

Explanation

The woman said it doesn't matter because she watches movies in the building even if it rains, that is, there is no problem.

Words

building, it doesn't matter, umbrella, few, no problem

23 중심 생각 고르기

정답 ①

남자: 일이 정말 많은데 김밥을 먹으면서 일을 할까요?
여자: 아니요, 밥을 먹고 나서 일을 합시다.
남자: 밥을 먹으면서 일하면 시간을 절약할 수 있잖아요.
여자: 두 가지 일을 한꺼번에 하면 집중이 안 돼요. 하나씩 합시다.

해설

여자는 한 가지 일에 집중해서 순서대로 하나씩 하자고 했습니다.

단어

일, 일하다, 한꺼번에, 집중, 동시에

说明

女的说集中精力，并按照顺序一件一件地做。

单词

事情，工作/做事，一下子/一块儿，集中，同时

Explanation

The woman said to focus on one thing and do it one by one in order.

Words

work, do work, all at once, concentrate, at the same time

24 중심 생각 고르기

정답 ③

남자: 내일 룸메이트가 고향에 가요. 선물을 하고 싶은데 어떤 것이 좋을까요?
여자: 지영 씨는 그림을 잘 그리니까 그림을 그려 주는 게 어떨까요?
남자: 필요한 물건을 사서 주는 게 더 좋지 않을까요?
여자: 사서 주는 것보다 지영 씨의 그림이 기억에 더 남을 것 같아요.

해설

여자는 그림을 그려 주는 것이 기억에 더 남을 것 같다고 했습니다.

단어

필요하다, 기억에 남다

说明

女的说帮她画画更能加深记忆。

单词

需要/必要，记忆深刻/留下印象

Explanation

The woman said drawing a picture and giving it would be more memorable.

Words

necessary, memorable

[25~26]

> 여자: 안녕하세요? 오늘도 저희 도서관을 찾아 주신 여러분께 감사드립니다. 오늘 오후 두 시부터 네 시까지 서지영 작가님의 특별 강연이 있습니다. 인터넷으로 참가 신청을 하신 분들은 한 시 오십 분까지 도서관 이 층 강연장으로 와 주시기 바랍니다. 강연장에서 음료수를 마시는 것은 괜찮지만 음식을 먹는 것은 안 됩니다. 강연이 끝난 후에는 서지영 작가님과 기념 촬영을 할 예정입니다. 감사합니다.

25 화자의 의도/목적 고르기

 정답 ③

해설
여자는 오늘 도서관에서 열리는 특별 강연의 시간, 장소, 주의사항, 일정을 안내하고 있습니다.

단어
강연, 안내하다

说明
女的在通知今天在图书馆举行的特别演讲的时间、地点、注意事项、日程。

单词
演讲/讲座，带领/讲解/引导

Explanation
The woman is informing the time, place, precautions, and schedule of today's special lecture in the library.

Words
lecture, inform

26 일치하는 내용 고르기

 정답 ④

해설
① 강연이 1시 50분에 끝날 겁니다.
   → 강연은 2시부터 4시까지입니다. 4시에 끝날 겁니다.
② 강연장에서는 커피를 마실 수 없습니다.
   → 강연장에서 음료수를 마시는 것은 괜찮습니다. 음식을 먹는 것이 안 됩니다.
③ 강연장에 가서 참가 신청을 해야 합니다.
   → 참가 신청은 인터넷으로 해야 합니다.
❹ 강연이 끝나고 작가와 사진을 찍을 수 있습니다.

단어
참가, 음료수

说明
① 演讲在1点50分结束。
   → 演讲从2点开始4点结束。在4点结束。
② 在会场上不能喝咖啡。
   → 在会场上喝饮料没关系。不能吃东西。
③ 要去会场申请才可以。
   → 参加申请要在网上操作。
❹ 演讲结束后可以和作家一起拍照。

单词
参加，饮料

Explanation
① The lecture will end at 1:50 p.m.
   → The lecture runs from 2 p.m. to 4 p.m. It's going to end at 4 p.m.
② You can't drink coffee in the lecture hall.
   → Drinking drinks in the lecture hall is okay. You can't eat food.
③ You have to go to the lecture hall and apply for participation.
   → Applications for participation must be made online.
❹ After the lecture, you can take pictures with the writer.

Words
participation, drink

[27~28]

남자: 미영 씨, 혹시 자원봉사를 해 본 적이 있어요?
여자: 네, 저는 지금도 토요일마다 오전에 동물보호소에 가서 자원봉사를 해요.
남자: 아, 그렇군요. 저도 같이 해도 돼요?
여자: 그럼요. 누구나 신청하면 할 수 있어요. 가기 전에 동물을 돌보는 법을 좀 배워야 하고요.
남자: 아, 그렇군요. 어디에서 교육을 받을 수 있을까요?
여자: 아무 때나 인터넷 강의를 네 시간 정도 들으면 돼요. 제가 사이트를 알려 드릴게요.

27 화제 고르기

정답 ④

해설

두 사람은 동물보호소에서 자원봉사를 시작하는 방법에 대해 이야기하고 있습니다.

단어

자원봉사, 동물보호소, 방법

说明

两人正在讨论在动物保护处开始做志愿活动的方法。

单词

志愿服务/志愿活动，动物保护处，方法

Explanation

The two people are talking about how to start volunteering at an animal shelter.

Words

volunteer, animal shelter, method

28 일치하는 내용 고르기

정답 ②

해설

① 토요일마다 교육을 받을 수 있습니다.
 → 아무 때나 인터넷 강의로 교육을 받을 수 있습니다.
❷ 여자는 요즘 자원봉사를 하고 있습니다.
③ 남자는 동물보호소에서 일한 적이 있습니다.
 → 남자는 동물보호소에서 자원봉사를 하려고 합니다.
④ 교육을 받으려면 동물보호소에 가야 합니다.
 → 동물보호소에 가지 않고 인터넷 강의를 들어도 됩니다.

단어

누구나, 아무 때

说明

① 每周六都可以接受到教育。
 → 随时都可以通过网上讲课接接受教育。
❷ 女的最近在做志愿活动。
③ 男的在动物保护处工作过。
 → 男的想在动物保护处做志愿活动。
④ 想要接受教育的话得去动物保护处。
 → 不用去动物保护处，在网上听课就行。

单词

任何人，随时

Explanation

① People can get educated every Saturday.
 → People can receive an education through Internet lectures at any time.
❷ The woman is volunteering these days.
③ The man has worked at an animal shelter.
 → The man is trying to volunteer at an animal shelter.
④ People have to go to an animal shelter to get educated.
 → People can take Internet lectures without going to the animal shelter.

Words

anyone, any time

[29~30]

남자: 선생님은 아주 오랫동안 환경 보호를 위해 많은 노력을 하셨는데요. 어떻게 이 일을 시작하게 되셨는지요?
여자: 자연은 항상 인간에게 많은 것들을 줬어요. 그래서 이제는 인간이 자연을 위해 일을 해야 할 때가 되었다고 생각했습니다.
남자: 아, 그렇군요. 이번에 쓰신 두 번째 책도 환경 보호에 대한 책인가요?
여자: 네, 우리 생활 속에서도 환경을 위해 할 수 있는 일들이 많은데요. 그런 방법을 책에 담았습니다.
남자: 아, 저도 꼭 읽고 실천해야겠네요. 오늘 말씀 감사합니다.
여자: 네, 감사합니다.

29 의도/목적/이유 고르기

해설

여자는 이 책이 환경 보호에 관련된 책이라고 했습니다. 그리고 환경을 위해 할 수 있는 일과 그 방법을 책에 담았다고 했습니다.

단어

환경 보호, 자연, (책을) 쓰다

说明

女的说这本书是有关环境保护的书。并且书里包含了能为环保做的事及其方法。

单词

环境保护，自然，写（书）

Explanation

The woman said that the book is about environmental protection. And she said she included the work and the specific method we could do for the environment in the book.

Words

environmental protection, nature, write (a book)

30 일치하는 내용 고르기

해설

① 남자는 여자의 책을 읽었습니다.
→ 남자는 이번에 나온 여자의 책에 있는 내용을 모릅니다. 남자는 책을 읽지 않았습니다.
② 여자는 최근에 이 일을 시작했습니다.
→ 여자는 오랫동안 이 일을 해 왔습니다.
❸ 여자는 예전에 책을 쓴 적이 있습니다.
④ 책에는 각종 생활 정보가 들어 있습니다.
→ 여자가 쓴 책에는 환경을 위해 실천할 수 있는 것들이 들어 있습니다.

단어

최근, 생활, 정보, 실천하다

说明

① 男的看了女的写的书。
→ 男的不知道这次女的出的书的内容。男的没有看书。
② 女的最近开始做这件事。
→ 女的做这件事很久了。
❸ 女的以前有写过书。
④ 书里面写了各种生活信息。
→ 女的写的书里写了为了保护环境可以实践的事。

单词

最近，生活，信息，实践

Explanation

① The man read the woman's book.
→ The man doesn't know the content of the woman's book that was released this time. The man didn't read a book.
② The woman recently started this job.
→ The woman has been doing this for a long time.
❸ The woman has written a book before.
④ The book contains various life information.
→ The books written by the woman contain things that can be practiced for the environment.

Words

recently, life, information, practice

31	32	33	34	35	36	37	38	39	40
④	①	③	①	②	④	③	②	③	④
41	**42**	**43**	**44**	**45**	**46**	**47**	**48**	**49**	**50**
③	②	②	③	①	②	③	①	①	③
51	**52**	**53**	**54**	**55**	**56**	**57**	**58**	**59**	**60**
④	③	③	①	④	②	②	②	③	③
61	**62**	**63**	**64**	**65**	**66**	**67**	**68**	**69**	**70**
①	②	①	②	①	④	②	①	①	②

　　　　　　　　　　　　　　　　　　　　　　　　　　　　　　　　　　　　　🔲 정답 근거

31　화제 고르기　　　　　　　　　　　　　　　정 답　④

저는 **활발합니다**. 하지만 룸메이트는 **조용합니다**.

① 친척
② 나이
③ 날씨
❹ 성격

해 설
'활발하다'와 '조용하다'는 '성격'을 나타냅니다.

단 어
활발하다, 친척, 성격

说明
"활발하다(活泼)"和"조용하다(安静)"是表达"성격(性格)"的。

单词
活泼，亲戚，性格

Explanation
'활발하다(Active)' and '조용하다(quiet)' indicate '성격(personality).'

Words
active, relative, personality

32　화제 고르기　　　　　　　　　　　　　　　정 답　①

저는 **비빔밥**을 좋아합니다. 그리고 **불고기**도 좋아합니다.

❶ 음식
② 가구
③ 장소
④ 시간

해 설
'비빔밥'과 '불고기'는 모두 '음식'입니다.

단 어
가구, 장소, 시간

说明
"비빔밥(拌饭)"和"불고기(烤肉)"都是"음식(食物)"。

单词
家具，地点，时间

Explanation
'비빔밥(Bibimbap)' and '불고기(bulgogi)' are both '음식(food).'

Words
furniture, place, time

33 화제 고르기

아버지와 어머니가 계십니다. 그리고 언니가 한 명 있습니다.

① 계획
② 여행
❸ 가족
④ 운동

해 설

'아버지', '어머니', '언니'는 모두 '가족'입니다.

단 어

아버지, 어머니, 언니

说明

"아버지(爸爸)"、"어머니(妈妈)"、"언니(姐姐)"都是 "가족(家人)"。

单词

爸爸，妈妈，姐姐

Explanation

'아버지(Father),' '어머니(mother),' and '언니(sister)' are all family '가족(family members).'

Words

father, mother, sister

34 빈칸에 알맞은 말 고르기

정 답 ①

저는 과일을 좋아합니다. 그중에서 사과를 (제일) 좋아합니다.

❶ 제일
② 아직
③ 먼저
④ 빨리

해 설

'그중에서'와 어울리는 말은 '가장/제일' 등입니다.

단 어

아직, 먼저, 빨리

说明

和"그중에서(其中)"搭配的是"가장/제일(最)"等等。

单词

还/仍然，先，快

Explanation

The words that go well with '그중에서(among)' is '가장/제일 (most/first)' etc.

Words

not yet, first, quickly

35 빈칸에 알맞은 말 고르기

정 답 ②

지금은 겨울입니다. 그래서 날씨가 아주 (춥습니다).

① 좁습니다
❷ 춥습니다
③ 밝습니다
④ 넓습니다

해 설

'겨울 날씨'를 말하고 있습니다. 그러므로 '춥다'가 알맞습니다.

단 어

좁다, 밝다, 넓다

说明

在说"겨울 날씨(冬天天气)"。所以"춥다(冷)"是对的。

单词

窄，亮，宽

Explanation

The content is about '겨울 날씨(winter weather).' Therefore '춥 다(cold)' is appropriate.

Words

narrow, bright, wide

36 빈칸에 알맞은 말 고르기

책을 사고 싶습니다. 그래서 (서점)에 가려고 합니다.

① 공항
② 학교
③ 식당
❹ 서점

해설

책을 살 수 있는 곳은 '서점'입니다.

단어

-고 싶다, 학교

说明

可以买到书的地方是 "서점(书店)"。

单词

想…，学校

Explanation

The place where you can buy books is a '서점(bookstore).'

Words

want, school

---

37 빈칸에 알맞은 말 고르기

어제 친구(하고) 같이 놀이공원에 갔습니다.

① 를
② 은
❸ 하고
④ 라도

해설

'같이', '함께'와 어울리는 말은 '~하고', '~와/과', '~(이)랑'입니다.
① ~를: 동작이 영향을 미치는 대상이나 목적임을 나타내는 조사
② ~은: 대조나 강조의 뜻을 나타내는 조사
❸ ~하고: 어떤 일을 함께 하는 대상임을 나타내는 조사
④ ~라도: 여럿 중에서는 그런대로 괜찮음. 또는 다른 경우들과 마찬
가지임을 나타내는 조사

단어

어제, 놀이공원

说明

和 "같이(一起)"、"함께" 搭配的是 "~하고(和…)"、
"~와/과"、"~(이)랑"。
① ~를: 表示动作涉及到的对象或行为目的的助词。
② ~은: 表示对比或强调的助词。
❸ ~하고: 助词，助词用来表示某人是正在做某事的主语的
一个助词。
④ ~라도: 表示让步，退而求此次。或表示包含，其他情况
也一样。

单词

昨天，游乐场

Explanation

The words that go well with '같이(together)' and '함께' are '~
하고(with),' '~와/과,' and '~(이)랑.'
① ~를: A preposition indicating that the action affects the
object or purpose.
② ~은: A preposition indicating a meaning of contrast or
emphasis.
❸ ~하고: A preposition indicating that a person is the subject
one is doing something with someone.
④ ~라도: A preposition indicating that something is an okay
choice or the same as in other cases.

Words

yesterday, theme park

38 빈칸에 알맞은 말 고르기

> 선생님을 만났습니다. 선생님께 반갑게 (인사했습니다).

① 보냈습니다
❷ 인사했습니다
③ 소개했습니다
④ 전화했습니다

해 설

아는 사람을 만나서 반갑게 '인사했다'고 이어지는 것이 알맞습니다.

단 어

인사하다, 전화하다

说明

见到认识的人，所以高兴地 "인사했다(打招呼了)" 是对的。

单词

打招呼/问候，打电话

Explanation

It is appropriate to lead by saying, '인사했다((I) said hello),' because I met someone I know.

Words

say hello, call/phone

39 빈칸에 알맞은 말 고르기

> 편지를 썼습니다. 우체국에 가서 편지를 (보냅니다).

① 빌립니다
② 배웁니다
❸ 보냅니다
④ 받습니다

해 설

'편지를 보내다', '편지를 부치다'라고 이어지는 것이 알맞습니다.

단 어

편지, 보내다, 받다

说明

"편지를 보내다(寄信)"，所以 "편지를 부치다" 是对的。

单词

信，寄，收

Explanation

It is appropriate to lead by saying '편지를 보내다(to send a letter)' or '편지를 부치다(to post a letter).'

Words

letters, send, receive

40 일치하지 않는 내용 고르기

> 주니여행사와 함께 떠나요!
> 시대빌딩 4층으로 오세요~
> 오전 9시부터 오후 6시에 만날 수 있어요.
> (주말에는 쉽니다.)

해 설

① 일요일에는 쉽니다.
② 사 층으로 가면 됩니다.
③ 저녁 여섯 시에 끝납니다.
❹ 여행사는 주니빌딩에 있습니다.
   → 주니여행사는 시대빌딩에 있습니다.

단 어

(여행 등을) 떠나다, 오전, 오후, 저녁

说明

① 星期天休息。
② 去4楼就可以。
③ 晚上6点关门。
❹ 旅行社在주니大楼里面。
   → 주니旅行社在시대大楼里面。

单词

(旅行等)去往，上午，下午，晚上

Explanation

① The travel agency is off on Sundays.
② You can go to the fourth floor.
③ The travel agency closes at 6 p.m.
❹ The travel agency is in the Juni Building.
   → Juni Travel Agency is located in the Sidae building.

Words

leave (for traveling), morning, afternoon, evening

41 일치하지 않는 내용 고르기

> [유빈] 지영 씨, 오늘 제 친구가 한국에 와요. 그래서 공항에
> 가야 돼요. 도서관에는 다음에 갈게요. 미안해요.
> [지영] 괜찮아요. 잘 다녀오세요.

해설

① 유빈 씨는 공항에 갈 겁니다.
② 지영 씨는 도서관에 있습니다.
❸ 지영 씨의 친구가 한국에 옵니다.
　　→ 유빈 씨의 친구가 한국에 옵니다.
④ 유빈 씨는 오늘 친구를 만납니다.

단어

오늘, 다녀오다

说明

① 유빈要去机场。
② 지영在图书馆。
❸ 지영的朋友来韩国。
　　→ 유빈的朋友来韩国。
④ 유빈今天见朋友。

单词

今天，去（一趟）回来

Explanation

① Yubin will go to the airport.
② Jiyoung is in the library.
❸ Jiyoung's friend is coming to Korea.
　　→ Yubin's friend is coming to Korea.
④ Yubin is meeting a friend today.

Words

today, go to

42 일치하지 않는 내용 고르기

정답 ②

> **감기약 / 사이토 님**
> • 1일 3회 5일분
> • 식사 후에 드세요.
> 　　　　♣ 빨리 건강해지세요. – **약사 임수빈** ♣
> 　　　　시대약국

해설

① 하루에 세 번 먹습니다.
❷ 임수빈 씨가 먹을 약입니다.
　　→ 임수빈 씨가 지은 약입니다. 이 약은 사이토 씨가 먹을 겁니다.
③ 오 일 동안 먹을 수 있습니다.
④ 밥을 먹은 후에 먹어야 됩니다.

단어

하루, 약사, (약을) 짓다

说明

① 药一天吃3次。
❷ 임수빈吃药。
　　→ 임수빈抓的药。这药是사이토吃的。
③ 可以吃5天。
④ 药得吃了饭再吃。

单词

一天，药师，抓（药）

Explanation

① He takes medicine three times a day.
❷ It's the medicine that Lim Soobin will take.
　　→ It is the medicine that Lim Soobin was prescribed. This
　　　　medicine will be taken by Saito.
③ He can take it for five days.
④ He has to take the medicine after he eats.

Words

a day, pharmacist, prescribe (medicine)

43 일치하는 내용 고르기

> 저는 학교에서 운동을 가르칩니다. 아이들이 운동을 하고 건강해지는 모습을 보면 기분이 좋아집니다. 돈을 많이 벌지는 못하지만 항상 행복합니다.

해설

① 저는 운동선수입니다.
→ 저는 운동을 가르쳐 주는 일을 합니다.
❷ 돈이 없지만 늘 행복합니다.
③ 운동을 하면 기분이 좋아집니다.
→ 아이들이 운동을 하고 건강해지는 모습을 보면 기분이 좋아집니다.
④ 저는 운동을 하러 학교에 갑니다.
→ 저는 운동을 가르치러 학교에 갑니다. 학교에서 일을 합니다.

단어

가르치다, 건강해지다, 돈을 벌다, 행복하다

说明

① 我是运动选手。
→ 我是做教运动的工作。
❷ 我没有钱但是常常感到很幸福。
③ 我运动的话心情会变好。
→ 看着孩子们运动后变健康的样子心情会变好。
④ 我去学校运动。
→ 我去学校教运动。我在学校工作。

单词

教，变健康，赚钱，幸福

Explanation

① I'm an athlete.
→ I do the job of teaching how to exercise.
❷ I don't have money, but I'm always happy.
③ I feel better when I exercise.
→ It makes me feel better when I see children getting healthy by exercising.
④ I go to school to exercise.
→ I go to school to teach students how to exercise. I work at a school.

Words

teach, become healthy, making money, happy

44 일치하는 내용 고르기

> 오늘 아침과 낮에는 날씨가 흐리겠습니다. 저녁부터는 눈이 옵니다. 눈은 내일 아침까지 계속 오고, 낮부터는 바람이 강하게 불겠습니다.

해설

① 오늘 계속 비가 올 겁니다.
→ 오늘 아침과 낮에는 날씨가 흐리고, 저녁부터는 눈이 올 겁니다.
② 내일 아침에는 맑을 겁니다.
→ 오늘 저녁부터 내일 아침까지 눈이 올 겁니다.
❸ 오늘 저녁에 눈이 올 겁니다.
④ 내일 하루 종일 바람이 불 겁니다.
→ 내일 아침까지는 눈이 오고, 낮부터 바람이 불 겁니다.

단어

아침, 낮, 저녁, 흐리다, 눈이 오다, 바람이 불다

说明

① 今天会继续下雨。
→ 今天早上和白天阴天，晚上开始会下雪。
② 明天早上会天晴。
→ 从今天晚上到明天早上会下雪。
❸ 今天晚上会下雪。
④ 明天一天都会刮风。
→ 一直到明天早上都会下雪，白天开始会刮风。

单词

早上，白天，晚上，阴，下雪，刮风

Explanation

① It will continue to rain today.
→ The weather is cloudy this morning and daytime, and it will snow from the evening.
② It will be sunny tomorrow morning.
→ It will snow from this evening to tomorrow morning.
❸ It's going to snow this evening.
④ It will be windy all day tomorrow.
→ It will snow until tomorrow morning, and the wind will blow from daytime.

Words

morning, daytime, evening, cloudy, snowy, windy

45 일치하는 내용 고르기

> 어제 친구와 같이 BTS 콘서트에 갔습니다. 저는 BTS를 아주 좋아하지만 친구는 별로 좋아하지 않았습니다. 그런데 콘서트에 갔다 와서 친구도 BTS를 좋아하게 되었습니다.

해설

❶ 친구와 나는 어제 BTS를 봤습니다.
② 친구는 자주 콘서트를 보러 갑니다.
  → 친구는 어제 나와 같이 콘서트를 봤습니다. 친구가 원래 콘서트를 자주 보는지는 알 수 없습니다.
③ 친구는 저를 별로 좋아하지 않았습니다.
  → 친구는 BTS를 별로 좋아하지 않았습니다.
④ 친구는 BTS를 안 좋아해서 콘서트에 안 갔습니다.
  → 친구는 BTS를 안 좋아했지만 콘서트에 같이 갔습니다.

단어

콘서트, 별로, 좋아하다

说明

❶ 我和朋友昨天看了BTS。
② 朋友经常去看演唱会。
  → 朋友昨天和我一起去看了演唱会。不知道本来朋友有没有经常看演唱会。
③ 朋友不怎么喜欢我。
  → 朋友不怎么喜欢BTS。
④ 因为朋友不喜欢BTS所以没去看演唱会。
  → 朋友虽然不喜欢BTS但是一起去看演唱会了。

单词

演唱会，不怎么，喜欢

Explanation

❶ My friend and I watched BTS yesterday.
② My friend often goes to see concerts.
  → My friend watched the concert with me yesterday. I don't know if my friend usually watches concerts often.
③ My friend didn't really like me.
  → My friend didn't really like BTS.
④ My friend didn't go to the concert because he doesn't like BTS.
  → My friend doesn't like BTS, but he went to the concert with me.

Words

concert, especially, like

46 중심 내용 고르기

> 담배를 피우면 기분이 좋지만 안 좋은 냄새가 나고 건강이 나빠집니다. 다른 사람들에게 피해를 주기도 하고, 돈도 많이 씁니다. 그래서 저는 담배를 끊을 겁니다.

해설

담배는 안 좋은 점이 많습니다. 그래서 앞으로 담배를 피우지 않겠다는 것이 중심 생각입니다.

단어

담배, 나빠지다, 피해, 돈을 쓰다, 끊다(= 그만두다)

说明

抽烟的缺点很多。所以本文的中心思想是以后不抽烟了。

单词

烟，变坏，被害/损害，花钱，戒断(=停止)

Explanation

Cigarettes have many bad effects. So, the main idea is not to smoke in the future.

Words

tobacco, get worse, damage, spend money, quit

47 중심 내용 고르기

저는 기타 동호회에서 기타를 배우고 있습니다. 기타를 배우는 것도 재미있고 동호회 회원들도 참 친절하고 좋습니다. 저는 이 동호회에서 오랫동안 활동하고 싶습니다.

해설

기타를 배우는 것이 재미있고 회원들도 친절해서 동호회가 만족스럽다는 것이 중심 생각입니다.

단어

오랫동안, 활동하다, 만족스럽다

说明

本文的中心思想是学习吉他很有意思，会员也很亲切，我很满意爱好者协会。

单词

很久，活动，满意/满足

Explanation

The main idea is that the guitar club is satisfactory, because learning guitar is fun and the members are kind.

Words

for a long time, active, satisfied

48 중심 내용 고르기

제 컴퓨터는 4년 전에 샀습니다. 좀 더럽고 자주 고장이 납니다. 그래서 인터넷에서 새 컴퓨터를 알아보고 있습니다. 좋은 컴퓨터를 살 수 있었으면 좋겠습니다.

해설

컴퓨터가 오래되고, 더럽고, 고장도 자주 나서 새 컴퓨터를 사려고 한다는 것이 중심 생각입니다.

단어

새롭다, 알아보다

说明

本文的中心思想是电脑很久了，很脏而且经常出故障所以想买新电脑。

单词

新/新鲜，了解/认出/询问

Explanation

The main idea is that I'm trying to buy a new computer, because the computer is old, dirty, and often breaks down.

Words

new, search(= find out)

저는 주말에 혼자 있는 것을 좋아합니다. 월요일부터 금요일까지는 사람들을 많이 만나지만 토요일과 일요일에는 보통 집에서 책을 보거나 혼자 산책을 합니다. (㉠ 가끔) 가까운 곳에 여행을 가기도 합니다. 저는 혼자 있어도 심심하지 않고 재미있고 편합니다.

49 빈칸에 알맞은 말 고르기

정답 ①

해설

주말에 나는 보통 집에 있거나 산책을 합니다. 그래서 여행은 '가끔' 간다고 하는 게 알맞습니다.
· 일요일, 월요일, 화요일, 수요일, 목요일, 금요일, 토요일

단어

산책(을) 하다, 심심하다, 가끔, 매일, 자꾸

说明

周末我一般在家或者散步。所以旅游"가끔(偶尔)"去是对的。
· 星期日，星期一，星期二，星期三，星期四，星期五，星期六

单词

散步，无聊，偶尔，每天，经常

Explanation

I usually stay at home or take a walk on weekends. So it's appropriate to say that I '가끔(sometimes)' go traveling.
· Sunday, Monday, Tuesday, Wednesday, Thursday, Friday, Saturday

Words

take a walk, bored, sometimes, every day, repeatedly

50 일치하는 내용 고르기

정답 ③

해설

① 여행을 싫어해서 가지 않습니다.
  → 여행을 가기도 합니다.
② 주말에는 도서관에서 책을 봅니다.
  → 주말에는 집에서 책을 봅니다.
❸ 주말에는 사람을 만나지 않습니다.
④ 월요일부터 금요일까지 혼자 있습니다.
  → 월요일부터 금요일까지는 사람을 많이 만납니다.

단어

싫어하다

说明

① 我讨厌旅游所以不去。
  → 也去旅游的。
② 我周末在图书馆看书。
  → 周末在家看书。
❸ 我周末不见人。
④ 我星期一到星期五都是一个人。
  → 星期一到星期五经常见人。

单词

讨厌/烦

Explanation

① I don't like traveling, so I don't go traveling.
  → I also go traveling.
② I read books in the library on weekends.
  → I read books at home on weekends.
❸ I don't meet people on weekends.
④ I am alone from Monday to Friday.
  → I meet a lot of people from Monday to Friday.

Words

hate

[51~52]

원래 한국 사람들은 설날 같은 명절이 되면 고향을 찾아서 떠나곤 했습니다. (㉠ 그렇지만) 요즘은 명절에 고향에 가지 않는 사람도 많습니다. 이런 사람들은 보통 가족들과 함께 여행을 갑니다. 또 맛집에 가서 맛있는 음식을 먹으면서 즐거운 시간을 보내기도 합니다.

51 빈칸에 알맞은 말 고르기

정답 ④

해설

㉠ 앞에 나온 것[예전에는 고향에 갔다]과 뒤에 나온 것[요즘은 고향에 가지 않는다]이 반대되는 내용입니다. 서로 반대되는 내용을 이어줄 때는 '그러나', '그런데', '그렇지만', '하지만' 등을 사용하는 것이 알맞습니다.

단어

즐겁다, (시간을) 보내다, 그래서, 그러면, 그리고

说明

㉠前面出现的[예전에는 고향에 갔다(以前回家乡)]和后面出现的[요즘은 고향에 가지 않는다(最近不回去)]是相反的内容。连接相反的内容时用 "그러나(但是/可是/而)"、"그런데(但是/可是)"、"그렇지만(但是/尽管如此)"、"하지만(可是/但是)"等是对的。

单词

愉快/开心，度过(时间)，所以，那么，然后/还有

Explanation

The sentence[예전에는 고향에 갔다(before people used to go to their hometown)] before ㉠ and the sentence[요즘은 고향에 가지 않는다(people don't go to their hometown these days)] after ㉠ are opposite in meaning. When connecting opposite ideas, it is appropriate to put '그러나(however),' '그런데(by the way),' '그렇지만,' '하지만,' etc.

Words

have fun, spend time, so, then, and

52 화제 고르기

정답 ③

해설

옛날과 지금의 명절을 보내는 모습이 다르다는 이야기를 하고 있습니다.

단어

주로, 변화

说明

正在讨论以前和现在过节的样子不一样。

单词

一般/主要，变化

Explanation

It is said that the way we spend the holidays is different from the past.

Words

mainly, change

[53~54]

제 여자 친구는 베트남 사람입니다. 한국에 유학 온 친구들을 도와주면서 여자 친구와 처음 만났는데 이제 만난 지 4년이 되었습니다. 그동안 저는 (㉠ 여자 친구를 이해하기 위해서) 베트남어와 베트남 문화를 계속 공부했습니다. 여자 친구는 볼수록 사랑스럽습니다. 그래서 꼭 그녀와 결혼하고 싶습니다. 다음 주에 반지를 주면서 말하려고 합니다. 여자 친구가 제 마음을 받아주었으면 좋겠습니다.

53 빈칸에 알맞은 말 고르기

정답 ③

해 설

㉠ 뒤에 베트남어와 베트남 문화를 꾸준히 공부했다는 내용이 나오므로, ㉠에는 그 이유가 들어가야 합니다. '베트남 사람인 여자 친구를 이해하기 위해서'라는 말이 들어가는 게 알맞습니다.

단 어

여자 친구, 유학, 사랑스럽다, 반지, 이해하다

说明

㉠后出现不断学习越南语和越南文化的内容，所以应该在㉠填进去理由。所以 "베트남 사람인 여자 친구를 이해하기 위해서(为了理解越南女朋友)" 是对的。

单词

女朋友，留学，可爱/惹人喜欢，戒指，理解

Explanation

There is a sentence that said he has steadily studied Vietnamese and Vietnamese culture after ㉠, so the reason should be put in ㉠. It is appropriate to say, '베트남 사람인 여자 친구를 이해하기 위해서(to understand his Vietnamese girlfriend).'

Words

girlfriend, study abroad, lovely, ring, understand

54 일치하는 내용 고르기

정답 ①

해 설

❶ 저는 여자 친구를 사 년 전에 만났습니다.
② 저는 여자 친구에게 결혼하자고 했습니다.
  → 저는 여자 친구에게 결혼하자고 다음 주에 말할 겁니다.
③ 저는 베트남에서 여자 친구를 사귀었습니다.
  → 저는 베트남에서 한국으로 유학을 온 여자 친구와 사귀고 있습니다.
④ 저는 여자 친구와 베트남어를 공부했습니다.
  → 저는 베트남어를 공부했습니다. 그렇지만 여자 친구와 같이 공부했는지는 알 수 없습니다.

단 어

결혼하다, 사귀다

说明

❶ 我4年前交往了女朋友。
② 我和女朋友说了我们结婚吧。
  → 我下周会和女朋友求婚。
③ 我在越南交往了女朋友。
  → 我在和从越南来韩国留学的女朋友交往。
④ 我和女朋友学习了越南语。
  → 我学了越南语。但是不知道是不是和女朋友一起学了。

单词

结婚，交往

Explanation

❶ I met my girlfriend four years ago.
② I asked my girlfriend to marry me.
  → I'm going to tell my girlfriend next week to marry me.
③ I made a girlfriend in Vietnam.
  → I am dating a girlfriend who came to Korea from Vietnam.
④ I studied Vietnamese with my girlfriend.
  → I studied Vietnamese. However, it is not known whether he studied with his girlfriend.

Words

marry, date

[55~56]

스마트폰은 우리 생활에 꼭 필요한 물건입니다. 그런데 스마트폰을 너무 많이 사용하면 (㉠ 건강에 좋지 않습니다). 먼저 스마트폰이 없으면 불안하고, 스마트폰을 사용하지 않을 때 계속 생각난다고 합니다. 그리고 눈도 나빠지고, 잠도 잘 못 잔다고 합니다. 그러므로 스마트폰은 꼭 필요할 때만 사용하는 것이 좋습니다.

55 빈칸에 알맞은 말 고르기

정답 ④

해설
㉠ 뒤에 '불안하다', '눈이 나빠지다'라는 내용이 나오기 때문에 ㉠에는 '건강에 좋지 않다'는 말이 들어가는 게 알맞습니다.

단어
스마트폰, 불안하다, 위험하다

说明
因为㉠后出现"불안하다(不安)"、"눈이 나빠지다(视力变差)",所以㉠填入"건강에 좋지 않다(对健康不好)"正确。

单词
智能手机,不安/不放心/不稳定,危险

Explanation
It is appropriate to put the phrase '건강에 좋지 않다(not good for health)' because the expressions '불안하다(nervous)' and '눈이 나빠지다(eyes get worse)' follow the position of ㉠.

Words
smartphone, anxious, dangerous

56 일치하는 내용 고르기

정답 ②

해설
① 스마트폰을 절대 사용하면 안 됩니다.
　→ 스마트폰을 너무 많이 사용하면 안 된다는 내용입니다. 절대 사용하면 안 된다고 하지는 않았습니다.
❷ 스마트폰을 많이 사용하면 눈이 나빠집니다.
③ 스마트폰은 우리 삶에 별로 필요하지 않습니다.
　→ 스마트폰은 우리 생활에 꼭 필요한 물건입니다.
④ 스마트폰은 밤에 잠을 잘 때만 사용해야 합니다.
　→ 스마트폰을 많이 사용하면 밤에 잠도 잘 못 잡니다.

단어
필요하다, 나빠지다

说明
① 我们绝对不能用智能手机。
　→ 是说不能过多使用智能手机。没有说绝对不能使用。
❷ 过多使用智能手机视力会变差。
③ 我们生活里不怎么需要智能手机。
　→ 智能手机是我们生活里的必需品。
④ 应该只在晚上睡觉的时候使用智能手机。
　→ 过多使用智能手机晚上会睡不着。

单词
需要/必要,变坏/变差

Explanation
① You must not use a smartphone.
　→ It says that you shouldn't use your smartphone too much. The speaker didn't say you must not use it.
❷ If you use your smartphone a lot, your eyes will get worse.
③ Smartphones are not very necessary in our lives.
　→ Smartphones are essential items in our lives.
④ You should use smartphones when you sleep at night.
　→ If you use your smartphone a lot, you can't sleep well at night.

Words
necessary, get worse

PART **03** 제3회 정답 및 해설

(가) 잠을 아주 적게 자는 사람들이 많습니다.
(라) 그런데 잠을 너무 적게 자면 제대로 생활할 수 없습니다.
(나) 그래서 적당한 시간 동안 잘 자야 합니다.
(다) 잘 자려면 커피도 안 마시는 것이 좋습니다.

해설

'–려면', '~도', '그런데' 등을 통해서 순서를 바르게 나열할 수 있습니다.

단어

자다, 생활하다

(가) 睡很少的人很多。
(라) 但是睡太少的话不能正常生活。
(나) 所以要保障适当的睡眠时间，好好儿地睡觉。
(다) 想要睡好觉的话最好也不要喝咖啡。

说明

根据"–려면(想要…的话)"，"~도(…也)"，"그런데(但是)"可以正确地排列出顺序。

单词

睡觉，生活

(가) There are many people who sleep very little.
(라) But if you sleep too little, you can't live properly.
(나) So you have to sleep well for a reasonable time.
(다) If you want to sleep well, you'd better not drink coffee.

Explanation

You can list the order correctly by using '–려면(if),' '~도 (also),' '그런데(but(= by the way)),' etc.

Words

sleep, live

58 알맞은 순서로 배열한 것 고르기
정답 ②

(나) 전기 자동차는 좋은 점이 아주 많습니다.
(가) 특히 다른 차에 비해 훨씬 조용합니다.
(라) 그런데 너무 조용해서 사고가 나기도 합니다.
(다) 사람들이 차가 오는 것을 모르기 때문입니다.

해설

'특히', '그런데', '–기 때문입니다' 등을 통해서 순서를 바르게 나열할 수 있습니다.

단어

조용하다, 모르다, 사고

(나) 电动汽车有很多优点。
(가) 特别是相对其他车要安静很多。
(라) 但是也会因为太安静发生事故。
(다) 因为人们不知道车来了。

说明

根据"특히(尤其/特别)"，"그런데(但是)"，"–기 때문입니다(因为…)"可以正确地排列出顺序。

单词

安静，不知道，事故

(나) Electric cars have a lot of advantages.
(가) Especially, they are much quieter compared to other cars.
(라) But cars cause accidents because they are so quiet.
(다) Because people don't know cars are approaching.

Explanation

You can list the order correctly by using '특히(especially),' '그런데(but(= by the way)),' and '–기 때문이다(it's because ~).'

Words

quiet, don't know, accident

[59~60]

저는 친구들과 찜질방에 자주 갑니다. 찜질방에 가면 먼저 씻고 나서 식혜와 삶은 계란을 먹습니다. 음식을 먹으면서 친구들과 이야기를 나누거나 게임을 합니다. (ⓒ 가끔 누워서 만화책을 보기도 합니다.) 저는 원래 만화책을 별로 안 좋아하지만 찜질방에서 보는 만화책은 정말 재미있습니다. 다음 주에도 친구들과 찜질방에 가기로 했는데 정말 기대됩니다.

59　문장이 들어갈 위치 고르기

정답　③

해설

찜질방에 가면 가끔 만화책을 보기도 하는데, 그때 보는 만화책이 재미있다고 이어지는 게 알맞습니다.

단어

게임, 만화책, 눕다

说明

我去汗蒸房的时候偶尔会看下漫画书，所以应该是那个时候看的漫画书很有趣。

单词

游戏，漫画书，躺

Explanation

When I go to the Jjimjilbang, the Korean dry sauna, I sometimes read comic books, and it's appropriate to put the sentence that says the comic books I read then are fun.

Words

games, comic books, lying down

60　일치하는 내용 고르기

정답　③

해설

① 식혜와 계란을 먹은 후에 씻습니다.
　→ 씻은 후에 식혜와 계란을 먹습니다.
② 저는 만화책을 전혀 보지 않습니다.
　→ 찜질방에서 보는 만화책은 재미있습니다.
❸ 저는 다음 주에 찜질방에 갈 겁니다.
④ 찜질방에서 이야기를 하면 안 됩니다.
　→ 찜질방에서 친구들과 이야기를 나눕니다.

단어

계란, 다음 주

说明

① 吃了甜米露和鸡蛋后洗澡。
　→ 洗了之后吃甜米露和鸡蛋。
② 我完全不看漫画书。
　→ 在汗蒸房看的漫画书很有趣。
❸ 我下周去汗蒸房。
④ 在汗蒸房不能聊天。
　→ 在汗蒸房和朋友们聊天。

单词

鸡蛋，下周

Explanation

① I wash after eating sikhye and eggs.
　→ After washing, I eat sikhye and eggs.
② I don't read comic books at all.
　→ Comic books I read at the jjimjilbang are fun.
❸ I will go to the jjimjilbang next week.
④ We can't talk in the jjimjilbang.
　→ I talk with my friends at the jjimjilbang.

Words

egg, next week

PART 03 제3회 정답 및 해설

[61~62]

> 어제 기숙사에 있는데 **옆방에서 싸우는 소리가 들렸습니다.** 옆방에 사는 두 사람은 사이가 좋은 단짝 친구들인데 **왜** (㉠ 싸웠는지) 궁금했습니다. 그래서 오늘 친구에게 물어봤습니다. 친구는 두 사람이 싸운 것이 아니라 드라마를 보다가 남자 주인공의 멋있는 모습이 나와서 소리를 지른 것이었다고 말해줬습니다. 그것을 듣고 제가 싸웠다고 생각한 것입니다.

61 빈칸에 알맞은 말 고르기

정답 ①

해설
㉠ 앞에 있는 '왜'는 이유를 물어볼 때 쓰는 말입니다. 그러므로 ㉠에는 뒷말에 대한 막연한 이유를 나타낼 때 쓰는 '-ㄴ지'가 결합된 '싸웠는지'가 들어가는 게 알맞습니다.

단어
싸우다, 소리가 들리다, 궁금하다, 멋있다, 소리를 지르다

说明
㉠前的"왜（为什么）"是问原因时的疑问词。所以㉠应填入跟表示对后文的不确定的原因时用的"-ㄴ지"结合后变成的"싸웠는지"。

单词
争吵/打架，听到声音，好奇，帅气/酷/优秀，叫喊/呼喊

Explanation
The word '왜(why)' before ㉠ is used to ask why. Therefore, it is appropriate to include '싸웠는지' that combines '-ㄴ지(whether),' which is used to express a vague reason for the following word.

Words
fight, hear sounds, curious, cool, scream

62 일치하는 내용 고르기

정답 ②

해설
① 옆방 사람들이 싸웠습니다.
　→ 옆방 사람들은 드라마를 보다가 좋아서 소리를 질렀습니다.
❷ 옆방이 어제 시끄러웠습니다.
③ 옆방 사람들은 사이가 좋지 않습니다.
　→ 옆방 사람들은 사이가 좋은 단짝 친구입니다.
④ 옆방 사람에게 싸운 이유를 물어봤습니다.
　→ 친구에게 어제 옆방 사람들이 싸운 이유에 대해 물어봤습니다.

단어
옆방, 시끄럽다, 사이가 좋다

说明
① 隔壁房的人吵架了。
　→ 隔壁房的人因为电视剧好看看看着看着突然大喊大叫。
❷ 隔壁房昨天很吵。
③ 隔壁房的人关系不好。
　→ 隔壁房的人是关系很好的好友。
④ 我向隔壁房的人问了吵架的原因。
　→ 我向朋友问了昨天隔壁房的人吵架的原因。

单词
隔壁房，喧嚣/吵闹，关系好

Explanation
① The people next door fought.
　→ The people next door screamed because they liked watching the drama.
❷ The room next door was noisy yesterday.
③ The people next door don't get along well.
　→ The people next door are best friends.
④ I asked the person next door why they fought.
　→ I asked my friend why the people next door fought yesterday.

Words
next door, noisy, get along well

[63~64]

식목일 행사 안내

저희 '자연사랑실천본부'에서 10번째 나무 심기 행사를 개최합니다. 푸른 산, 맑은 강을 위해서 **함께 나무를 심읍시다.** 환경을 살리고 추억을 만드는 소중한 시간이 될 것입니다.

- 일시: 202○년 4월 5일(수) 13:00 ~ 16:00
- 준비물: 편한 복장 (나무와 삽은 저희가 준비하겠습니다.)
- 신청: 홈페이지 행사 안내 게시판
- 문의: itsmejayeon@daehan.net

63 필자의 의도/목적 고르기

정답 ①

해설

'자연사랑실천본부'에서 나무 심기에 참여할 사람을 찾기 위해서 이 글을 썼습니다.

단어

행사, 나무, 심다, 자연, 지키다, 소중하다

说明

写这篇文章的目的是 "자연사랑실천본부(关爱自然实践总部)" 为寻找要参与植树的人。

单词

活动，树，种植，自然，守护，珍贵/贵重

Explanation

'자연사랑실천본부(The Natural Love Practice Headquarters)' posted a notice in order to find people to participate in tree planning.

Words

event, tree, plant, nature, protect, precious

64 일치하는 내용 고르기

정답 ②

해설

① 이 행사는 올해 처음 열립니다.
　→ 이 행사는 올해 열 번째로 열립니다.
❷ 이 행사는 오후 한 시에 시작합니다.
③ 이 행사에 참가하려면 나무를 사야 합니다.
　→ 나무와 삽은 '자연사랑실천본부'에서 준비합니다.
④ 참가 신청은 전화나 메일로 할 수 있습니다.
　→ 참가 신청은 홈페이지의 공지사항 게시판에서 할 수 있습니다.

단어

올해, 참가

说明

① 这个活动今年第一次举行。
　→ 这个活动今年是第10次举行。
❷ 这个活动下午1点开始。
③ 想要参加这个活动的话必须要买树。
　→ 树和铁锹由 "자연사랑실천본부(关爱自然实践总部)" 准备。
④ 参加申请可以通过电话或邮箱申请。
　→ 参加申请可以在网页的公告事项的留言板申请。

单词

今年，参加

Explanation

① This event will be held for the first time this year.
　→ This event will be held for the 10th time this year.
❷ The event starts at 1 p.m.
③ You have to buy a tree to participate in this event.
　→ Trees and shovels are prepared by '자연사랑실천본부(the Natural Love Practice Headquarters).'
④ You can apply to participate by phone or e-mail.
　→ Applications for participation can be submitted on the notice board on the website.

Words

this year, participation

[65~66]

　　보통 사람들은 일주일에 5일 동안 일을 합니다. 월요일부터 금요일까지 일을 하고 주말에는 쉽니다. 약국에서 약을 파는 약사들도 주말에는 쉽니다. 그런데 주말에 몸이 아파서 약을 사야 할 때도 있습니다. 그런 사람들을 위해서 약사들은 돌아가면서 (㉠ 주말에도 약국을 열기로) 약속했습니다. 주말에 일을 한 약사들은 다른 날에 쉽니다. 주말에 문을 여는 약국은 인터넷에서 알아볼 수 있습니다.

65　빈칸에 알맞은 말 고르기　　정답 ①

해설

㉠ 앞에 '주말에 몸이 아파서 약을 사야 할 때'라는 내용이 나옵니다. 주말에 약을 사려는 사람들을 위해서 약사들이 '약국을 열기로' 한 것입니다.

단어

일주일, 약사, 아프다

说明

㉠前出现 "주말에 몸이 아파서 약을 사야 할 때(周末身体不舒服得买药的时候)"。药剂师为了周末想买药的人 "약국을 열기로(决定药店开门)"。

单词

一周/一星期，药剂师，痛/疼

Explanation

Before ㉠, there is content that says, '주말에 몸이 아파서 약을 사야 할 때(when we should buy medicine because people are sick on weekends).' Pharmacists have decided '약국을 열기로(to open the pharmacy)' for those who want to buy medicine on weekends.

Words

a week, pharmacist, ache/sick

66　일치하는 내용 고르기　　정답 ④

해설

① 약사들은 모두 주말에도 일을 합니다.
　→ 약사들도 보통 사람들처럼 주말에는 쉽니다.
② 주말에 약국에 가려면 예약을 해야 합니다.
　→ 주말에 약사들이 돌아가면서 약국을 엽니다. 예약을 해야 한다는 내용은 나오지 않습니다.
③ 다른 요일에 쉬고 주말에만 여는 약국도 있습니다.
　→ 주말에 약국을 연 약사는 다른 요일에 쉽니다. 주말에만 여는 약국에 대한 내용은 나오지 않습니다.
❹ 주말에 여는 약국을 인터넷에서 찾을 수 있습니다.

단어

예약, 알아보다

说明

① 药剂师们全都周末也工作。
　→ 药剂师们也像普通的人们一样周末休息。
② 周末想要去药店的话必须得预约。
　→ 周末药剂师们轮流着开店。没有出现说需要预约的内容。
③ 也有别的星期(工作日)休息，只在周末开门的药店。
　→ 周末开店的药剂师在别的星期(工作日)休息。没有出现有关只在周末开店的内容。
❹ 可以在网上找到周末开门的药店。

单词

预约，了解/认出/询问

Explanation

① All pharmacists work on weekends.
　→ Pharmacists rest on weekends like ordinary people.
② If you want to go to the pharmacy on the weekend, you need to make a reservation.
　→ Pharmacists take turns opening pharmacies on weekends. There is no content that states that you have to make a reservation.
③ There are also pharmacies that are closed on other days and open only on weekends.
　→ Pharmacists who open their pharmacies on weekends are off on other days. There is no content about pharmacies that are only open on weekends.
❹ You can search for pharmacies that are open on weekends on the Internet.

Words

reservation, search(= find out)

[67~68]

롯데월드타워는 한국에서 가장 높은 빌딩입니다. 2016년에 만들어진 이 건물은 서울 잠실에 있는데 123층에 555m로 세계에서 다섯 번째로 높은 건물입니다. 이 건물에는 쇼핑몰, 사무실, 호텔이 있고, 여러 가지 서비스가 있는 최고급 아파트도 있습니다. 맨 위에는 '서울 스카이'가 있는데, 여기에 올라가면 (㉠ 서울 시내를 한눈에 볼 수 있어서) 인기가 많습니다.

67 빈칸에 알맞은 말 고르기   정답 ②

해설

㉠ 앞에 있는 '여기'는 '서울 스카이'를 의미합니다. 서울 스카이는 타워의 제일 높은 곳에 있습니다. 그러므로 서울 스카이에 올라가면 서울 시내를 '한눈에' 볼 수 있습니다.

단어

높다, 빌딩(= 건물), (높은 쪽으로) 올라가다, 인기, 시내

说明

㉠前的 "여기(这里)" 是指 "서울 스카이(Seoul Sky)"。Seoul Sky在塔的最高的地方。所以上到Seoul Sky的话就可以将首尔市区全景 "한눈에(一览无余)"。

单词

高，大厦(=建筑物)，上/上去，人气，市中心/市区

Explanation

'여기(Here)' in front of ㉠, means 'Seoul Sky.' Seoul Sky is at the highest point of the tower. Therefore, if you go up to Seoul Sky, you can see downtown Seoul '한눈에(at a glance).'

Words

high, building, go up, popular, downtown

68 일치하는 내용 고르기   정답 ①

해설

❶ 롯데월드타워 안에는 호텔이 있습니다.
② 롯데월드타워에서는 사람이 살 수 없습니다.
  → 롯데월드타워에는 아파트 즉, 사람이 사는 곳도 있습니다.
③ 롯데월드타워는 세계의 빌딩 중 가장 높습니다.
  → 롯데월드타워는 한국에서 가장 높습니다. 세계에서는 다섯 번째로 높은 빌딩입니다.
④ 롯데월드타워의 가장 높은 곳에 사무실이 있습니다.
  → 롯데월드타워의 가장 높은 곳에는 서울스카이가 있습니다.

단어

사무실, 호텔, 살다(= 거주하다), 세계

说明

❶ 乐天世界塔里有酒店。
② 乐天世界塔里不可以住人。
  → 乐天世界塔公寓 也就是说，也有住人的地方。
③ 乐天世界塔是世界的大楼中最高的大楼。
  → 乐天世界塔是韩国最高建筑。世界第5高建筑。
④ 乐天世界塔上最高的地方有办公室。
  → 乐天世界塔上最高的地方有Seoul Sky。

单词

办公室，酒店，住(=居住)，世界

Explanation

❶ There is a hotel in Lotte World Tower.
② People can't live in Lotte World Tower.
  → Lotte World Tower has apartments—places where people live.
③ Lotte World Tower is the tallest building in the world.
  → Lotte World Tower is the tallest in Korea. It is the fifth tallest building in the world.
④ There is an office at the highest point of Lotte World Tower.
  → Seoul Sky is at the highest point of Lotte World Tower.

Words

office, hotel, live, world

> 저는 얼마 전에 자동차 운전면허를 땄습니다. 그런데 아직 운전을 잘하지 못합니다. 그래서 주말마다 여자 친구와 운전 연습을 하기로 했습니다. 처음에는 운전에 **익숙하지 않아서** (㉠ 긴장이 되었습니다). 그런데 여자 친구가 계속 잘하고 있다고 칭찬을 해 줘서 마음이 편해지고 자신감도 생겼습니다. 여자 친구 덕분에 이제 운전에 좀 익숙해진 것 같습니다.

69 빈칸에 알맞은 말 고르기

정답 ①

해설

㉠ 앞에 '운전에 익숙하지 않다'는 내용이 나옵니다. 그러므로 ㉠에는 '긴장이 되다'라는 말이 들어가는 게 알맞습니다.

단어

운전, 익숙하다, 칭찬, 자신감, 긴장

说明

㉠前出现 "운전에 익숙하지 않다(开车不熟练)"。所以㉠应填入 "긴장이 되다(紧张)"。

单词

开车/驾驶，熟练/熟悉，称赞/表扬，自信/自信心，紧张

Explanation

Before ㉠, the content says, '운전에 익숙하지 않다(I'm not accustomed to driving).' Therefore, it is appropriate to put the phrase '긴장이 되다(to be nervous)' in the position of ㉠.

Words

driving, accustomed to, praise, confidence, nervousness

70 일치하는 내용 고르기

정답 ②

해설

① 여자 친구가 운전을 해 주었습니다.
  → 여자 친구가 운전 연습을 도와주기로 했습니다.
❷ 나는 운전면허를 딴 지 얼마 안 됐습니다.
③ 여자 친구는 오래전에 운전면허를 땄습니다.
  → 여자 친구가 언제 운전면허를 땄는지는 나오지 않습니다.
④ 나는 이제 운전을 아주 잘 하게 되었습니다.
  → 나는 운전에 이제 조금 익숙해졌습니다. 아주 잘하게 된 것은 아닙니다.

단어

운전면허, 따다

说明

① 女朋友帮开车了。
  → 女朋友决定帮我练车。
❷ 我刚刚取得驾照不久。
③ 女朋友很久之前就已经取得了驾照。
  → 没有提到女朋友什么时候去的驾照。
④ 我现在很会开车了。
  → 我现在开车熟练一点了。并不是开得很好了。

单词

驾照，取得/获得

Explanation

① My girlfriend drove for me.
  → My girlfriend promised to help me practice driving.
❷ It hasn't been long since I got a driver's license.
③ My girlfriend got a driver's license a long time ago.
  → Information about when his girlfriend got her driver's license doesn't appear.
④ I ended up driving well.
  → I'm a little accustomed to driving now. I didn't end up doing well.

Words

driver's license, get

한국어능력시험 TOPIK I
실전 모의고사 답안지
듣기, 읽기

성 명 (Name)	한국어 (Korean)	
	영 어 (English)	

문제지 유형 (Type)	홀수형 ○	짝수형 ○

수험번호

	0											
⓪	●	⓪	⓪	⓪	⓪		⓪	⓪	⓪	⓪	⓪	⓪
1	①	①	①	①	①	—	①	①	①	①	①	①
2	②	②	②	②	②		②	②	②	②	②	②
3	③	③	③	③	③		③	③	③	③	③	③
4	④	④	④	④	④		④	④	④	④	④	④
5	⑤	⑤	⑤	⑤	⑤		⑤	⑤	⑤	⑤	⑤	⑤
6	⑥	⑥	⑥	⑥	⑥		⑥	⑥	⑥	⑥	⑥	⑥
7	⑦	⑦	⑦	⑦	⑦		⑦	⑦	⑦	⑦	⑦	⑦
8	⑧	⑧	⑧	⑧	⑧		⑧	⑧	⑧	⑧	⑧	⑧
9	⑨	⑨	⑨	⑨	⑨		⑨	⑨	⑨	⑨	⑨	⑨

※ 실제 시험에서는 모든 표기가 바르게 되었는지 감독위원이 확인 후 서명을 합니다.

※ 답안 작성은 반드시 제공된 컴퓨터용 사인펜을 사용해야 합니다.

※ 위 사항을 지키지 않아 발생하는 불이익은 응시자에게 있습니다.

답안 표기란

번호	답란
1	① ② ③ ④
2	① ② ③ ④
3	① ② ③ ④
4	① ② ③ ④
5	① ② ③ ④
6	① ② ③ ④
7	① ② ③ ④
8	① ② ③ ④
9	① ② ③ ④
10	① ② ③ ④
11	① ② ③ ④
12	① ② ③ ④
13	① ② ③ ④
14	① ② ③ ④
15	① ② ③ ④
16	① ② ③ ④
17	① ② ③ ④
18	① ② ③ ④
19	① ② ③ ④
20	① ② ③ ④
21	① ② ③ ④
22	① ② ③ ④
23	① ② ③ ④
24	① ② ③ ④
25	① ② ③ ④

번호	답란
26	① ② ③ ④
27	① ② ③ ④
28	① ② ③ ④
29	① ② ③ ④
30	① ② ③ ④
31	① ② ③ ④
32	① ② ③ ④
33	① ② ③ ④
34	① ② ③ ④
35	① ② ③ ④
36	① ② ③ ④
37	① ② ③ ④
38	① ② ③ ④
39	① ② ③ ④
40	① ② ③ ④
41	① ② ③ ④
42	① ② ③ ④
43	① ② ③ ④
44	① ② ③ ④
45	① ② ③ ④
46	① ② ③ ④
47	① ② ③ ④
48	① ② ③ ④
49	① ② ③ ④
50	① ② ③ ④

번호	답란
51	① ② ③ ④
52	① ② ③ ④
53	① ② ③ ④
54	① ② ③ ④
55	① ② ③ ④
56	① ② ③ ④
57	① ② ③ ④
58	① ② ③ ④
59	① ② ③ ④
60	① ② ③ ④
61	① ② ③ ④
62	① ② ③ ④
63	① ② ③ ④
64	① ② ③ ④
65	① ② ③ ④
66	① ② ③ ④
67	① ② ③ ④
68	① ② ③ ④
69	① ② ③ ④
70	① ② ③ ④

본 답안지는 연습용 모의답안지입니다.

한국어능력시험 TOPIK I
실전 모의고사 답안지
듣기, 읽기

| 성 명
(Name) | 한 국 어
(Korean) | |
| | 영 어
(English) | |

| 문제지
유형
(Type) | 홀수형 | ○ |
| | 짝수형 | ○ |

※ 실제 시험에서는 모든 표
기가 바르게 되었는지 감독
위원이 확인한 후 서명을
합니다.

※ 답안 작성은 반드시 제공
된 컴퓨터용 사인펜을 사
용해야 합니다.

※ 위 사항을 지키지 않아 발
생하는 불이익은 응시자에
게 있습니다.

수험번호

| | 0 | ● | | | | | | | — | | | | |

| 0 | 1 | 2 | 3 | 4 | 5 | 6 | 7 | 8 | 9 |

답 안 표 기 란

1	① ② ③ ④		26	① ② ③ ④		51	① ② ③ ④
2	① ② ③ ④		27	① ② ③ ④		52	① ② ③ ④
3	① ② ③ ④		28	① ② ③ ④		53	① ② ③ ④
4	① ② ③ ④		29	① ② ③ ④		54	① ② ③ ④
5	① ② ③ ④		30	① ② ③ ④		55	① ② ③ ④
6	① ② ③ ④		31	① ② ③ ④		56	① ② ③ ④
7	① ② ③ ④		32	① ② ③ ④		57	① ② ③ ④
8	① ② ③ ④		33	① ② ③ ④		58	① ② ③ ④
9	① ② ③ ④		34	① ② ③ ④		59	① ② ③ ④
10	① ② ③ ④		35	① ② ③ ④		60	① ② ③ ④
11	① ② ③ ④		36	① ② ③ ④		61	① ② ③ ④
12	① ② ③ ④		37	① ② ③ ④		62	① ② ③ ④
13	① ② ③ ④		38	① ② ③ ④		63	① ② ③ ④
14	① ② ③ ④		39	① ② ③ ④		64	① ② ③ ④
15	① ② ③ ④		40	① ② ③ ④		65	① ② ③ ④
16	① ② ③ ④		41	① ② ③ ④		66	① ② ③ ④
17	① ② ③ ④		42	① ② ③ ④		67	① ② ③ ④
18	① ② ③ ④		43	① ② ③ ④		68	① ② ③ ④
19	① ② ③ ④		44	① ② ③ ④		69	① ② ③ ④
20	① ② ③ ④		45	① ② ③ ④		70	① ② ③ ④
21	① ② ③ ④		46	① ② ③ ④			
22	① ② ③ ④		47	① ② ③ ④			
23	① ② ③ ④		48	① ② ③ ④			
24	① ② ③ ④		49	① ② ③ ④			
25	① ② ③ ④		50	① ② ③ ④			

한국어능력시험 TOPIK I
실전 모의고사 답안지
듣기, 읽기

성명 (Name)	한국어 (Korean)	
	영어 (English)	

수험번호

0	①	②	③	④	⑤	⑥	⑦	⑧	⑨
⓪	①	②	③	④	⑤	⑥	⑦	⑧	⑨
⓪	①	②	③	④	⑤	⑥	⑦	⑧	⑨
⓪	①	②	③	④	⑤	⑥	⑦	⑧	⑨
⓪	①	②	③	④	⑤	⑥	⑦	⑧	⑨
●	—								
⓪	①	②	③	④	⑤	⑥	⑦	⑧	⑨
⓪	①	②	③	④	⑤	⑥	⑦	⑧	⑨
⓪	①	②	③	④	⑤	⑥	⑦	⑧	⑨
⓪	①	②	③	④	⑤	⑥	⑦	⑧	⑨
⓪	①	②	③	④	⑤	⑥	⑦	⑧	⑨

문제지 유형 (Type)	홀수형	○
	짝수형	○

※ 실제 시험에서는 모든 표기가 반드시 되었는지 감독관원이 확인 후 서명을 합니다.

※ 답안 작성은 반드시 제공된 컴퓨터용 사인펜을 사용해야 합니다.

※ 위 사항을 지키지 않아 발생하는 불이익은 응시자에게 있습니다.

답안 표기란

번호	1	2	3	4
1	①	②	③	④
2	①	②	③	④
3	①	②	③	④
4	①	②	③	④
5	①	②	③	④
6	①	②	③	④
7	①	②	③	④
8	①	②	③	④
9	①	②	③	④
10	①	②	③	④
11	①	②	③	④
12	①	②	③	④
13	①	②	③	④
14	①	②	③	④
15	①	②	③	④
16	①	②	③	④
17	①	②	③	④
18	①	②	③	④
19	①	②	③	④
20	①	②	③	④
21	①	②	③	④
22	①	②	③	④
23	①	②	③	④
24	①	②	③	④
25	①	②	③	④

번호	1	2	3	4
26	①	②	③	④
27	①	②	③	④
28	①	②	③	④
29	①	②	③	④
30	①	②	③	④
31	①	②	③	④
32	①	②	③	④
33	①	②	③	④
34	①	②	③	④
35	①	②	③	④
36	①	②	③	④
37	①	②	③	④
38	①	②	③	④
39	①	②	③	④
40	①	②	③	④
41	①	②	③	④
42	①	②	③	④
43	①	②	③	④
44	①	②	③	④
45	①	②	③	④
46	①	②	③	④
47	①	②	③	④
48	①	②	③	④
49	①	②	③	④
50	①	②	③	④

번호	1	2	3	4
51	①	②	③	④
52	①	②	③	④
53	①	②	③	④
54	①	②	③	④
55	①	②	③	④
56	①	②	③	④
57	①	②	③	④
58	①	②	③	④
59	①	②	③	④
60	①	②	③	④
61	①	②	③	④
62	①	②	③	④
63	①	②	③	④
64	①	②	③	④
65	①	②	③	④
66	①	②	③	④
67	①	②	③	④
68	①	②	③	④
69	①	②	③	④
70	①	②	③	④

본 답안지는 연습용 모의답안지입니다.

한국어능력시험 TOPIK I
실전 모의고사 답안지
듣기, 읽기

| 성 명 (Name) | 한국어 (Korean) | |
| | 영 어 (English) | |

| 문제지 유형 (Type) | 홀수형 | ○ |
| | 짝수형 | ○ |

※ 실제 시험에서는 모든 표기가 바르게 되었는지 감독을 확인한 후 서명을 합니다.

※ 답안 작성은 반드시 제공된 컴퓨터용 사인펜을 사용해야 합니다.

※ 위 사항을 지키지 않아 발생하는 불이익은 응시자에게 있습니다.

수험번호

	0	●												—						
	⓪	⓪	⓪	⓪	⓪	⓪	⓪	⓪	⓪	⓪	⓪
1	①	①	①	①	①	①	①	①	①	①	①
2	②	②	②	②	②	②	②	②	②	②	②
3	③	③	③	③	③	③	③	③	③	③	③
4	④	④	④	④	④	④	④	④	④	④	④
5	⑤	⑤	⑤	⑤	⑤	⑤	⑤	⑤	⑤	⑤	⑤
6	⑥	⑥	⑥	⑥	⑥	⑥	⑥	⑥	⑥	⑥	⑥
7	⑦	⑦	⑦	⑦	⑦	⑦	⑦	⑦	⑦	⑦	⑦
8	⑧	⑧	⑧	⑧	⑧	⑧	⑧	⑧	⑧	⑧	⑧
9	⑨	⑨	⑨	⑨	⑨	⑨	⑨	⑨	⑨	⑨	⑨

답안 표기란

번호	답란	번호	답란	번호	답란
1	① ② ③ ④	26	① ② ③ ④	51	① ② ③ ④
2	① ② ③ ④	27	① ② ③ ④	52	① ② ③ ④
3	① ② ③ ④	28	① ② ③ ④	53	① ② ③ ④
4	① ② ③ ④	29	① ② ③ ④	54	① ② ③ ④
5	① ② ③ ④	30	① ② ③ ④	55	① ② ③ ④
6	① ② ③ ④	31	① ② ③ ④	56	① ② ③ ④
7	① ② ③ ④	32	① ② ③ ④	57	① ② ③ ④
8	① ② ③ ④	33	① ② ③ ④	58	① ② ③ ④
9	① ② ③ ④	34	① ② ③ ④	59	① ② ③ ④
10	① ② ③ ④	35	① ② ③ ④	60	① ② ③ ④
11	① ② ③ ④	36	① ② ③ ④	61	① ② ③ ④
12	① ② ③ ④	37	① ② ③ ④	62	① ② ③ ④
13	① ② ③ ④	38	① ② ③ ④	63	① ② ③ ④
14	① ② ③ ④	39	① ② ③ ④	64	① ② ③ ④
15	① ② ③ ④	40	① ② ③ ④	65	① ② ③ ④
16	① ② ③ ④	41	① ② ③ ④	66	① ② ③ ④
17	① ② ③ ④	42	① ② ③ ④	67	① ② ③ ④
18	① ② ③ ④	43	① ② ③ ④	68	① ② ③ ④
19	① ② ③ ④	44	① ② ③ ④	69	① ② ③ ④
20	① ② ③ ④	45	① ② ③ ④	70	① ② ③ ④
21	① ② ③ ④	46	① ② ③ ④		
22	① ② ③ ④	47	① ② ③ ④		
23	① ② ③ ④	48	① ② ③ ④		
24	① ② ③ ④	49	① ② ③ ④		
25	① ② ③ ④	50	① ② ③ ④		

TOPIK No.1

외국인과 재외동포를 위한

한국어능력시험(TOPIK)의 지침서

기초부터 차근차근 공부하고 싶어요.

짧은 시간 동안 핵심만 볼래요.

실전 연습을 하고 싶어요.

문제풀이 연습을 하고 싶어요.

영역별로 꼼꼼하게 공부하고 싶어요.

한국어 어휘 공부를 하고 싶어요.

한국어 문법 공부를 하고 싶어요.

※ 도서의 이미지 및 구성은 변경될 수 있습니다.

한국어능력시험

TOPIK I
한 번에 통과하기

All-in-One Guide to the TOPIK I　一本通

정답 및 해설

한국어능력시험

- 한국어 선생님과 함께하는
  TOPIK 한국어 문법 Ⅰ·Ⅱ

- 체계적으로 익히는
  쏙쏙 TOPIK 한국어 어휘 초급 · 중급 · 고급

- 영역별 무료 동영상 강의로 공부하는
  TOPIK Ⅰ·Ⅱ 한 번에 통과하기, 실전 모의고사, 쓰기, 읽기 전략 · 쓰기 유형 · 말하기 표현 마스터, 기출 유형 문제집

- 저자만의 특별한 공식 풀이법으로 공부하는
  TOPIK Ⅰ·Ⅱ 단기완성

- 법무부 공인 교재를 완벽 반영한
  사회통합프로그램 사전평가 단기완성, 종합평가 한 권으로 끝내기
  사회통합프로그램 사전평가 · 중간평가 · 종합평가 실전 모의고사

- 귀화 면접심사와 사회통합프로그램 구술시험의 완벽 대비를 위한
  귀화 면접심사 & 사회통합프로그램 구술시험

※ 도서의 이미지 및 구성은 변경될 수 있습니다.

빈출 어휘

⊕

어휘 테스트

실전 모의고사

제1회: 빈출 어휘

제1회 실전 모의고사에 나온 어휘입니다. 외웠는지 체크하고, 어휘 테스트를 풀어 보세요.

한국어	중국어	영어	외웠어요!
(값이나 수치가) 올라가다	上/上升	rise(= go up)	∨
괜찮다	没关系	It's okay	
(글을) 쓰다	(字/文章) 写	write	
가깝다	近	close	
가다	去	go	
가입하다	加入	join	
가족	家庭/家人	family	
가지(고) 가다	带着…去	bring	
갈아타다	换乘	transfer	
감기에 걸리다	感冒	catch a cold	
감상하다	欣赏/观赏	appreciate	
갖다주다	拿给/带给	bring	
같이	一起	together	
거의	几乎	almost	
걷다	走	walk	
경제적	经济上的/经济划算	economic	
계절	季节	season	
고장 나다	坏/出故障	broken	
고치다	改正/修/修改	fix	
공부	学习	study	
공연	演出/表演	performance	
공원	公园	park	
공장	工厂	factory	
공항	机场	airport	
과일	水果	fruit	

관람	观看/参观	watch	
관리실	门卫室/管理办公室	management office	
교실	教室	classroom	
교통비	交通费	transportation cost	
구경하다	观看/参观/观光	see the sight	
구입하다	购入/购买	purchase	
그리다	画	draw	
그림	画/图画	drawing/picture	
그만두다	辞职	quit	
근처	附近	nearby	
금메달	金牌	gold medal	
기다리다	等待	wait	
기쁘다	高兴	be delighted	
기타를 치다	弹吉他	play the guitar	
나무	树	tree	
날씨	天气	weather	
(날씨가) 안 좋다	（天气）不好	bad weather	
날짜	日/日子/日期	date	
냄새	气味	smell	
노래	练歌	song	
녹다	融化	melt	
놀라다	被吓到/受惊/震惊	surprise	
눈	眼睛	eye(s)	
느리다	慢	slow	
늦다	晚/迟到	late	
다른	别的/其他的	another	
다리	腿	leg	
대사관	大使馆	embassy	
덥다	热	hot	
도서관	图书馆	library	
도시	都市/城市	city	
도와주다	帮助	help	
돈을 내다	出钱/给钱/付费	pay for it	
돈이 들다	花钱	it costs money	

동물원	动物园	zoo	
동생	弟弟/妹妹	younger brother	
동호회	爱好者协会	club	
따뜻하다	温暖/暖和/热情	warm	
따뜻해지다	变暖	warm up	
떡	糕/打糕	tteok(= rice cake)	
똑같다	相同/一样	be the same	
마시다	喝	drink	
막히다	堵	be clogged	
만나다	见面	meet	
많다	多	many	
맑다	晴朗	clear	
맛있다	好吃/可口/味道好	delicious	
매주	弹吉他	every week	
(머리를) 다듬다/자르다	修发/剪发	trim/cut	
먹다	吃	eat	
메달을 따다	摘取奖牌	win a medal	
모르다	不知道	don't know	
모이다	聚集/汇集	gather	
모임	聚会/组织	meeting	
몸(= 컨디션)이 안 좋다	身体不舒服/状态不好	feel under the weather	
무료	免费/无偿	free of charge	
문을 닫다(= 영업을 종료하다)	关门 (=终止营业)	close (up)	
문을 열다(= 영업을 시작하다)	开门 (=开始营业)	open (the door)	
문제가 있다	有问题	have a problem	
물	水	water	
(물건을) 쓰다	（物品）用	use	
미술관	美术馆	art museum	
미안하다	不好意思	I'm sorry	
미용실	美发厅	hair salon	
믿다	相信	believe	
바꾸다(= 교환하다)	换 （=交换/换货）	change(= exchange)	
바다	大海	sea	
바닷물(= 바다의 물)	海水 (=海里的水)	seawater(= water of the sea)	

박물관	博物馆	museum	
반갑다	高兴/欣喜	glad	
발견하다	发现	discover	
밤	晚上/夜晚	night	
방문하다	来访/拜访	visit	
배	梨	pear	
배우다	学/学习	learn	
백화점	百货商店	department store	
버스	公交车	bus	
벌써	已经	already	
변기	马桶	toilet	
병원	医院	hospital	
보다	看	watch	
볶다	炒	stir-fry	
부모님	父母	parents	
(불에) 태우다	（用火）烧/烤	burn (on fire)	
불편하다	不方便/不舒服	uncomfortable	
비	雨	rain	
비닐 봉투	塑料袋	plastic bag	
비싸다	贵/价格高	expensive	
비자	签证	visa	
비행기	飞机	airplane	
빠르다	快/早	fast	
빨갛다	红	red	
사고	事故	accident	
사과	苹果	apple	
사다	买	buy	
사용하다	使用	use	
사장님	老板	president	
사진	照片/相片	photo	
(사진을) 찍다	拍照	take pictures	
사진관	照相馆	photo studio	
새	新	new	
새벽	凌晨	dawn	

새해	新年	New Year's Day	
서점	书店	bookstore	
선물	礼物	present	
선생님	老师	teacher	
성격	性格	personality	
성적을 거두다	取得成绩	perform	
소설	小说	novel	
송별회를 열다	送别会/欢送会	hold a farewell party	
수업	课	class	
술	酒	alcohol	
쉬다	休息	rest	
스피커	音响	speaker	
(시간과 위치를) 정하다	（时间和位置）定/决定	set (time and location)	
(시간이나 돈이) 절약되다	（时间或金钱）节约	save (time or money)	
시원하다	凉爽/爽快/痛快	cool	
시작하다	开始	start	
시험에 떨어지다	考试不及格/落榜	fail the exam	
시험에 합격하다	考试及格	pass the exam	
식당	食堂/饭店/餐厅	restaurant	
신청하다	申请	apply	
실감나다	有真实感	realistic	
심다	种植	plant	
싸다	便宜	cheap	
아르바이트	兼职	part-time job	
아쉬워하다	感到遗憾/感到可惜	be disappointed	
아주	非常	very	
알다	知道	know	
알리다	告知/宣告	inform	
약국	药店	pharmacy	
약속	约会/约定	appointment/promise	
어둡다	黑暗	dark	
얼굴	脸	face	
얼음	冰	ice	
~에서 나오다	从…出来	come out of	

여권	护照	passport	
여행	旅行/旅游	travel/trip	
여행사	旅行社	travel agency	
역	站	station	
역사	历史	history	
연극	戏剧/话剧	theater	
연락하다	联系/联络	contact	
연습	练习	practice	
연장하다	延长	extend	
열매	果实	fruit	
염색하다	染发	dye	
영화	电影	movie	
영화관	电影院	movie theater	
옆집	隔壁/邻居	next door	
예약하다	预约	reserve	
옛날	以前	in the past	
오래되다	（时间过去）久/久远	old	
올림픽	奥运会	the Olympics	
옷	衣服	clothes	
요리	料理/烹饪/菜/做菜	cook(ing)	
요일	星期	day	
요즘	最近	these days	
요청하다	邀请/请求	request	
우체국	邮局	post office	
운동	运动	exercise	
운동장	操场	playground	
원리	原理	principles	
원인	原因	cause	
원하다	期望/想要	want	
위로	安慰/慰藉	comforting	
위험성	危险性	danger	
유명하다	有名/著名/出名	famous	
유학	留学	study abroad	
음식	食物	food	

~을 타다	…乘坐	get on/off ~	
이사	搬家	moving	
이웃	邻居	neighborhood	
인기	人气	popularity	
인사	打招呼/问候	greeting	
인터넷 쇼핑	网购	internet shopping	
일	工作	work	
일정	日程	schedule	
입사 시험	入职考试	entrance exam	
자다	睡觉	sleep	
자동차	小汽车	car	
자주	经常	often	
작가	作家	writer	
작품	作品	work	
잠	睡觉	sleep	
장점	长处/优点	advantage	
재미있다	有趣/有意思	fun	
전기	电	electricity	
전시관	展览馆	exhibition hall	
전통	传统	tradition	
전화하다	打电话	call/phone	
절약하다	节约/节省	save	
조용하다	安静	quiet	
졸리다	犯困/困	sleepy	
좋다	好	good	
죄송하다	对不起	sorry	
주말	周末	weekend	
죽다	死	die	
준비하다	准备	prepare	
중요하다	重要	important	
즐겁다	愉快/开心	have fun	
지갑	钱包	wallet	
지구	地球	Earth	
지루하다	无聊/厌烦	boring	

지하철	地铁	subway	
직업	职业	occupation	
직진	直走/前进	straight	
(차가) 막히다	堵车/塞车	there's traffic	
차갑다	冷淡/冷漠/凉	cold	
채소	蔬菜	vegetables	
책	书	book	
처음	第一次	first time	
초대	邀请/招待	invitation	
출구	出口	exit	
출발하다	出发	departure	
춥다	冷	cold	
친구	朋友	friend	
코	鼻子	nose	
(키가) 크다	（个子）高	tall	
택시	出租车	taxi	
테니스를 치다	打网球	play tennis	
텔레비전	电视	TV	
파마	烫发	perm	
팔다	卖	sell	
편의점	便利店	convenience store	
편하다	方便/舒服	comfortable	
표	票	ticket	
표면	表面	surface	
해결하다	解决	solve	
향	香/香味	smell	
형	哥哥	elder brother	
혼자	独自/一人	alone	
화가	画家	painter	
화장실	洗手间	toilet	
환불받다	退款	get a refund	
회사	公司	company	
회사에 다니다	去公司上班	work for a company	
회의	会议	meeting	

훈련	训练	training	
휴가	休假/假期	vacation	
흐르다	流	flow	
힘들다	吃力/累/困难	tired/hard/difficult	

제1회 : 어휘 테스트

1. 다음 (   )에 들어갈 알맞은 단어를 〈보기〉에서 고르십시오.

〈보기〉 합격하다   준비하다   타다

① A: 시험공부 많이 했어요?
  B: 네, 철저하게 (   ).

② A: 여기에서 명동까지 어떻게 가요?
  B: 지하철을 (   ) 가요.

③ A: 혜진 씨, 시험에 (   )?
  B: 아니요, 떨어졌어요.

2. 다음 (   )에 들어갈 알맞은 단어를 〈보기〉에서 고르십시오.

〈보기〉 우체국   선물   식당   비

① A: 어디에서 밥을 먹어요?
  B: (   )에서 밥을 먹어요.

② A: 왜 (   )를 맞고 있어요?
  B: 우산을 안 가지고 왔어요.

③ A: 이번 생일 (   )로 무엇을 받고 싶어요?
  B: 저는 가방을 받고 싶어요.

④ A: 어디에 가요?
  B: 편지를 부치러 (   )에 가요.

정답

2. ① 식당 ② 비 ③ 선물 ④ 우체국

1. ① 준비하다 → 정답 네, 철저하게 준비했어요.
   ② 타다 → 정답 지하철을 타고 가요.
   ③ 합격하다 → 정답 혜진 씨, 시험에 합격했어요?

3. ( ) 안에서 알맞은 것을 찾아 ○표 하세요.

① A: 서울로 가는 기차가 언제 떠나나요?

　B: 삼십 분 후에 (도착할, 출발할) 예정입니다.

② A: 날이 이렇게 (맑은데, 많은데) 우산은 왜 들고 왔어요?

　B: 일기예보에서 오늘 오후에 비가 온다고 했거든요.

③ A: 이번 여름 (휴가, 화가)에는 뭐 할 거예요?

　B: 올해는 가족들과 해외여행을 하려고 해요.

4. 다음 ( )에 들어갈 알맞은 단어를 〈보기〉에서 고르십시오.

> 〈보기〉 기다리다　　덥다　　조용하다　　팔다

① 빵이 벌써 다 ( )?

② 날씨가 ( ) 냉면이 먹고 싶어요.

③ 거의 다 왔어요. 조금만 더 ( ) 주세요.

④ 오후가 되어 학생들이 집으로 돌아가자 교실은 ( ).

실전 모의고사

제2회: 빈출 어휘

제2회 실전 모의고사에 나온 어휘입니다. 외웠는지 체크하고, 어휘 테스트를 풀어 보세요.

한국어	중국어	영어	외웠어요!
～ 동안	…期间/…时间	for ～	∨
～까지	连…也	until ～	
～마다	每…	every ～	
가방	包	bag	
가볍다	轻微(运动)	light	
가입하다	加入	join	
가장	最/非常	most	
감기	感冒	cold	
감기에 걸리다	感冒	get a cold	
값	价钱	price	
강당	讲堂	auditorium	
결혼	结婚	marriage	
경복궁	景福宫	Gyeongbok Palace	
경쟁하다	竞争	compete	
경찰서	警察局	police station	
경치	景色	scenery	
계속	不停地	continuously	
계획	计划	plan	
고민	苦恼	worry	
고양이	猫	cat	
고향	故乡/老家/家乡	hometown	
공기	空气	air	
공연	演出	performance	
공원	公园	park	
공항	机场	airport	

과목	科目	subject	
관심	关心/关注/兴趣	interest/attention	
교실	教室	classroom	
교육	教育	education	
교통	交通	transportation/traffic	
구경하다	观看/参观/观光	see the sight	
구두	皮鞋	shoes	
귀찮다	麻烦	annoying	
규칙	规则	rule	
그대로	原原本本地	as it is	
극장	剧场	theater	
기간	期间	period	
기다리다	等待	wait	
기르다	养	raise	
기쁘다	开心	be happy	
기억나다	记得	remember	
기온	气温	temperature	
기타	吉他	guitar	
깊이	深	deeply	
깎다	砍(价)	bargain down	
깨끗하다	干净，清新(空气)	clean	
꽃	花	flower	
꽃바구니	花篮	flower basket	
꾸준히	坚持不懈	consistently	
꿈	梦/梦想	dream	
끄다	关掉	turn off	
나무	树	tree	
나이	年龄	age	
남자 친구	男朋友	boyfriend	
내일	明天	tomorrow	
노래방	练歌房/歌厅	karaoke	
농사(를) 짓다	务农	farm	
높다	高	high	
놓다	放	put	

누가	谁	who	
느끼다	感受/感到	feel	
늦다	晚	late	
다녀오다	去了一趟回来	visit	
다니다	上(学)	go to	
다양하다	多种多样	various	
다이어트	减肥	(be on a) diet	
다치다	受伤	get hurt	
단점	缺点	disadvantage	
달력	月历	calendar	
대형 마트	大超市	supermarket	
대화	对话	conversation	
더럽다	脏	messy	
덥다	热	hot	
도로	又/重新	again	
도서관	图书馆	library	
도와주다	帮助	help	
독서	读书	reading	
돌아가다	回去	go back	
돌아오다	回来	come back	
돕다	帮助	help	
동물	动物	animal	
동호회	爱好者协会	club	
들어가다	进去	enter	
따뜻하다	温暖/暖和/热情	warm	
따라하다	跟着做	copy/follow	
떡	糕/打糕	tteok(= rice cake)	
마당	院子	garden	
마시다	喝	drink	
만들다	制作	make	
만약	如果	if	
많다	多	many	
말이 잘 통하다	聊得来	communicate well	
맛	味道	taste	

명절	节日	holiday	
모으다	收集	collect	
모이다	集合	gather	
모임	聚会	gathering	
무료(= 공짜)	免费/无偿	free of charge	
무섭다	害怕/恐怖	scary	
문법	语法	grammar	
문화	文化	culture	
미술	美术	art	
미술관	美术馆	art gallery	
바뀌다	变化/改变	change	
바르다	正确/合理	right	
박물관	博物馆	museum	
밖(= 바깥)	外面	outside	
반갑다	高兴	nice to meet you	
방학	放假	vacation	
배	肚子	stomach	
배우다	学/学习	learn	
백화점	商场	department store	
버스	公交车	bus	
벗다	脱	take off	
병	病	disease/sickness	
병원	医院	hospital	
보다	看	watch	
보이다	出示/给看	show	
보증금	押金	deposit	
복잡하다	混杂	busy/crowded	
부부	夫妻	couple	
부탁	请求	ask	
붙이다	贴	stick/attach	
비	雨	rain	
비디오	视频/影像	video	
비싸다	贵/价格高	expensive	
빈방	空房/闲房	vacant room	

빌리다	借	borrow	
빵	面包	bread	
사다	买	buy	
사장	总经理	boss	
산	山	mountain	
살다(= 거주하다)	过生活(=居住)	live(= reside)	
살아가다	过日子	live	
살이 찌다	发胖	gain weight	
색(깔)	颜色	color	
생신	寿辰("생일"的敬称)	birthday	
생일	生日	birthday	
샤워	冲澡	shower	
서점	书店	bookstore	
설날	新年/正月初一	Korean new year's day (= Lunar New Year)	
설명하다	说明	explain	
소개	介绍	introduce	
속	里面/内	in	
손님	客人	customer	
수업	课	class	
수영	游泳	swimming	
수첩	手册	notebook	
숙제	作业	homework	
쉽다	简单	easy	
시간이 나다	有空	have time	
시간이 없다	没时间	have no time	
시골	乡下	rural area	
시기	时期	season	
시장	市场	market	
식물	植物	plant	
식사	吃饭	meal	
신랑	新郎	groom	
신부	新娘	bride	
신청	申请	apply/enrollment	

심하다	剧烈(运动)	excessive	
쌀쌀하다	冷飕飕	chilly	
쌓이다	堆积	accumulate	
씻다	洗	wash/shower/bathe	
아까	刚才	just/right before	
아깝다	可惜	worth it	
아내	妻子	wife	
아직	尚/还	yet	
아파트	公寓	apartment	
아프다	疼/痛	ache/sick	
악기	乐器	musical instrument	
알리다	告知/宣传	inform	
알아보다	了解	find out	
야구장	棒球场	baseball field	
약속	约会/约定	appointment/promise	
약국	药店	pharmacy	
얇다	薄	thin	
어느 쪽	哪边	which side	
어디	哪里	where	
어디서나	随处	anywhere	
어색하다	尴尬	awkward	
어제	昨天	yesterday	
언어	语言	language	
없다	没有	none	
여권	护照	passport	
여기저기	到处	here and there	
여행사	旅行社	travel agency	
역사	历史	history	
영상	视频	video	
예식장	礼堂	ceremony hall	
예약하다	预约	reserve	
예전	以前	before	
오랜만이다	好久不见	it's been for long time	
오후	下午	afternoon	

온도	温度	temperature	
옷장	衣柜	closet	
완벽히	完美地	perfectly	
외국	外国	foreign	
외롭다	孤单/寂寞	lonely	
외투	外套	coat	
요리	料理/烹饪/菜/做菜	cook(ing)	
요리사	厨师	chef	
요즘	最近	recently	
우표	邮票	stamp	
운동	运动	workout	
웃다	笑	smile	
월세	月租	monthly rent	
위치	位置	location	
유명	著名/有名	famous	
은행	银行	bank	
음악	音乐	music	
의사	医生	doctor	
이기다	胜/赢	win	
이메일	电子邮件	email	
이미	已经	already	
이사	搬家	move	
이용하다	利用	use	
이웃	邻居	neighbor	
이유	理由	reason	
이제	现在/如今	now	
이쪽	这(边)	this (person)	
일시	日期	date and time	
일어나다	出现/发生	cause	
일요일	星期日/星期天	Sunday	
일찍	早	early	
읽다	看	read	
입장	入场/进场	entrance	
자신	自己	one's own	

자유롭다	自由	freely	
자전거	自行车	bicycle	
자주	常常	often	
작년	去年	last year	
작품	作品	piece	
장점	优点	advantage	
재료	材料	ingredient	
적다	少	few	
전시회	展览会/展示会	exhibition	
절약하다	节约/节省	save	
정거장	车站	bus stop	
정성	真心/真诚	sincerity	
제출	提交	submit	
조절	调节	control	
주다	给	give	
주말	周末	weekend	
주인	主人	owner	
주차	停车	parking	
줄	排队	line	
중요하다	重要	important	
즐거움	快乐	joy	
지방	脂肪	fat	
지하철	地铁	subway	
직업	职业	job/occupation	
직접	亲自	by oneself(= in person)	
진행되다	进行	proceed	
집	家	home	
차이	差异/差别	difference	
참가비	参加费用	entry fee	
창문	窗户	window	
책	书	book	
챙기다	带/拿	take	
처음	第一次	first time	
천천히	慢慢地	slowly	

청소	打扫卫生	cleaning	
체육관	体育馆	gym	
추워지다	变冷	getting cold	
축제	庆典	festival	
축하하다	祝贺	congratulate	
출근	上班	go to work	
취미	爱好	hobby	
친구	朋友	friend	
친절하다	亲切	kind	
카페	咖啡厅	cafe	
키우다	养	raise	
타다	骑(自行车)	ride	
택배	快递	delivery	
토요일	星期六	Saturday	
특별하다	特别	special	
팔다	卖	sell	
편리하다	便利	convenient	
평소	平时	usual(ly)	
프로그램	节目	program	
피하다	避免	avoid	
하나	一个	one	
학교	学校	school	
한복	韩服	hanbok	
한참	好一阵	quite a while	
함께	一起	together	
항상	经常	always	
혼자	独自/一人/独自	alone	
홈페이지	网页	homepage/website	
홍차	红茶	black tea	
화가	画家	painter	
화면	画面	screen	
화분	花盆	flower pot	
환경	环境	environment	
활동	活动	activity	

활용	充分利用	use	
회원	会员	member	
회장	会长	head	
훌륭하다	优秀	excellent	
휴대폰	手机	mobile phone	
힘들다	吃力/累/困难	tired/hard/difficult	

제2회 어휘 테스트

1. 다음 (   )에 들어갈 알맞은 단어를 〈보기〉에서 고르십시오.

> 〈보기〉 기다리다   들어가다   복잡하다

① A: 가게에 사람이 많네요.
　 B: 네, 그래서 가게가 정말 (   ).
② A: 시간 있어요? 옷 사러 갈래요?
　 B: 좋아요. 저기 보이는 백화점에 (   ) 봅시다.
③ A: 오 분만 (   ) 주세요.
　 B: 알았어요. 약속 장소에 그대로 있을게요.

2. 다음 (   )에 들어갈 알맞은 단어를 〈보기〉에서 고르십시오.

> 〈보기〉 배우다   친절하다   힘들다

① A: 이안 씨, 한국말을 잘하네요. 얼마나 배웠어요?
　 B: 저는 한국어를 3년 동안 (   ).
② A: 이 가게는 항상 사람이 많네요.
　 B: 사장님이 (   ), 음식도 맛있거든요.
③ A: 한국에서 혼자 생활하기 어때요?
　 B: 혼자 생활하기가 조금 (   ).

정답

1. ① **복잡하다** 네, 그래서 가게가 정말 복잡해요.
　 ② **들어가다** 좋아요. 저기 보이는 백화점에 들어가 봅시다.
　 ③ **기다리다** 오 분만 기다려 주세요.

2. ① **배우다** 저는 한국어를 3년 동안 배웠어요.
　 ② **친절하다** 사장님이 친절하시고, 음식도 맛있거든요.
　 ③ **힘들다** 혼자 생활하기가 조금 힘들어요.

3. (   ) 안에 알맞은 것을 찾아 ○표 하세요.

① A: 방 청소는 다 했니?

　 B: 아니요, (아까, 아직) 다 못했어요.

② A: 수업 끝나고 뭐해요?

　 B: 친구와 (약속, 약국)이 있어요.

③ A: 집 앞에 지하철역이 있네요.

　 B: 네, 그래서 교통이 (편리, 불편)해요.

4. 다음 (   )에 들어갈 알맞은 단어를 〈보기〉에서 고르십시오.

> 〈보기〉 기르다　　놓다　　비싸다　　이기다　　절약하다

① 저는 돼지 이백 마리를 (   ) 있습니다.

② 그는 풍선을 (   ) 하늘로 날려 보냈습니다.

③ 우리 반이 다른 반들을 (   ) 우승했습니다.

④ 가방이 마음에 들었지만 (   ) 사지 못했습니다.

⑤ 그는 용돈을 (   ) 위해 학교까지 걸어 다닙니다.

정답 ✎

3. ① 아직
　 ② 약속
　 ③ 편리

4. ① 기르다 [활용] 저는 돼지 이백 마리를 기르고 있습니다.
　 ② 놓다 [활용] 그는 풍선을 놓아 하늘로 날려 보냈습니다.
　 ③ 이기다 [활용] 우리 반이 다른 반들을 이기고 우승했습니다.
　 ④ 비싸다 [활용] 가방이 마음에 들었지만 비싸서 사지 못했습니다.
　 ⑤ 절약하다 [활용] 그는 용돈을 절약하기 위해 학교까지 걸어 다닙니다.

실전 모의고사

제3회: 빈출 어휘

제3회 실전 모의고사에 나온 어휘입니다. 외웠는지 체크하고, 어휘 테스트를 풀어 보세요.

한국어	중국어	영어	외웠어요!
가구	家具	furniture	∨
가끔	偶尔	sometimes	
가르치다	教	teach	
감사하다	谢谢	thank you	
강연	演讲/讲座	lecture	
건강해지다	变健康	become healthy	
건물	建筑物/楼房	building	
게임	游戏	games	
결혼하다	结婚	marry	
계란	鸡蛋	egg	
계산하다	结账/买单	calculate	
계시다	在	someone is here	
-고 싶다	想…	want	
관심	关心/关注/兴趣	interest/attention	
궁금하다	好奇	curious	
그래서	所以	so	
그러면	那么	then	
그리고	然后/还有	and	
기분	心情	feeling	
기억에 남다	记忆深刻/留下印象	memorable	
긴장	紧张	nervousness	
꽃집	花店	flower shop	
꾸준히	坚持不懈地/勤奋地/不断地	consistently	
꿈	梦/梦想	dream	
끊다(= 그만두다)	戒断（=停止）	quit	

나무	树	tree	
나빠지다	变坏/变差	get worse	
낮	白天	daytime	
넓다	宽	wide	
놀이공원	游乐场	theme park	
농구	篮球	basketball	
농구 선수	篮球选手	basketball player	
높다	高	high	
(높은 쪽으로) 올라가다	上/上去	go up	
누구나	任何人	anyone	
눈이 오다	下雪	snowy	
눕다	躺	lying down	
−는 편이다	算是…	rather(= tend to)	
다녀오다	去（一趟）回来	go to	
다음 주	下周	next week	
달다	甜	sweet	
담배	烟	tobacco	
돈을 벌다	赚钱	making money	
돈을 쓰다	花钱	spend money	
돌보다	照顾	take care	
돕다	帮助	help	
동물	动物	animals	
동물보호소	动物保护处	animal shelter	
동시에	同时	at the same time	
따다	取得/获得	get	
만족스럽다	满意/满足	satisfied	
만화책	漫画书	comic books	
맛	味道	taste	
(머리를) 하다	做头发	do hair	
매일	每天	every day	
먼저	先	first	
멋있다	帅气/酷/优秀	cool	
모르다	不知道	don't know	
모으다	集/统一/积攒	collect	

문제가 없다	没问题	no problem	
물	水	water	
미용실	美发厅	hair salon	
바람이 불다	刮风	windy	
반지	戒指	ring	
받다	收	receive	
밝다	亮	bright	
방	房间	room	
방법	方法	method	
배	船	ship	
배구	排球	volleyball	
변화	变化	change	
별로	不怎么	especially	
보내다	寄	send	
불안하다	不安/不放心/不稳定	anxious	
빌딩(= 건물)	大厦（=建筑物）	building	
빨리	快	quicky	
빵집	面包店	bakery	
사고	事故	accident	
사귀다	交往	date	
사다	买	buy	
사랑스럽다	可爱/惹人喜欢	lovely	
사무실	办公室	office	
사이가 좋다	关系好	get along well	
(사진이 벽에) 걸리다	（相片在墙上）挂	hang (a photo on the wall)	
사진을 찍다	拍照	take a picture	
산책(을) 하다	散步	take a walk	
살다(= 거주하다)	住（=居住）	live	
상관없다	没有关联/没关系	it doesn't matter	
새롭다	新/新鲜	new	
생활	生活	life	
생활하다	生活	live	
선물하다	送作礼物	gift	
성격	性格	personality	

세계	世界	world	
세탁소	洗衣店	laundry	
소리가 들리다	听到声音	hear sounds	
소리를 지르다	叫喊/呼喊	scream	
소중하다	珍贵/贵重	precious	
소화제	消化药	digestive medicine	
쇼핑	购物	shopping	
수업을 듣다	听课	take a class	
숙제	作业	homework	
술	酒	alcohol	
스마트폰	智能手机	smartphone	
시간	时间	time	
(시간을) 보내다	度过（时间）	spend time	
시끄럽다	喧嚣/吵闹	noisy	
시내	市中心/市区	downtown	
시장	市场	market	
신발	鞋子	shoes	
신용카드	信用卡	credit card	
실례하다	失礼	excuse me	
실천하다	实践	practice	
싫어하다	讨厌/烦	hate	
심다	种植	plant	
심심하다	无聊	bored	
싸우다	争吵/打架	fight	
아르바이트	兼职	part-time job	
아무 때	随时	any time	
아버지	爸爸	father	
아직	还/仍然	not yet	
아침	早上	morning	
아프다	疼/痛	ache/sick	
안내하다	带领/讲解/引导	inform	
알아보다	了解/认出/询问	search(= find out)	
(약을) 짓다	抓（药）	prescribe (medicine)	
약국	药店	pharmacy	

약사	药剂师	pharmacist	
어머니	妈妈	mother	
어제	昨天游乐场	yesterday	
언니	姐姐	sister	
언제	什么时候	when	
여자 친구	女朋友	girlfriend	
(여행 등을) 떠나다	（旅行等）去往	leave (for traveling)	
옆방	隔壁房	next room	
예약	预约	reservation	
오늘	今天	today	
오랫동안	很久	for a long time	
오전	上午	morning	
오후	下午	afternoon	
올해	今年	this year	
옷	衣服	clothes	
우산	雨伞	umbrella	
(우산을) 쓰다	撑（伞）	use (an umbrella)	
우체국	邮局	post office	
운전	开车/驾驶	driving	
운전면허	驾照	driver's license	
위험하다	危险	dangerous	
유학	留学	study abroad	
유행하다	流行	popular	
음료수	饮料	drink	
음식점	餐馆	restaurant	
의자	椅子	chair	
이름	名字	name	
이쪽	这边	this way	
이해하다	理解	understand	
익숙하다	熟练/熟悉	accustomed to	
인기	人气	popular	
인사하다	打招呼/问候	say hello	
일	事情	work	
일주일	一周/一星期	a week	

일하다	工作/做事	do a work	
읽다	看/读	read	
자꾸	经常	repeatedly	
자다	睡觉	sleep	
자신감	自信/自信心	confidence	
자연	自然	nature	
자원봉사	志愿服务/志愿活动	volunteer	
자주	经常	often	
장소	地点	place	
저녁	晚上	evening	
저쪽	那边	that way	
적다	写/少	few	
(전화상에서) 여보세요	（打电话时）喂	(on the phone) hello	
전화하다	打电话	call/phone	
정보	信息	information	
조용하다	安静	quiet	
좁다	窄	narrow	
좋아하다	喜欢	like	
주로	一般/主要	mainly	
즐겁다	愉快/开心	have fun	
즐기다	愉快	enjoy	
지금	现在	now	
지키다	守护	protect	
직원	职员	employee	
집중	集中	concentrate	
참가	参加	participation	
책	书	book	
(책을) 쓰다	写（书）	write (a book)	
초	蜡烛	candle	
최근	最近	recently	
추천하다	推荐	recommend	
친척	亲戚	relative	
칭찬	称赞/表扬	praise	
케이크	蛋糕	cake	

콘서트	演唱会	concert	
태어나다	出生	born	
편지	信	letter	
편하다	方便/舒服	comfortable	
피해	被害/损害	damage	
필요하다	需要/必要	necessary	
하루	一天	a day	
학교	学校	school	
한꺼번에	一下子/一块儿	all at once	
항구	港口	port	
해외여행	海外旅行	travel abroad	
행복하다	幸福	happy	
행사	活动	event	
호텔	酒店	hotel	
환경 보호	环境保护	environmental protection	
활동하다	活动	active	
활발하다	活泼	active	
휴일	休息日/节假日	holiday	
흐리다	阴	cloudy	

제3회 어휘 테스트

1. 다음 (　　　　)에 들어갈 알맞은 단어를 〈보기〉에서 고르십시오.

〈보기〉 계산하다　　안내하다　　추천하다

① A: 이번엔 제가 (　　　　).
B: 고마워요. 다음엔 제가 사 드릴게요.

② A: 저에게 어울릴 만한 옷을 좀 (　　　　) 주세요.
B: 제 생각에는 이 바지가 괜찮을 것 같아요.

③ A: 안녕하세요? 저는 이 관광지를 (　　　　) 가이드입니다.
B: 잘 부탁합니다. 덕분에 재미있게 구경할 수 있겠네요.

2. 다음 (　　　　)에 들어갈 알맞은 단어를 〈보기〉에서 고르십시오.

〈보기〉 약국　　학교

① A: 배가 너무 아파요. 소화제를 먹어야 할 것 같아요.
B: 지금 새벽이라 문을 연 (　　　　)이 없을 거예요. 편의점에 가 봅시다.

② A: (　　　　)를 졸업하면 뭐 할 거예요?
B: 취직을 해서 돈을 벌고 싶어요.

정답

1. ① 계산하다 활용 이번엔 제가 계산할게요.
② 추천하다 활용 저에게 어울릴 만한 옷을 좀 추천해 주세요.
③ 안내하다 활용 저는 이 관광지를 안내할 가이드입니다.

2. ① 약국
② 학교